D1259980

DOUBLE SENS

Du même auteur

Transgression, Lattès, 1998
Beauté fatale, Calmann-Lévy, 1996
Poison mortel, Calmann-Lévy, 1994
La Noyade de Polichinelle, Calmann-Lévy, 1992
Tempête de neige en été, Calmann-Lévy, 1990

Sarah Dunant

DOUBLE SENS

Roman

Traduit de l'anglais par Laure Joanin

JC Lattès

Collection « Suspense & Cie »
dirigée par Sibylle Zavriew

Titre de l'édition originale
MAPPING THE EDGE
publiée par Virago Press

Pour Georgia et Zoe

PROLOGUE

Des gens disparaissent tous les jours. Ils quittent leurs maisons et leurs vies pour s'évanouir dans le silence froid des statistiques. Pour ceux qu'ils laissent derrière eux, c'est l'heure du plus cruel des au revoir, car il ne reste que le chagrin et le doute. Cette personne que l'on aimait tant — et que l'on croyait connaître si bien — a-t-elle vraiment choisi de partir pour ne pas revenir ? Ou bien est-ce plus horrible que ça ? Quelqu'un a-t-il choisi pour elle ?

L'absence met l'âme en sang. En guise de réponses, on n'a que son imagination, en guise de réalité que des fantasmes. Et plus on y réfléchit, plus ces fantasmes se construisent et vous consument.

Histoires d'entre deux mondes.

Comme celle-ci.

Anna s'en va. Au revoir.

PREMIÈRE PARTIE

Transit — Lundi après-midi

Salle de départ, terminal sud, aéroport de Gatwick. Un paradis pour les consommateurs : deux étages de boutiques de luxe reliés par des ascenseurs vitrés et fréquentés par des clients prisonniers et oisifs bénéficiant d'une réduction permanente grâce à leur carte d'embarquement.

Si vous êtes malin, vous venez avec une valise vide et vous faites vos bagages en vous promenant : cosmétiques, articles de toilette, vêtements, chaussures, livres, parfums, alcools, appareils photo, pellicules.

Pour beaucoup, c'est ici que les vacances commencent. On le lit sur les visages. Les gens font leurs courses d'une façon différente ; rien à voir avec la folie qui règne dans les centres commerciaux de banlieue. Ils se baladent et flânent, couples enlacés à la démarche tranquille de promeneurs sur la plage, enfants gambadant derrière leurs parents dans la sécurité hermétique d'un environnement sous surveillance. Qui a jamais entendu parler d'un enfant kidnappé dans une salle de départ ?

Second étage, un café avec des tables en terrasse, à côté de Body Shop et d'Accessorise. Une femme y est assise, seule, un sac de voyage à ses pieds, sa carte d'embarquement posée devant elle près d'une tasse en plastique. Elle n'a fait aucun achat, pas même en duty free. Elle n'a pas envie de courir les magasins. Elle regarde les autres et se replonge vingt ans en arrière, se remémorant cet aéroport tel qu'il était la première fois qu'elle y est venue, adolescente, pour se rendre en Europe.

Rien de tout ceci n'existait alors. Avant l'invention du marketing ciblé, prendre l'avion était une affaire sérieuse, plus sacrée. Les passagers revêtaient leurs plus beaux atours et les achats en duty free se résumaient à deux cents Rothmans et un flacon de parfum Elizabeth Arden. Cela semble aussi loin que la photographie en noir et blanc.

Vingt ans plus tôt, son vol avait eu trois heures de retard. Trop jeune pour s'offrir de l'alcool bon marché et trop pauvre pour acheter du parfum, elle avait pris place dans une rangée de sièges-baquets rouges fixés au sol. Puis elle s'était plongée dans ses guides de voyage, dressant le plan d'une ville qu'elle n'avait visitée qu'en imagination et tentant d'apaiser les flots d'adrénaline qui l'habitaient.

Une autre vie l'attendait au-delà de la porte 3 et elle mourait d'envie d'y pénétrer.

Aujourd'hui, ce n'est pas la même chose. L'adrénaline est toujours là mais elle n'a rien d'espiègle. Alimentée par la peur et la caféine, elle brûle les parois de l'estomac.

Il y a des moments où elle souhaiterait n'être jamais venue, ou bien avoir emmené Lily avec elle. Lily aurait adoré tout ce cirque. Ses bavardages auraient empli le silence, sa curiosité aurait transformé le cynisme en émerveillement. Mais ce n'est pas le voyage de Lily. Si elle était là, les choses seraient sans doute différentes.

Elle repousse la tasse de café et remet la carte d'embarquement dans sa poche. La dernière fois qu'elle a regardé l'écran de contrôle, l'embarquement pour Pise n'avait pas encore commencé. Maintenant, le signal clignote. Dernier appel. Porte 37. Elle se lève et se dirige vers l'ascenseur vitré.

Vingt ans plus tôt, alors qu'elle accomplissait ce même chemin, un morceau des Beatles chantait dans sa tête : *She's Leaving Home*. Il datait déjà à l'époque. Cette ironie l'avait fait sourire. Peut-être était-ce son problème. L'ironie ne la réconfortait plus.

Amsterdam — Vendredi après-midi

Le vendredi soir, j'aime prendre des drogues. Je suppose qu'on peut appeler ça une habitude, même si elle n'est guère sérieuse. Pour moi, c'est plutôt une manière de me relaxer, la fin du travail, le besoin de me laisser aller, de saluer l'arrivée du week-end, enfin, ce genre de choses. Quelquefois c'est de la dope, quelquefois c'est de l'alcool. Comme pour la plupart des choses dans ma vie, j'obéis à un certain rituel. J'entre, j'allume la radio, me roule un joint, m'assieds à la table de la cuisine et j'attends que le monde s'étire. J'aime ce à quoi ressemble la vie quand je suis défoncée ; plus malléable, plus douce sur les bords. Elle me semble familière, rassurante.

Ça fait longtemps que je fume. J'ai commencé, jeune, avec le petit copain d'une amie ; un exemple précoce de libre entreprise adolescente. La première fois, il y avait du monde mais j'ai vite découvert la solitude. Je m'installais en haut, au premier étage, et je recrachais la fumée par la fenêtre de ma chambre. Si mon père s'en est aperçu (ça me semble impossible aujourd'hui qu'il ne s'en soit pas rendu compte), il fut assez intelligent pour ne pas le mentionner. Je n'étais pas une rebelle, seulement une solitaire. Et j'aimais être défoncée. Les choses ont continué ainsi tout au long de ma vie. Même si l'on ne s'en aperçoit pas en me voyant. Je n'en ai pas le style, vous comprenez. J'ai toujours possédé le formidable talent de passer pour une professionnelle accomplie dans le jeu du 9 à 5. Le cerveau à l'image de mes vêtements : net et sans chichis. En un mot, franc. J'ai l'air d'une bonne fille. Sur laquelle on peut compter. Mais tout le monde doit un jour ou l'autre s'extirper de ses épaulettes.

D'autres vendredis, changement d'humeur, je bois de l'alcool. Ça n'a rien à voir avec un souci de légalité. La ville que j'ai adoptée s'enorgueillit de posséder une remarquable tolérance pour la drogue et un système d'approvisionnement qui convient même à ses habitants les plus discrets. Non. C'est seulement que certains vendredis, mon cerveau a soif d'une autre forme de libération. Alors, je donne libre cours à mon envie de vodka glacée. C'est un plaisir rare de la voir s'écouler de la bouteille, telle une eau forte, une rivière d'alcool pur épaisse et visqueuse, glissant en glougloutant sur de petits morceaux de glace. Pour l'occasion, je sors un petit verre spécial, lourd — comme le liquide — et de faible contenance. Quand on verse la boisson, ses bords se couvrent de buée à cause du froid. Lorsqu'on boit, les doigts y laissent de petites empreintes humides.

La première rasade est meilleure sur un estomac vide. Je veille toujours à déjeuner de bonne heure ce jour-là afin d'être complètement déchirée par la faim en arrivant à la maison. C'est ainsi qu'on peut réellement sentir l'alcool couler dans son sang, circuler dans ses veines. On a les mains qui picotent et l'estomac en feu. Très vite, on s'amollit. Alors, je commence à cuisiner. Tout est une question de timing. Si l'on attend trop longtemps, on risque de rater l'instant idéal, d'être trop affamée pour y parvenir ou trop soûle pour s'y intéresser. Je mets de la musique afin de me concentrer et je prépare un plat dont le parfum se fait rapidement sentir, les sucs libérant des arômes qui réveillent mon odorat.

Puis je m'assieds pour dîner devant un film que j'ai au préalable choisi avec soin au vidéoclub. Je ne regarde pas la télévision, question de goût.

À l'image des milieux nocturnes contemporains, les programmes télé du vendredi soir me paraissent aujourd'hui trop jeunes pour moi. Je n'ai pas l'impression de faire passer le temps, plutôt celle de le perdre.

Depuis peu, j'ai pris conscience du temps qui passe — pas de la fuite des jours au quotidien mais du problème structurel en général. J'ai parfois le sentiment de voir flotter autour de moi, au ralenti, d'énormes pans de ma vie, tels des débris spatiaux ; trois ou quatre bouts d'année qui se sont détachés de la station orbitale et qu'on ne peut pas récupérer. Voilà la période de mes vingt-deux à vingt-six ans ! Elle me frôle, je peux presque la toucher. Un peu plus loin, j'aperçois la fin de la vingtaine et le début de la trentaine qui tourbillonnent dans l'apesanteur ; visions fugitives d'un travail et d'un appartement à moitié vide dans une ville écossaise noyée sous la pluie, véritable trou perdu. Peut-être devrais-je remonter ce pan avec un moulinet et m'essayer à un peu de révisionnisme. L'Écosse à la limite de son triomphe de style. Mais j'y réfléchis, à quoi bon ? Tout est derrière moi, terminé, achevé... Les possibilités de naguère sont aujourd'hui figées dans les choix accomplis. Cette période est sans intérêt, à part celui d'appartenir à l'histoire. De toute façon, la vie semble plus libre sans tout ça. Je suis, je le réalise, chanceuse à cet égard. Contrairement aux autres, plus les années passent, moins j'ai de fardeaux à porter.

Bien sûr, cela aide d'avoir été aussi méchante dans sa jeunesse. Cela dit, si j'avais voulu m'en servir, j'avais à l'époque pas mal d'excuses. Tandis que les autres, tels des astres filants, s'élançaient vers les sommets, propulsés par leur énergie et leur ambition, je me tenais en dessous, chassant leur poussière d'étoile de mes vêtements, effrayée à la simple idée de lever les yeux et d'être éblouie par leur lumière. Ces dernières années, pourtant, j'ai croisé de plus en plus de débris provenant de vies calcinées, plus colorées et plus impétueuses que la mienne. Dévalorisation des biens immobiliers, deuxième mariage, apparition d'un double menton, ruine chez le psychothérapeute. Si les gens s'effondrent aussi vite en atteignant la quarantaine, imaginez la chute dans les dix prochaines années.

Ce n'est pas mon cas. Moi, contrairement à toute probabilité, je vais bien. Peut-être ai-je reçu davantage parce que j'ai peu demandé... C'est sûrement la première fois que je touche d'aussi près la satisfaction. J'aime cette ville. Sa tranquillité possède une certaine énergie. En vérité, le pays tout entier est décontracté. La terre a passé tellement de temps sous l'eau qu'elle semble dotée d'une sérénité irrespectueuse, mais il ne faut pas trop s'inquiéter pour le monde extérieur puisque tous ceux qui ont de l'importance finissent un jour à Amsterdam.

J'ai une vie ici. J'habite un appartement, dans une des vieilles maisons de marchands situées sur les bords du canal (dans le passé, on y a stocké les richesses des nations : si l'on gratte le plancher de bois avec assez de force, on y sent encore les épices), j'ai un travail que j'aime et, encore plus surprenant, un homme qui m'apprécie, sans éprouver le besoin d'être toujours suspendu à mes basques (ou à mon appartement). Je suis comblée. Je pourrais — et je l'ai fait — vivre avec moins et je ne désire rien de plus.

Habituellement, c'est lorsque je suis dans cet état d'esprit que je me rends compte qu'il est temps d'appeler Anna, au moins pour lui donner le plaisir de me sortir de mon autosatisfaction.

À mes moments les plus sentimentaux, je suis convaincue que c'est notre amitié qui nous a empêchées toutes deux de courir à notre perte. Pendant que les gens mariés s'ennuyaient et que les célibataires devenaient aigris, nous, en bonnes amies, restions attentives à nos besoins respectifs.

Naturellement, Lily y a joué son rôle. Mais ce système reposant sur l'équilibre des pouvoirs existait avant son arrivée.

Nous nous téléphonons le vendredi soir. Pas toutes les semaines, cependant. Parfois, le travail ou les voyages nous en empêchent, mais c'est une coutume établie. Ce vendredi-là, je me souviens, j'attendais l'appel d'Anna avec impatience car il y avait longtemps que nous ne nous étions pas parlé et j'éprouvais le besoin d'un rapprochement. J'avais aussi, oui, je le crois, une inquiétude à son sujet, le sentiment qu'il se passait des choses dans sa vie dont je n'étais pas au courant. J'étais persuadée d'apprendre bientôt de quoi il s'agissait. Parce qu'elle allait finir par me le dire. Cela se passait ainsi entre nous.

D'habitude, nous essayons d'attendre 22 heures pour nous appeler. Parce que Lily est généralement au lit et que nous pouvons parler plus librement. La plupart du temps, Paul est là aussi à concocter un excellent petit plat à base de nouilles chinoises et d'huile de sésame mais ça ne le gêne pas qu'elle mange près du téléphone.

Aussi, lorsque ce soir-là la sonnerie retentit à 19 h 50, une poêlée d'oignons finement coupés en lamelles caramélisant sur le feu et la deuxième tournée de vodka embrumant mon esprit et mon verre, je sus qu'il ne pouvait pas s'agir d'Anna.

— Estella ? C'est toi ?

— Bonsoir Paul. Comment vas-tu ?

— Ça va. Est-ce qu'Anna est là par hasard ?

— Anna ? Non. Pourquoi ?

— Elle... Eh bien ! elle était en voyage cette semaine. On a pensé qu'en rentrant, elle aurait pu passer te voir.

Par la fenêtre ouverte, le ciel bleuissait en un crépuscule pourpre. D'en haut, j'entendais les tcheu-tcheu des premiers bateaux de touristes s'élançant pour la visite nocturne des canaux.

— Non. Elle n'est pas là. Où ça en voyage ?

— En Italie.

— En Italie. Pour quoi faire ?

— Je ne sais pas exactement. Pour le travail, je pense. As-tu eu de ses nouvelles récemment ?

— Non. On ne s'est pas parlé depuis deux semaines.

J'approchai sa voix tout contre mon oreille et, le portable coincé dans le cou, je retournai près des fourneaux pour vérifier le contenu de ma poêle.

— Tu parais inquiet, Paul. Quelque chose ne va pas ? demandai-je doucement.

Il ne répondit pas immédiatement, comme s'il savait que les mots, une fois lancés, ne pourraient plus être rattrapés.

— Peut-être, oui. On l'attendait hier soir. Personne ne sait où elle est. Elle semble avoir disparu.

Anna. Disparu. Je pris une nouvelle gorgée de vodka et éteignis le feu sous les oignons. Après tout, je n'allais pas dîner là.

Au loin — Jeudi matin

Au cours de sa dernière matinée à Florence, Anna retourna à la boutique de souvenirs située près de son hôtel.

C'était un établissement indéniablement italien, un mélange de chrome dans le style Alessi et de kitsch haut de gamme : des flacons de parfum en verre coloré avec des bouchons en argent filigrané, des petits anges en papier mâché sortis de chez Fra Angelico après un détour chez Walt Disney, d'ingénieux porte-CD penchés en forme de tour de Pise. Avec des prix à la hauteur de leur inutilité !

Le cheval en bois était différent : moins précieux, plus vivant. Anna l'avait remarqué lors de sa première promenade. À l'heure de la sieste, alors que la ville dormait, accablée par un soleil brûlant, elle était revenue le voir, mais n'avait pu y jeter qu'un coup d'œil par la vitrine en tentant de deviner le prix inscrit sur l'étiquette retournée.

Visiblement il coûtait soixante mille lires. Avec un bon taux de change — ce qui était le cas —, cela faisait un peu plus de vingt livres sterling. Trop cher pour un jouet d'enfant, même si l'obsession de Lily pour les chevaux avait en soi quelque chose d'adulte. Chaque nouvelle acquisition était considérée davantage comme un objet de culte que comme un jouet. Anna imaginait déjà la place exacte, sur l'étagère, où ce bel animal allait trôner, fierté des lieux, avant d'être entraîné avec les autres sur la moquette de la chambre pour son exercice quotidien ou dans la jungle de l'entrée, à l'étage en dessous.

Lily et ses jouets. Elle savoura l'image. C'était une de celles qu'elle portait en elle. Même aujourd'hui, alors qu'elle était censée explorer la solitude, Lily n'en finissait pas de s'immiscer dans ses pensées. Ne suis-je pas la chose la plus importante de ta vie ? Comment pourrais-tu imaginer le monde sans moi ? Son paysage mental était si profondément colonisé par sa fille que parfois elle se demandait s'il y aurait jamais de la place pour quelque chose ou quelqu'un d'autre. Elle n'était pas malheureuse — depuis la naissance de Lily, la vie avait été bien trop animée pour ça —, mais elle s'impatientait contre elle-même. C'était en partie ce qui l'avait incitée à faire ce voyage à Florence. Le besoin de s'offrir un véritable caprice, une revitalisation immédiate.

La plupart du temps, elle avait adoré cette douce intoxication d'être enfin seule. Elle avait marché jusqu'à avoir des ampoules, imprimant la ville sur la semelle de ses souliers. Sa beauté et son élégance étaient plus intenses parce qu'elle savourait sa propre compagnie. Alors que Lily l'aurait tirée par la main et par l'âme, réclamant à boire et à manger, seule elle pouvait marcher des heures d'affilée, se gorgeant d'air et de rêves. Elle avait toujours été une grande voyageuse et elle s'apercevait aujourd'hui qu'elle jouait à la perfection les touristes solitaires. Elle avait salué les défunts de ce pays à travers leur art, les vivants à travers leur style et n'avait communiqué avec personne, excepté l'employé de l'hôtel et le serveur. Et si ces derniers l'avaient déçue, elle s'interdisait d'y penser. Il était grossier de suggérer qu'elle fût partie de chez elle par besoin d'aventure (pourtant, c'était probablement le cas). Elle découvrait néanmoins que, si ce voyage constituait un pèlerinage dans son passé, elle avait retrouvé la trace précieuse de la jeune femme pétillante qui avait déambulé dans ces mêmes rues vingt ans auparavant. Le souvenir de cette Anna, différente, sans attaches, charmeuse et libre se révélait plus douloureux qu'elle ne s'y attendait. Elle n'arrivait pas à savoir si elle pleurait simplement sa jeunesse ou quelque chose de plus profond. C'était pareil quand elle songeait à rentrer chez elle, elle ne savait pas si elle était soulagée ou attristée.

Ce dernier matin dans la boutique, elle avait cessé d'essayer.

Lors de sa deuxième visite, il y avait plein de monde, des touristes et des gens du coin. Elle prit le cheval et en vérifia le prix griffonné d'une écriture nette sur l'étiquette attachée au sabot. Le six se révéla être un huit, c'était donc presque trente livres au lieu de vingt. Elle le reposa sur l'étagère et se dirigea vers le comptoir pour poursuivre ses recherches — elle allait peut-être trouver quelque chose de moins cher —, mais c'était évident qu'il n'y avait rien d'intéressant. Elle retourna sur ses pas, attrapa de nouveau le cheval, le soupesa, tentant de se convaincre qu'il valait son prix. De toute façon, Lily ne s'en rendrait pas compte, elle ne verrait que le papier d'emballage, ne ressentirait que l'excitation.

Quelques mètres plus loin, elle remarqua un homme bien vêtu, âgé d'une quarantaine d'années. Il la regardait. Il était grand et trapu avec des cheveux bruns, clairsemés, et il lui sembla étrangement familier. Peut-être s'étaient-ils aperçus à l'hôtel ? Il était italien, ça ne faisait aucun doute. Ça se voyait à la souplesse de sa peau, à la façon dont elle conservait son hydratation sous le soleil. Les épidermes anglais, eux, rougissent et s'assèchent, terrorisés plutôt que régénérés par la chaleur.

Leurs regards se croisèrent et il lui sourit. Elle lui rendit son sourire — il aurait été agressif de refuser —, puis reporta son attention sur le cheval. Elle l'imaginait, emballé, les petits doigts de Lily furetant, tâtonnant, reconnaissant les formes, glapissant de délice en devinant le contenu du paquet.

— Excusez-moi ?

Elle releva la tête.

— Vous habitez à côté, oui ? À l'hôtel Corri ?

— Oui.

L'hôtel, c'était donc là qu'ils s'étaient vus.

— Vous êtes anglaise ?

— Euh... oui.

— Vous aimez ce cheval ?

Il prononça ce dernier mot de façon un peu gutturale, comme s'il s'attendait à se tromper et y remédiait déjà.

Oh ! je vois, pensa-t-elle. C'est un vendeur. Elle hocha la tête poliment, puis reporta son attention sur la statuette.

— Mais c'est un prix insensé pour un truc pareil.

— Je vous demande pardon ?

— Quatre-vingt mille lires. C'est, comment dites-vous ?... du vol. On vend les mêmes au marché, moitié prix.

— Ah bon ?

— Bien sûr. Ils ne viennent pas d'Italie. Ce sont des objets fabriqués en Afrique. Les jeunes Sénégalais en ont sur leurs stands. Vous voyez de qui je parle ?

— Non.

Pourtant, elle les avait déjà aperçus. De magnifiques jeunes hommes, à la peau polie comme du charbon qui brillait sous le soleil, dans une ville où les couleurs dominantes des palais étaient l'ocre et l'or. Leur présence était l'un des nombreux changements qu'elle avait remarqués à Florence depuis sa dernière visite, de longues années auparavant. À l'époque, pendant cet été italien riche en verbes et en poèmes de Dante, aurait-elle aimé courtiser un de ces jeunes hommes au lieu d'un Roméo juvénile à la peau couleur olive ? Peut-être que non. Ces tendres gaillards avaient de toute évidence plus besoin d'argent que d'amour, avec leurs marchandises soigneusement étalées sur des étoffes aux motifs brillants : des personnages en stéatite et d'épaisses sculptures sorties de la brousse. Elle avait aperçu des éléphants et le tigre de circonstance mais pas de cheval. Elle l'aurait sûrement remarqué.

— Bien sûr, c'est à vous de voir. Mais vous économiseriez beaucoup d'argent.

Il parlait un bon anglais, bien meilleur que son italien

un peu émoussé par des années de négligence. Elle n'arrivait pas à savoir si elle était flattée ou agacée qu'il la considère comme une femme voyageant à l'économie. Le choix de son hôtel, un des plus modestes de la liste, l'avait peut-être trahie. Pourtant, Dieu sait s'il n'était pas vraiment bon marché !

— En fait, je quitte Florence aujourd'hui. Je n'aurai probablement pas le temps d'aller au marché.

— Ah ! Vous rentrez en Angleterre ?

— Oui.

— Et vous décollez d'où ? L'aéroport de Florence ou de Pise ?

— Euh... Pise.

— À quelle heure ?

— Euh... vers 20 heures.

— D'accord. Donc vous devez prendre le train de 18 heures. Il est direct jusqu'à l'aéroport et vous serez à l'heure pour l'avion. Je vous propose quelque chose. Allez de bonne heure à la gare. En face de l'entrée principale, il y a des jeunes Sénégalais qui vendent des chevaux similaires. Très bon marché. Vous ferez ainsi une bonne affaire, un voyage tranquille et vous aurez assez d'argent pour vous offrir un espresso et une pâtisserie à l'aéroport.

Elle éclata de rire, charmée malgré elle.

— Merci.

Il haussa les épaules. C'était un geste qui, pour un Anglais, aurait paru trop théâtral. Là, il semblait tout à fait naturel.

— Ce n'est rien. Juste, comment dites-vous ?... un tuyau. Bon voyage de retour !

Elle allait le remercier de nouveau, mais il s'était déjà détourné, accaparé par autre chose. Elle était désolée de s'être montrée aussi distante. C'était l'un de ses problèmes. Pendant des années, elle avait tellement pris l'habitude de se protéger qu'elle considérait la gentillesse comme de la manipulation. Il lui faudrait apprendre à faire davantage confiance aux autres, et prendre le temps de les apprécier.

Elle regarda une nouvelle fois le cheval, mais sa décision était arrêtée. Elle quitta la boutique sans avoir rien acheté.

Quelques instants plus tard, l'homme s'avança vers la caisse et posa deux billets de cinquante mille lires sur le comptoir. À côté, il y déposa le cheval en bois. Alors que la vendeuse s'en emparait, il se pencha vers elle et lui murmura quelque chose. Elle sortit une grande feuille de papier argenté.

Au loin — Jeudi matin

Au cours de sa dernière matinée à Florence ce jeudi, Anna ne quitta pas du tout l'hôtel Corri. Elle prit son petit déjeuner dans sa chambre, guettant la sonnerie du téléphone.

La pièce était petite et mal aérée. La fenêtre donnait sur une cour intérieure miteuse et ne laissait entrer aucun air. Un endroit fait pour dormir plus que pour vivre, bon marché, excepté en haute saison. Elle s'allongea sur le lit et contempla le plafond et le ventilateur qui tournait paresseusement. La pièce semblait vide comme si elle l'avait déjà quittée.

Finalement, fatiguée d'attendre, elle s'endormit tout habillée. Lorsqu'elle se réveilla, meurtrie et troublée par un rêve presque flou dans lequel elle tentait de fuir un danger silencieux, elle téléphona à la réception pour savoir si on l'avait appelée. Il n'y avait eu aucun appel. Pourquoi n'avait-il pas téléphoné ? Quelque chose l'avait-il empêché de partir ? Il avait maintenant deux jours de retard. Ça n'avait aucun sens.

Au début, elle n'avait pas remarqué le silence. Au contraire, elle avait apprécié ce vide. Un jour, elle était sortie exprès de bonne heure pour se calmer avant son arrivée, savoir quoi lui dire et ne pas se laisser anéantir par le désir.

La ville l'avait aidée à se concentrer. Elle avait marché pendant des heures chaque jour, choisissant des lieux désertés par les touristes, des églises à peine mentionnées dans les guides, des places que l'histoire avait ignorées. Partout, elle avait senti la présence de son double ; impatient, juvénile, amoureux d'une ville et de sa propre toute-puissance. L'image de cette Anna plus jeune était si forte qu'une fois, elle pensa s'être aperçue, petite, potelée avec des lunettes de soleil branchées et voyantes et une coiffure punk. Mais c'était juste une illusion, la preuve que la roue tournait toujours plus vite quand on remontait dans le passé.

C'était l'une des choses qu'elle aimait dans cette ville : la façon dont elle vibrait de styles contradictoires. Des Florentines d'un certain âge peintes et passées à la dorure pour lutter contre le vieillissement côtoyaient de jeunes hippies voyageurs ; des garçons tatoués, adeptes du piercing, des filles au ventre nu et au dos couleur de noisette grillée, leurs corps minces et longs s'accrochant à l'enfance. C'étaient les vacances et la campagne environnante s'enivrait de fêtes locales. Un paradis pour les musiciens ambulants. Mais ils revenaient toujours à Florence. Les matinées très chaudes, on les voyait devant la fontaine face à l'entrée latérale du Duomo, des gars avec des dreadlocks aussi épaisses que des rideaux de perles, nus jusqu'à la taille, se lavant et s'éclaboussant à grande eau comme des chiots.

Elle s'arrêta et les regarda, fascinée. Ils réveillaient en elle un souvenir vivace, celui de cette nuit où, de nombreuses années auparavant, revenant de Rome, elle avait trouvé l'hôtel où elle résidait complet. Elle avait fini par dormir sur les marches du baptistère, puis s'était lavée dans les toilettes d'un café. Cela lui semblait inconcevable aujourd'hui.

Où étaient passées toutes ces années ? Les lieux, les gens, les amants, les boulots, Lily ? Depuis la naissance de sa fille, le goulot du sablier semblait s'être élargi, le temps s'était enfui comme un liquide et non comme du sable. Ces enfants du Duomo étaient plus proches de sa fille que d'elle. Comment était-ce arrivé ? Cela semblait impossible.

Lily. Elle n'avait pas beaucoup pensé à elle ces derniers jours. Coupable, elle réalisa que leur lien s'amenuisait. Le soir de son arrivée, elle avait téléphoné à la maison, mais Lily était absorbée par une vidéo et n'avait pas voulu lui parler. Elle l'entendait manger des chips, attentive, suivant les images sur l'écran. Elle s'amusait. Elle n'avait pas besoin d'elle.

Bien sûr, ce n'était pas vrai. Avant que cette histoire avec Samuel n'ait menacé de faire voler en éclats son univers, la présence de Lily ne la quittait jamais, même lorsqu'elles étaient séparées. Leur attachement était comme une sorte de chewing-gum émotionnel ; un amour palpable qui s'étirait, malléable, élastique, et devenait de plus en plus fin jusqu'au moment où on le remettait dans la bouche pour le remâcher ensemble. Si on tirait trop dessus, pouvait-il se rompre ? La poursuite de son obsession avait-elle cette conséquence : affaiblir le lien ?

Dans la chambre d'hôtel, les heures s'enfuyaient. Il ne viendrait plus maintenant. Une partie d'elle-même était soulagée. Quelle que fût son excuse, c'était le début de la fin. Si elle ne voulait pas rater l'avion, il fallait qu'elle parte en milieu d'après-midi. Elle avait fait vérifier les horaires par le concierge de l'hôtel. Les trains pour Pise étaient irréguliers. Ils n'allaient pas tous jusqu'à l'aéroport. Celui de 17 heures partait trop tôt, celui de 19 heures trop tard.

Elle avait déjà fait ses bagages, plié ses vêtements, roulé soigneusement le cheval de bois, déniché le premier jour au marché, dans un pantalon afin de le protéger. Au moins, Lily verrait qu'elle avait pensé à elle. Elle ferma la fermeture Éclair de son sac de voyage et sauta du lit. Il ne viendrait plus et elle avait besoin de sortir. Peut-être était-ce mieux ainsi ? Elle laissa le sac dans la chambre et descendit au bar de l'hôtel boire un rafraîchissement.

À la maison — Vendredi après-midi

Je me débrouille très bien dans les périodes de crise. Peut-être grâce à mon A.D.N. J'ai pris la dernière navette, mais même en ne ratant aucune connexion, j'ai mis trois heures et demie de Heirengraft à Londres. Malgré tout, je ne me suis pas laissée démoraliser par la longueur du voyage. Non, monsieur. J'ai occupé mon temps à bâtir des scénarios racontant le retour d'Anna. Si elle n'était pas rentrée à la date prévue, il devait y avoir une raison. La plus probable, c'est qu'elle avait appelé pour prévenir de son retard, mais que le répondeur n'avait pas fonctionné. À cette heure-ci, elle était sûrement en route. Je l'imaginais descendant d'un taxi, se ruant dans l'entrée, lançant son sac pour grimper les escaliers quatre à quatre et se précipiter dans la chambre de Lily pour lui souhaiter bonne nuit... Je parvins à rendre cette image tellement vivante que je dus téléphoner à Paul du hall des arrivées de l'aéroport de Heathrow afin de vérifier que je ne m'étais pas trompée. Il répondit à la première sonnerie. Il attendait toujours.

Je pris un taxi. Il faisait encore plus chaud à Londres qu'à Amsterdam. L'herbe sur les bas-côtés de l'autoroute était desséchée comme une mauvaise permanente et l'air empestait les gaz d'échappement ; c'était l'une de ces journées où les urgences doivent fournir des masques à oxygène aux asthmatiques au fur et à mesure de leur arrivée. À mi-chemin de Chiswick, le ciel vira au noir, s'ouvrit en deux et des trombes d'eau se déversèrent. La route fumait comme une assiette chaude. En un instant les fenêtres du taxi se couvrirent de buée.

L'Angleterre. J'avais oublié à quel point le climat pouvait y être dramatique.

Lorsque j'arrivai devant la maison d'Anna, l'averse était finie et avait absorbé le plus gros de la chaleur. Par la vitre ouverte, l'air sentait l'herbe mouillée. Je m'extirpai du taxi. Paul avait dû entendre arriver la voiture car il ouvrit la porte avant que j'aie eu le temps d'appuyer sur la sonnette.

Il me fit signe d'entrer, un doigt sur les lèvres, et d'un geste rapide me montra le premier étage. Sur le palier, la porte de Lily était grande ouverte. Je hochai la tête et nous nous dirigeâmes en silence vers la cuisine. Priorité. Je sortis ma bouteille de vodka londonienne du freezer (un navire dans chaque port) et nous servis un verre. Il refusa le sien. Je le regardai de plus près. Dans le passé, j'avais vu Paul tomber raide mort avec beaucoup de talent, mais il n'était pas au mieux de sa forme aujourd'hui. Il avait une tête de papier mâché — Christopher Walken dans l'un de ses trop nombreux rôles de psychopathe ! — et ses yeux étaient légèrement injectés de sang. Il avait l'air de quelqu'un qui ne dormait pas bien. À cause du sexe ou des soucis ? On ne sait jamais avec Paul.

— Toujours rien ?

— Pas un mot.

— Qu'as-tu dit à Lily ?

— Qu'elle avait raté l'avion et qu'elle serait là dès qu'elle parviendrait à en trouver un autre.

— Est-ce qu'elle te croit ?

Il haussa les épaules.

— Pourquoi ne me croirait-elle pas ? Pour quelles autres raisons sa mère ne serait-elle pas rentrée, comme elle l'a promis ?

Il s'assit devant la table, ferma les yeux une seconde

avant de se masser les paupières avec le pouce et le médius. Non, pensai-je, ce n'est pas le sexe cette fois.

— Tu n'as pas bougé du tout ?

Il secoua la tête.

— Patricia, la nounou, m'a appelé ce matin. Je prends Lily la plupart des vendredis mais Patricia devait partir en Irlande aujourd'hui au mariage de sa nièce, qui a lieu ce week-end. Évidemment, l'absence d'Anna l'a complètement déboussolée.

— Quand devait-elle rentrer exactement ?

— Hier soir.

— Tu as appelé l'aéroport ?

— Tous les vols en provenance de Florence sont arrivés à l'heure. Aucune annulation, aucun retard. On ne te donne pas la liste des passagers.

— Florence ?

— Ouais. C'est là où elle était.

— Qu'est-ce qu'elle faisait là-bas ?

Il haussa les épaules.

— Je n'en ai pas la moindre idée. La dernière fois que je lui ai parlé, c'était la semaine dernière. Elle ne m'a pas annoncé qu'elle partait. Apparemment, elle n'a demandé à Patricia de garder Lily que deux jours avant. D'après elle, ça avait un rapport avec son travail, mais quand j'ai appelé le journal ce matin, le chef de service m'a dit qu'elle n'était au courant de rien. Personne d'autre non plus.

Il eut une hésitation :

— J'ai pensé qu'elle t'avait peut-être parlé de quelque chose.

Elle ne l'avait pas fait. De glacée, la vodka devint brûlante dans ma gorge. J'en voulais une autre. J'essayais de me souvenir de notre dernier coup de fil, deux, non, trois semaines auparavant. Elle était débordée à cause d'un article qu'elle écrivait mais elle ne m'en avait pas dit plus. Elle m'avait paru, disons, un peu distante, mais de mon côté, j'avais dû raccrocher pour travailler. Elle dépensait toujours trop d'énergie pour ce genre de choses. Contrairement à sa meilleure amie. Mais Florence ? Si elle l'avait su, elle m'en aurait parlé. Aucun doute. Je savais tout sur son premier voyage à Florence, même si cela était arrivé avant notre rencontre. Tout le monde a vécu à dix-huit ans une histoire liée à une ville, dans laquelle on a mûri, ou tout au moins c'est ce qu'on croit. Elle n'y était pas retournée depuis des années. Si elle avait dû y aller, elle me l'aurait sûrement annoncé.

— Tu avais un numéro où la joindre ?

— Elle a donné un numéro à Patricia avant de partir, mais Patricia pense qu'elle a dû se tromper en l'écrivant. Lorsque j'ai appelé cet après-midi, je suis tombée sur une femme qui tient un magasin de vêtements.

— Ça n'a aucun sens, dis-je. Pourquoi ne serait-elle pas rentrée ? Elle savait que Patricia s'en allait. Tu es sûr qu'elle n'a laissé aucun message ?

— Il n'y a rien sur le répondeur.

— Peut-être n'a-t-il pas fonctionné ?

— Et peut-être n'a-t-elle pas téléphoné ?

Nous restâmes silencieux pendant un instant.

— J'ai attendu ton arrivée... (Il se tut.) Je me demande si nous ne devrions pas appeler la police.

— C'est trop tôt, répondis-je.

En fait, qu'est-ce que j'en savais ?

Il haussa les épaules.

— Si elle n'est pas rentrée demain matin, cela fera deux nuits. Je ne vois pas comment on va pouvoir l'éviter ?

— Si on l'appelle, je ne vois pas comment on va pouvoir éviter de le dire à Lily.

— Alors, que proposes-tu ? Es-tu prête à t'installer ici et à répondre aux questions de la petite jusqu'à ce qu'elle décide de se montrer ?

— Attends une minute, Paul. Tu ne veux pas dire que tu penses que son absence est délibérée ?

— Non. Je te l'ai dit, je n'en sais pas plus que toi. Mais les gens ne montent pas dans un avion sans revenir. Je trouve ça suspect, c'est tout. Elle ne prévient personne de son départ — je veux dire, ni toi, ni moi. Et en plus elle ne revient pas. Si elle n'est pas rentrée demain, on pourra se dire qu'il lui est arrivé quelque chose.

— Comme quoi ?

— Seigneur, Estella. Je ne sais pas. Comme... quelque chose.

Quelque chose. Choisis. L'autre jour, j'ai lu une statistique selon laquelle deux mille quatre-vingt-dix personnes meurent chaque jour d'un accident de la route dans le monde.

Il doit exister d'autres chiffres sur le nombre de gens tués dans un pays étranger. Mais où que ce soit, les morgues répondent à des règlements... Et si son passeport et ses cartes de crédit n'étaient pas dans son sac, où pouvaient-ils bien être ?

Oublie ça. Anna n'est pas du genre à finir écrasée par un bus dans une ruelle de Florence. Ça ne pouvait pas lui arriver. Ni à moi. Que dit-on déjà au sujet des accidents ? Qu'ils n'arrivent pas deux fois au même endroit. Ni dans la même famille. Ma famille. Je me sentais étrangement rassurée par cette superstition.

Par la porte ouverte de la cuisine, nous entendîmes tous deux le ronronnement d'un moteur diesel descendant la rue. Je regardai ma montre. Minuit quarante-huit. Les derniers avions en provenance d'Europe arrivaient en général vers 22 heures. Mais tout le monde ne prend pas l'avion. Si elle avait été forcée de prolonger son séjour avant de s'apercevoir que tous les vols du vendredi étaient complets, elle avait dû rentrer par voie de terre. Je l'imaginai soudain façon Vera Lynn, debout dans le vent, regardant la mer tandis que les silhouettes fantomatiques des blanches falaises de Douvres apparaissaient à l'horizon. Puis dans un train poussif de Douvres jusqu'à Londres. Ou peut-être dans un taxi s'il était trop tard. Dehors, le moteur tournait toujours pendant que quelqu'un payait la course et sortait ses clefs. Une porte claqua. Une minute après, le taxi s'éloigna. Nous nous forçâmes à ne pas nous regarder. Pouvions-nous attendre longtemps ?

Il soupira.

— Combien de temps peux-tu rester ?

— Aussi longtemps qu'il le faudra, répondis-je. Et toi ?

— Mike a des répétitions techniques ce week-end. L'avant-première est mardi.

Ce n'était pas vraiment une réponse, mais ça permettait de penser à autre chose pendant une minute.

— Comment va-t-il ?

Depuis combien de temps existait-il, celui-là ? Presque une année maintenant.

— Mike ? Bien. Très bien. Débordé. Et toi ? Comment va le travail ?

Je haussai les épaules.

— Tu sais, la fiscalité des entreprises... Mettre A à la place de B pour éviter de payer C. À ma grande surprise, je suis plutôt douée pour ce genre de choses.

— C'est parce que ce n'est pas ton argent.

— Peut-être.

— En tout cas, tu as l'air de te débrouiller.

Je tapotai sur le verre.

— Ça doit être les stimulants.

— Elle a probablement un peu de dope quelque part, si tu veux.

Comme beaucoup de gens, cela l'amuse de voir des légistes contourner la loi. Il ne semble pas comprendre que c'est l'un des risques du métier. En fait, comme beaucoup d'homosexuels, Paul est assez sérieux, ça fait partie de son charme. Je me demandai s'il était aussi attentionné envers Lily maintenant que Mike était entré en scène. Dans le passé, il s'arrangeait toujours pour ne pas mélanger les genres, les filles et les garçons, mais d'après ce que m'avait dit Anna, celui-là, c'était différent.

— Merci, je vais m'en tenir à la vodka.

Nous restâmes assis un long moment. En fait, c'était pire d'attendre là ensemble.

— Je vais me coucher, annonça Paul en quittant la table.

— Tu dors dans la chambre d'amis ?

— Ouais.

Il me restait la chambre d'Anna.

— Lily sait-elle que je suis là ?

Il acquiesça.

— Après t'avoir eue au téléphone, je lui ai dit que tu venais pour le week-end.

— Crois-tu que ça la gênera si je dors dans le lit d'Anna ?

— De toute façon, elle ne te le dira probablement pas.

— Non. Sûrement pas.

On dit parfois que seuls les enfants parviennent à garder leurs conseils pour eux. Je le savais bien sûr, bien que je n'aime jamais parler de ça. Comme Lily. Mais c'est une longue histoire...

Il était debout, près de la table, comme s'il avait quelque chose à ajouter. J'attirai la bouteille à moi. Il me regarda faire. Je t'ai vu soûl assez souvent dans le temps, vieux pote, pensai-je. Alors n'en fais pas tout un plat !

— C'est une tradition, dis-je. Vendredi soir. Elle ne voudrait pas que son absence gâche ça.

Il haussa les épaules.

— Tu me connais. L'excès d'un homme est le plaisir d'un autre. Dors bien.

— Pas de problème. Et... Paul ! lançai-je avec fermeté. Ne t'inquiète pas. Il y a une raison à son silence. Elle sera là demain. J'en suis sûre.

— Ouais, dit-il. J'en suis sûr aussi.

Au loin — Jeudi après-midi

Anna suivit le conseil de l'étranger et se rendit à la gare centrale en avance. Il y avait un grand nombre de vendeurs à la sauvette autour de la place, mais aucun jeune Sénégalais proposant des chevaux. Cela l'ennuya. Elle aurait dû l'acheter quand elle en avait l'opportunité. Il était trop tard maintenant pour retourner à la boutique. Tant pis ! Elle essaierait de trouver un cadeau convenable à l'aéroport. Elle monta les escaliers en courant. Le hall principal, décoré de faux marbre, grouillait de gens. À gauche, le long du mur, il y avait une rangée de guichets : devant chacun d'eux une file d'attente sur deux rangs ; les Florentins occasionnels perdus dans la masse des touristes, ruée saisonnière des vacances. Dieu merci elle était venue de bonne heure. Elle se joignit à la queue la plus courte (qui n'était pas courte du tout) et vérifia le panneau d'affichage, au-dessus de sa tête. Le dernier train pour la gare centrale de Pise était parti cinq minutes plus tôt. Il n'y avait aucun départ à 18 heures. Le dernier train pour l'aéroport était à 19 heures, une heure et quart plus tard et... trop tard pour qu'elle puisse avoir son avion. Elle chercha des yeux un guichet d'information mais avait peur de perdre sa place dans la file d'attente qui grossissait déjà derrière elle. Elle réfléchissait désespérément à la solution de l'autocar quand une voix dans son dos lui lança :

— Bonjour !

Elle se retourna et aperçut l'homme de la boutique debout devant elle. Il n'avait pas de veste et semblait inquiet.

— Oh merci mon Dieu, c'est vous ! Je suis ravi de vous trouver. J'ai cherché partout dans la gare. Vous vous souvenez de moi, oui ? Dans le magasin, ce matin ?

— Oui. Bonjour. Qu'est-ce... ?

— Je suis tellement désolé. Il y a un changement dans les horaires de trains. Il n'y en a plus à 18 heures pour l'aéroport de Pise. On est, comment dites-vous... en horaire d'été. Je n'ai pas réalisé.

— Vous avez fait tout ce chemin pour me dire ça ?

Il eut un rire bref.

— Non, non. Un de mes amis allait à Rome. Je l'ai accompagné à la gare et quand j'ai regardé le tableau d'affichage, je me suis souvenu de ce que je vous avais dit.

— Donc, d'ici je ne peux pas aller à l'aéroport ?

— Pas à temps pour votre avion, non. Votre vol est à... quoi ? 20 heures, vous m'avez dit.

— 19 h 45. Et les autocars ?

Il émit un petit bruit entre ses dents.

— Non, il y a, comment dites-vous ?... un conflit. Les chauffeurs ne vont pas à l'aéroport. Ils veulent plus d'argent. Il y a un panneau, dehors. Vous avez dû passer devant. C'est pourquoi il y a tous ces gens.

— Pourquoi n'y a-t-il pas davantage de trains ?

Il ne répondit pas, se retranchant derrière un de ces gestes qui, dans n'importe quelle langue, expriment la stupidité insondable des autorités. Pas de train, pas d'autocar. Si elle ratait l'avion, ce serait un cauchemar : les vols étaient complets, elle avait eu un vrai coup de chance en trouvant une place dans ce charter. Si elle prenait un taxi, ça allait lui coûter une fortune. Elle n'aurait pas assez d'argent italien pour payer. Elle chercha autour d'elle un bureau de change.

— S'il vous plaît...

Dans son anxiété, elle avait presque oublié sa présence.

— Vous devez me laisser vous aider. J'ai ma voiture dehors. Les autoroutes sont rapides et on peut y être en une heure. Plein de temps, oui ?

Elle secoua la tête.

— C'est bon, je prendrai un taxi. Mais il faut d'abord que je change de l'argent.

Elle s'éloignait déjà mais il lui barra le passage.

— *Signora.* S'il vous plaît. C'est de ma faute. Je vous donne un mauvais renseignement et vous êtes contrariée à cause de moi. Laissez-moi vous aider. J'habite près de Pise. Je vais dans cette direction. L'aéroport est tout près de chez moi. S'il vous plaît. Laissez-moi vous aider.

Elle ne pensait pas accepter. D'emblée, elle avait suivi la règle qu'elle avait inculquée à Lily : ne jamais rien accepter de quelqu'un qu'on ne connaît pas. En même temps, elle avait un autre impératif : le besoin de s'ouvrir, cette fois-ci, à la gentillesse des étrangers. Après tout, n'était-ce pas pour ça qu'elle était revenue, pour redécouvrir en elle une certaine spontanéité, le sentiment que la vie était possible ?

Comme de nombreux adolescents, elle était venue pour la première fois en Italie avec son bac en poche, les romans d'E.M. Forster en tête, portant son exhortation à la vie comme une marque de courage romantique. Cela pouvait sembler misérable d'appliquer un aphorisme littéraire sur quelque chose d'aussi banal qu'un trajet jusqu'à l'aéroport. Cependant...

— Eh bien, dit-elle. Si vous êtes sûr que ça ne vous éloigne pas...

Au loin — Jeudi après-midi

La lumière clignotait sur le répondeur téléphonique, un petit bouton d'un jaune voilé, on/off... on/off, comme pour avertir les marins qu'ils s'approchent trop de la terre.

Elle l'avait vue dès qu'elle avait pénétré dans la chambre mais elle avait attendu si longtemps que tout à coup elle ne pouvait pas supporter de s'en approcher. Elle s'occupa à empaqueter fébrilement les deux ou trois choses de dernière minute. Même dans la salle de bains, alors qu'elle rassemblait crèmes et brosse à dents, elle la sentait clignoter à travers la cloison. C'est trop tard, pensa-t-elle. Tu as téléphoné trop tard. Le charme est rompu. Je rentre chez moi, maintenant. Je rentre sans t'avoir vu. C'est mieux pour tout le monde.

Elle ramassa son sac et se dirigea vers la porte. Elle avait encore du temps devant elle. L'avion ne décollait qu'après 19 heures. Elle pouvait écouter le message. Mais elle savait que la tentation serait trop forte. Elle ferma la porte, longea le corridor, tenant sa clef dans son poing serré, tout au fond de la poche de sa veste. La lumière allait continuer de clignoter lorsqu'elle serait dans l'ascenseur, au bureau de la réception, lorsqu'elle traverserait le hall et sortirait dans la rue pour héler un taxi. Dans peu de temps pourtant, elle allait s'arrêter... Dès qu'elle serait partie, on préparerait la chambre pour un nouveau client. Le message serait effacé. Perdu. Oublié. Pas de rendez-vous. C'était aussi simple que ça.

Elle attendait l'ascenseur. Sa vie lui apparaissait soudain comme une devinette dans un livre pour enfants : sur une page se tenait un personnage — elle — d'où partaient en serpentant différents sentiers qui se chevauchaient et s'entrecroisaient jusqu'à ce que l'un d'eux débouche au sommet d'une falaise, au-dessus d'un gouffre vertigineux, et un autre dans une prairie agréable et verte. Heidi doit emmener le troupeau de son père jusqu'aux pâturages d'été. Quel chemin doit-elle prendre pour éviter la catastrophe ?

L'ascenseur arriva. Les portes s'ouvrirent. Se refermèrent. Elle fit demi-tour, desserra le poing et reprit sa clef.

Tandis que le message retentissait dans la pièce, elle ferma les yeux, écoutant sa voix lui lacérer les tripes. Puis vint une adresse. Il y avait un bloc-notes et un crayon près du téléphone, mais elle ne fit aucun geste. Oublie ça. Ça ne devait pas arriver, pensa-t-elle dans un dernier pied de nez au destin.

À l'arrière du taxi, il faisait si chaud que sa peau collait au siège à travers sa veste de lin. Lorsque le chauffeur lui demanda sa destination, elle hésita une seconde, puis ouvrit la bouche et s'entendit lâcher l'adresse d'une voix chantante, nette et claire. Elle s'enquit de la distance. C'était à Fiesole, de l'autre côté de la rivière, lui répondit l'homme. Elle regarda sa montre. Elle serait parfaitement à l'heure à l'aéroport. Peut-être devrait-elle prendre un taxi. Il aurait de l'argent. Elle lui en emprunterait et le rembourserait par chèque. Elle ouvrit la vitre pour laisser entrer un peu d'air, mais ça ne servit qu'à faire entrer la chaleur. Quelques rues plus loin, ils passèrent devant le marché où elle avait acheté à bas prix le cheval en bois pour Lily, le premier matin. Ça semblait si loin. Ses doigts se refermèrent sur son sac de voyage posé sur ses genoux.

À la maison — Tôt samedi matin

Le pas de Paul grimpa l'escalier puis s'arrêta près de la chambre de Lily. Elle devait dormir, car presque aussitôt, il monta à l'étage supérieur. J'entendis bientôt une chasse d'eau et une porte se fermer.

Si je décrochais le téléphone, pourrais-je l'entendre discuter avec Michael ? D'après Anna, ils se couchent très souvent à des heures indues, vers deux ou trois heures du matin. Dans peu de temps, ils doivent s'installer ensemble. Je me suis dit que ça lui faisait peut-être bizarre de voir Paul emménager avec plaisir avec quelqu'un d'autre, mais elle aime bien Michael. Elle trouve qu'il fait plus vieux que son âge et qu'il ne laisse rien passer à Paul. Il lui plaît bien. Et à Lily aussi de tout évidence. Apparemment, il sait être diplomate et comment la faire rire. Elle l'a adopté... Ce qui revient à dire que Paul se retrouve maintenant avec deux familles !

Assise dans la cuisine, je continuai de boire. Par la fenêtre, je devinais les ombres du jardinet, les pierres de son patio, ses plates-bandes, ses pergolas colorées. Dans le passé, cet endroit avait servi de dépotoir ou de chantier, à en juger par toutes les cochonneries que nous en avions extraites le week-end qui avait suivi l'emménagement d'Anna. C'était l'été aussi mais il ne faisait pas aussi chaud qu'aujourd'hui. Comme elle n'avait pas les moyens de payer des ouvriers, elle avait appelé les copains ; bière à volonté, nourriture et autant de pioches qu'on voulait. On avait rempli deux bennes. Lily s'était installée dans le hamac au fond du jardin, entre la corde à linge et le vieil arbre. Nous avions déjeuné, debout, de sandwichs au fromage et au salami. Paul trouvait que ça ressemblait à un mauvais film italien : la sueur, le soleil et le plaisir de travailler la terre. C'était une de ces journées dont chacun allait se souvenir, parce qu'elle était signe d'une génération et d'une époque.

Où étaient tous ces gens aujourd'hui ? Qui étaient-ils devenus ? Ils étaient sûrement assez à l'aise pour avoir leur propre jardinier. À l'époque, bien qu'ils fussent davantage les amis d'Anna que les miens, ils m'avaient paru sympathiques. Les voyait-elle encore ? S'envoyaient-ils des cartes de vœux ? Elle n'en parlait jamais ; en tout cas, je ne m'en souvenais pas. En fait, elle ne parlait jamais beaucoup des autres, sauf de Lily, bien sûr, de Paul et plus récemment de Michael. Si j'en avais besoin, j'étais sûre de trouver leurs numéros de téléphone dans son agenda.

Les effets de la vodka commençaient à se manifester, à en croire ces premiers signes de sentimentalité rampante.

À Amsterdam, il était près de 3 heures du matin. Làbas, je serais au lit depuis longtemps. Ombres de la nuit. J'éteignis la lumière et grimpai l'escalier.

Sa chambre était incroyablement bien rangée, le lit était fait et le couvre-lit sans un pli. Elle avait l'air d'avoir été désertée par quelqu'un qui partait pour longtemps. Je me souvins alors que Patricia était passée par là, qu'elle avait manié l'aspirateur, accroché les vêtements et rangé le bazar si cher à Anna. J'ouvris les placards pour me rassurer. Une pile de vêtements me sauta au visage, et avec eux les effluves d'un parfum reconnaissable entre tous, celui d'Anna ; un mélange d'eau de toilette et de senteurs corporelles. L'odeur d'une personne, c'est une véritable carte de visite. Je me retournai, m'attendant presque à la trouver derrière moi. Mais elle n'était pas là. Je pénétrai dans son bureau.

C'était une toute petite pièce, le « coin en plus » selon le jargon des agents immobiliers. L'ameublement n'arrangeait pas les choses : un bureau, une armoire de classement, un ordinateur, des livres et des papiers partout. Patricia ne voulait pas, ne pouvait pas, pénétrer dans cette jungle.

Je m'assis au bureau et allumai la lumière. S'il y avait quelque chose à trouver, ce serait sûrement ici quelque part. Je m'appuyai contre le dossier de la chaise. Sur le mur, dans un panneau à hauteur des yeux, elle avait accroché une série de photos : Lily jouant dans un square, les mains au-dessus de la tête, dans un instant de pure exaltation juste avant de glisser sur le toboggan. Moi, plus jeune et plus sérieuse, avec un bébé, *le* bébé dans mes bras. Il y en avait une plus récente montrant Paul et Lily assis l'un en face de l'autre dans un fast-food, de profil, bouches ouvertes, dents plantées dans d'énormes hamburgers. L'année précédente, Anna était partie dans le Montana pour son journal et Paul les avait rejointes pour une semaine dans les Rocheuses. La dernière photo les représentait tous les trois, assis sur le capot de la voiture, une étendue désertique derrière eux, souriant à l'objectif : une famille heureuse en vacances, jouant aux touristes, passant la nuit dans des motels à trois dans le même lit, lovés les uns contre les autres comme des pétales à l'intérieur d'un bourgeon. Quelle différence y a-t-il entre eux et une famille modèle ? L'absence de sexe, c'est tout ! Eh oui, l'homme est pédé ! Et alors, pourquoi pas ? Pourquoi la main qui pousse le berceau devrait-elle toujours être liée au pénis qui a fait le travail ? Paul s'était révélé meilleur père suppléant que bien des originaux. De toute façon, je connais pas mal de couples qui ne se soucient presque plus de coucher ensemble...

Comme pour le prouver, il y avait, glissé au coin du panneau, un instantané un peu pâlichon d'Elsbeth et George, pris dans leur jardin du Yorkshire. Ils n'avaient visiblement pas plus de soixante-cinq ans, mais on sentait déjà la présence du personnage squelettique du *Septième*

Sceau[1] qui les attendait, couché derrière les buissons. En ce temps-là, elle avait déjà pris l'habitude de finir les phrases de son mari. Ils étaient si proches l'un de l'autre que l'on n'aurait pas pu glisser entre eux une feuille de papier. Certains trouveraient ça mignon. Pour moi, c'est l'enfer. Mais j'imagine que j'ai des raisons de ne pas croire au bonheur familial. Il est mort l'année d'après. Ce fut, je crois, sa seule façon de se libérer d'elle. Pour se venger, elle le suivit un an plus tard. Si elle avait tenu le coup un peu plus longtemps, elle aurait connu sa petite-fille, bien que j'aie toujours pensé qu'elle n'aurait pas survécu de voir sa fille mère célibataire.

Anna a affirmé un jour que c'était la mort de ses parents qui lui avait donné envie d'avoir un enfant. C'est peut-être vrai, mais j'ai toujours eu le sentiment que ses véritables raisons étaient liées à Christopher.

Mais même avec sa meilleure amie, il faut parfois apprendre à marcher sur des œufs. Une fois qu'Anna était décidée, cela ne servait à rien d'essayer de la défier.

Je me souviens du jour où elle me l'a annoncé. C'était un samedi matin, j'étais dans la cuisine en train de me préparer une première tasse de café. J'habitais Amsterdam depuis plus de dix mois. J'avais déniché de bons revendeurs de drogue, un super antivol à vélo. Les murs de mon appartement arboraient de magnifiques tableaux... Je commençais à penser que j'avais davantage qu'un boulot dans cette ville : une vie. Je n'étais pas encore prête à tout, cependant. La première fois qu'elle m'en a parlé, je n'ai pas très bien compris. Je suppose qu'on n'entend que ce que l'on veut bien entendre.

— Tu es toujours là, Estella ?

— Ouais. Je suis toujours là. Quand l'as-tu appris ?

— J'ai fait le test la semaine dernière.

Il y eut un long silence, puis :

1. Film d'Igmar Bergman.

— Mais je pense que je le sais depuis longtemps.
— Pourquoi ne m'as-tu rien dit ?
— Probablement parce que je ne savais pas quoi dire.
Soudain, ma bouche devint sèche. Je savais qui était le père. C'était pour ça qu'elle ne m'avait pas prévenue. C'était normal.
— Que s'est-il passé ? Christopher s'est aperçu qu'il avait oublié des vidéos chez toi et il est revenu les chercher ?
— Ça ne s'est pas passé comme ça. Il est parti à l'étranger. C'était une façon de me dire au revoir, c'est tout.
Combien de fois a-t-il fait ça, pensai-je, mais je me tus. Je détestais ce type depuis si longtemps que je ne savais plus si c'était parce qu'il était con ou parce qu'il avait rendu Anna si malheureuse. À chaque fois qu'elle rompait avec lui, je faisais la fête. La dernière fois, six mois auparavant, devant la gravité de la rupture, j'avais vraiment fini par croire que c'était la bonne.
— Que vas-tu faire ? dis-je enfin.
Le silence qui s'ensuivit fut si long que j'eus le temps de sucrer mon café avant de le boire.
Je l'entendis prendre sa respiration. Puis elle parla :
— Je vais le garder, Stella. (Elle eut un tremblement dans la voix.) Pas à cause de lui. Je veux un bébé.
Quatre mots. Rien que quatre mots. « Je veux un bébé. » Anna allait avoir trente-trois ans. Je la connaissais depuis qu'elle avait dix-neuf ans et je n'avais jamais entendu le tic-tac de son horloge biologique. Dans le silence, à l'autre bout du fil, c'était lui que j'entendais.
— Et lui ? Cela lui fait deux familles sur les bras, n'est-ce pas ?
C'était cruel, mais j'étais furieuse qu'elle me l'ait annoncé aussi tard et je voulais qu'elle le sache.
— Ne sois pas en colère contre moi, Stella. C'est déjà assez dur comme ça. Ça n'a rien à voir avec Chris.
Je m'avouai immédiatement vaincue.
— Je suis désolée. Qu'en dit-il ? Tu lui en as parlé ?
— Non. Et je ne vais pas le faire. Il ne sera pas là. Il

est parti comme correspondant à Washington. C'est ce qu'il est venu m'annoncer. Ils partent la semaine prochaine.

Je me souviens d'avoir hurlé en silence : « Alléluia ! » Fini les soirées passées à regarder sa tronche à la télé. À la place, nous allions juste chercher à retrouver ses traits sur le visage de son enfant.

— Je vais avoir ce bébé toute seule. J'espère cependant que Paul et toi demanderez un droit de visite.

— Mon Dieu, Anna, dis-je enfin. (Dans un moment pareil, je n'avais pas le choix. Je devais dire la vérité.) Je ne suis même pas sûre d'aimer les enfants.

— C'est parce que tu n'as pas eu l'habitude. Tu aimeras celui-là. Je te le promets.

Elle avait raison. Je l'ai aimé. Nous l'avons tous aimé. Pourtant quand j'y repense, malgré la présence glorieuse de Lily, j'ai eu longtemps du mal à oublier qu'elle avait choisi de garder le secret. Si tu aimes quelqu'un, tu sais lui pardonner ses erreurs. Je pense que c'est à peu près à cette époque que j'ai accepté qu'Anna, qui avait toujours eu un talent particulier pour mentir pieusement, aux profs pour les examens, aux patrons pour les horaires ou à ses amants pour les ruptures, puisse être aussi économe en matière de vérité envers moi, sa meilleure amie.

Sept mois plus tard, je vins à Londres pour la naissance de Lily qui se trouva dotée d'une marraine plus proche qu'aucun membre de sa famille, et d'un père de substitution bien meilleur que le vrai. Quant à mon horloge biologique, eh bien, soit j'ai du mal à l'entendre, soit elle n'a jamais fonctionné. Aussi longtemps que je m'en souvienne, je n'ai jamais eu envie d'avoir un enfant. Rien de personnel, juste une forme saine d'égocentrisme. En fait, pendant longtemps, je n'ai même jamais pensé réellement à vivre une histoire sérieuse avec un homme. Je me sens bien toute seule et je n'aime pas beaucoup qu'on touche à mon siège des toilettes. Ça n'a rien à voir avec une blessure émotionnelle. Il existe une théorie, bien sûr, selon laquelle les enfants qui ont perdu leurs parents de bonne heure seraient effrayés à l'idée de construire une famille par crainte de la perdre. Une autre théorie dit plus ou moins le contraire. Personnellement, je n'ai pas de temps à perdre avec ça, la vie est bien assez compliquée.

Au fur et à mesure des années, je me suis spécialisée dans les amants à durée limitée (Amsterdam était un bon endroit pour ça), les hommes sur le départ aux passeports bourrés de visas. Au-delà d'un mois, la liaison est trop longue. Ensuite, je retourne à ma façon de vivre, heureuse dans ma solitude.

René n'a rien fait pour déranger cet état de fait, même si à bien des égards j'ai enfin trouvé mon égal. La première fois que nous nous sommes rencontrés, c'était avant la naissance de Lily. Il était là pour une conférence et nous avons passé la nuit à son hôtel. C'est là qu'il m'est venu à l'idée que je me servais peut-être de lui pour faire comme Anna. Mais quand nous sommes passés aux choses sérieuses, ce n'était pas ça du tout. Lorsqu'il a posé sa tête sur mon ventre pour se reposer un moment, je lui ai demandé s'il entendait un bruit d'horloge dedans, seulement parce que j'étais absolument sûre qu'il n'y avait rien à entendre. Le lendemain matin, je suis allée à vélo au travail, heureuse devant les merveilles de la ville et mon étrange égocentrisme.

Je ne l'ai pas revu pendant six ans. Il y a quatre mois, un jour, en décrochant mon téléphone, je l'ai trouvé à l'autre bout. Il s'était installé à Amsterdam et voulait savoir si j'étais libre. Nous avons repris là où nous nous étions arrêtés : relations sexuelles épisodiques, conversations et besoins mutuels de mener des vies séparées. Il passe beaucoup de temps à voyager (consultant médical est un travail qui demande de la mobilité), de mon côté j'ai beaucoup à faire avec mon travail, Lily et mon besoin d'indépendance. Si nous tentons de nous rapprocher, je crains que ça ne nous sépare. Cette histoire est pour moi l'une des plus réussies de ma vie.

J'aime aussi sa symétrie. Ainsi, Anna et moi avons toutes deux des familles en alternance. Je pense que le monde se porterait mieux s'il y en avait davantage.

Je considérai le bureau d'Anna avec attention.

Au loin — Jeudi après-midi

Sa voiture était incroyablement propre et sentait bon ; pas de papiers de bonbons, de marques de doigts collants, de boîtiers de cassettes audio ouverts, de jouets MacDo cassés, aucun signe d'une vie passée à courir. Tout était rutilant, des tapis de sol brillants au petit sapin en papier accroché au rétroviseur qui délivrait une légère odeur chimique de pin. Derrière le siège du chauffeur, il y avait même un cintre pour accrocher une veste. Un homme sans enfant, telle fut la première pensée d'Anna.

Il démarra et s'éloigna du bord du trottoir. Quelqu'un le klaxonna. Il répondit aussitôt, puis s'excusa.

— Je suis un conducteur prudent, ne vous inquiétez pas. Nous sommes à environ soixante minutes de l'aéroport, mais, à cette heure-ci, il va y avoir de la circulation à cause de ça.

Sur la gauche, ils passèrent devant les stands du marché. Écharpes, posters, portefeuilles, T-shirts. Pas de chevaux. Il lui jeta un coup d'œil.

— Vous devez être en colère, oui ? D'abord, pas de chevaux, puis pas de train. Les Africains sont là habituellement. Je ne comprends pas pourquoi ils ne sont pas là.

— Ce n'est pas grave, dit-elle, posant sa tête contre l'appui-tête. Le plus important c'est que j'aie mon avion.

— Bien sûr. Oh, j'oubliais : vous aimez le cappuccino ?

— Euh... oui.

— Bien.

D'un signe de tête, il lui montra un paquet de papier brun posé sur le siège arrière :

— Vous prenez du sucre ?

— Oui. Mais...

Voyant qu'elle ne bougeait pas, il lâcha son volant d'une main et se retourna pour attraper le sac. Il le lui tendit.

— S'il vous plaît.

Il sembla légèrement décontenancé, comme si elle ne comprenait pas bien son attitude.

— C'est très chaud, je crois. Je l'ai emporté pour le donner à mon ami qui prenait le train mais il n'en a pas voulu. C'est dommage de le perdre, n'est-ce pas ?

Alors qu'il disait cette phrase, l'idée qu'il pût être gay la frappa. Cela pouvait expliquer la voiture immaculée, les vêtements chics et la politesse presque exagérée. Anna pensa à Paul et à la façon dont il avait adopté son enfant et sa vie compliquée. Peut-être avait-elle en elle quelque chose qui attirait les homosexuels. Sans aucun doute un manque de sexualité animale, pensa-t-elle, presque désabusée.

— S'il vous plaît ?

Il lui présentait à boire et, de toute évidence, elle allait le mécontenter si elle refusait. Entre les sièges du conducteur et du passager avant, il y avait un espace dans lequel était imbriqué un porte-tasses. Elle sortit les conteneurs en polystyrène, un généreux lot de serviettes, enleva le couvercle d'une des tasses et la plaça dans le support. Puis elle ouvrit l'autre et se mit à boire. Elle fit une grimace.

— Vous n'aimez pas ? demanda-t-il avec anxiété. C'est trop sucré ?

— Je ne sais pas. Ça a un drôle de goût. Qu'est-ce que c'est ?

— Ah, sûrement le parfum de l'amande. C'est un sirop qu'on utilise parfois. C'est très à la mode en ce moment. On copie toujours les États-Unis. C'est bon, je crois, non ?

— Oui, dit-elle.

En fait, le goût était un peu trop fort pour elle, mais dans la chaleur confinée de la voiture, la caféine allait lui donner un bon coup de fouet. Elle en avait bien besoin. Elle but le café d'un trait.

— Bon.

Il s'était arrêté à un feu. Une cohorte de personnes traversa la rue, c'était l'heure de pointe, le retour au bureau et l'ouverture des boutiques après la sieste. Florence à l'instant le plus fou. Il lui sourit.

— Maintenant, vous pouvez vous relaxer.

On aurait dit un hôte recevant des convives à dîner.

— Vous serez là-bas à l'heure, ajouta-t-il.

— C'est très gentil à vous.

— Pas gentil. C'est, comment dites-vous ?... le plus moins que je puisse faire.

— Le moins.

— Moins ? Oui, oui, bien sûr. Le moins que je puisse faire, répéta-t-il, content de lui, étirant le mot comme un immense sourire.

Le silence retomba. Après quelques instants, les rues médiévales encombrées laissèrent place à des boulevards plus larges, plus calmes, puis à des faubourgs industriels. L'Italie était aussi moderne que vieille, aussi laide que magnifique. Anna avait toujours apprécié ses paradoxes, elle les trouvait rassurants. Elle remit soigneusement la tasse vide dans le sac, suivant les règles de propreté de la maison. Il sirotait son café, posait sa tasse, avalait quelques petites gorgées, comme si le liquide était trop chaud pour le boire facilement.

Elle lui lança un coup d'œil à la dérobée. Dans la boutique, son visage lui avait paru trop carré pour être intéressant mais de profil, il se révélait plus avantageux, les traits gravés plutôt que dessinés, un peu comme si l'on avait versé de l'acide sur une pierre tendre. Au départ, elle lui avait donné la quarantaine. Maintenant, elle n'en était plus sûre. Il était peut-être plus âgé, c'était difficile à dire. Il avait une telle maîtrise de lui qu'on ne savait pas ce qui se cachait derrière sa politesse. Peut-être, après tout, n'était-il pas homosexuel. Elle imagina sa vie traînant derrière lui, comme les gaz s'échappant des moteurs d'un avion. Elle vit les rubans de fumée se croiser, telles deux traînées d'argent dans un ciel désert. Prenant forme puis disparaissant. N'était-ce pas plutôt des bateaux passant dans la nuit ? Elle tenta de reformer l'image mais peine perdue. Elle se sentit soudain lasse, usée par le voyage et les exigences que lui demandait la politesse.

— Alors vous aimez les chevaux ?

Ils étaient presque sur l'autoroute, s'engageant à toute vitesse dans la circulation dense, à cette heure-ci.

— Oh, ce n'était pas pour moi. C'était pour ma fille.

— Votre fille ? (Il parut surpris.) Vous avez une fille ?

— Oui.

— Je... euh...

Cette fois il chercha ses mots.

— Vous ne ressemblez pas à une maman.

Au premier chef, il était difficile de savoir s'il s'agissait d'un compliment. Essayait-il de la draguer subtilement ? Si c'était le cas, en serait-elle flattée ou agacée ?

— Quel âge a-t-elle ?

— Six ans. Presque sept.

Il concentra un moment toute son attention sur la route.

— Vous ne lui achetez pas des pistolets ?

— Des pistolets ?

— N'est-ce pas ce que font toutes les femmes maintenant ? Pour que leurs enfants ne soient pas... ne soient pas sexistes.

La franche naïveté de la remarque la fit éclater de rire. Un jour, quelqu'un avait acheté à Lily une voiture électrique, chromes étincelants et lumières clignotantes. Elle avait joué deux fois avec, puis l'avait laissée pourrir sous les buissons du jardin.

— Elle n'aime pas les pistolets. Ni les épées. Ça la barbe. Il y a des choses contre lesquelles on ne peut pas lutter.

Il hocha la tête comme si cette idée lui plaisait.

— Et votre mari ? Il est d'accord ?

— Je n'ai pas de mari. Je suis mère célibataire.

Elle ajouta cette dernière phrase avec une certaine angoisse, à l'idée que son interlocuteur pût trouver matière à querelle dans cette vision de la société.

— Je vois, dit-il. Et ça va ?

— Oui, répondit-elle. Oui, ça va.

— Et votre fille, où est-elle en ce moment ?

— Elle est avec une baby-sitter, une amie.

Parler de Lily lui donnait envie d'être à la maison. C'était toujours pire au retour, elle se sentait l'âme d'un pigeon voyageur, l'œil fixé sur son objectif, poussé par son radar émotionnel. Elle regarda sa montre. Sept heures moins vingt. Il y avait une heure de décalage. Lily devait être sortie de l'école, elle et Patricia s'étaient sûrement arrêtées au parc pour jouer un peu. En Angleterre, c'était l'heure où s'allumaient les lumières. Pas ici. Dans l'air se lisait l'ombre du crépuscule. Son avion allait décoller dans un coucher de soleil méditerranéen et se poserait dans une lumière nordique. C'était fini. Pas d'aventure, pas de changement. Cette notion était très romantique. Les billets d'avion ne modifient pas votre vie, ils la transportent seulement ailleurs. Pour vivre une véritable transformation, il faut être plus courageux, ou plus fou. Elle sentit ses yeux se fermer, une soudaine fatigue l'envelopper. Elle essaya de parler, pour se ressaisir. Ils étaient sur l'autoroute, sur la voie du milieu. Autour d'eux, la circulation était dense. Elle regarda de nouveau sa montre. Presque 19 heures. L'enregistrement avait largement commencé.

— Ne vous inquiétez pas, dit-il en réponse à sa question muette. Nous ne sommes pas loin. Vous voyez ?

Au loin, devant elle, elle aperçut des panneaux sur le bas-côté herbeux, l'un d'entre eux affichait l'emblème d'un aéroport, deux ailes argentées en vol. Elle eut la nausée comme si la vue de ces pancartes lui avait donné le vertige. Elle tripota fébrilement les commandes de la porte.

— Excusez-moi, je dois ouvrir la fenêtre un petit peu. J'ai besoin d'air frais.

Il lui lança un coup d'œil rapide. Il appuya sur un bouton et sa vitre se baissa en silence. Un rideau de vapeurs encrassées la frappa au visage, c'était pire que l'air confiné de la voiture. Des larmes lui montèrent aux yeux. Elle essaya de remonter sa vitre. De nouveau, il le fit pour elle.

— Je mets l'air conditionné. Nous serons bientôt sortis de cette circulation. Pourquoi ne vous étendez-vous pas et ne fermez-vous pas les yeux ? Nous serons au terminal dans dix minutes.

Elle voulut lui dire qu'elle se sentait bien, qu'elle était juste un peu malade à cause de la voiture et qu'elle n'avait besoin que de faire quelques pas, mais elle se sentit soudain plus mal, comme si son cerveau s'emplissait de nuées empoisonnées qui l'engloutissaient tout entière. Elle mit sa tête entre ses mains, les nausées redoublèrent. Alors elle suivit son conseil et se laissa aller contre son siège, succombant à l'obscurité. Elle ferma les yeux. Peut-être gémit-elle. La dernière chose qu'elle entendit fut le clignotant indiquant qu'il prenait la file de droite en direction de l'aéroport.

Au loin — Jeudi après-midi

La pièce était de taille généreuse, ses proportions datant d'une époque où les riches trouvaient bon d'avoir des plafonds aussi hauts que le ciel au-dessus de leurs têtes. À l'origine, il s'agissait d'une fresque ; des chérubins joufflus voletant autour de la Sainte Trinité, réajustant leurs robes, envoyant de petits coups de pied exubérants dans les nuages tandis qu'un char de mortels — les généraux et nobles de la maison — contemplait la scène. Mais la mode et le temps avaient depuis longtemps gommé tant de sensibilité et le plafond n'était plus désormais qu'une immense étendue de blanc crasseux, aux corniches devenues grises sous des décennies de poussière.

Le plancher semblait d'origine ; carreaux ocre fatigués décorés d'une bordure géométrique et ébréchés par endroits. Le reste de la chambre était par contraste désagréablement moderne : un canapé rouge écarlate telles les lèvres boudeuses de Warhol et, à l'autre bout, une table en bois blanc avec un vase rempli de fleurs de paradisiers péruviens. Sur le mur du fond, deux fenêtres en arcade laissaient entrer l'intense soleil de cette fin d'après-midi, les stores à lamelles découpant des barreaux de prison sur le sol carrelé.

Ils se tenaient debout, séparés par les bandes de

lumière, mal à l'aise. Ils ressemblaient à des occupants de passage et paraissaient merveilleusement adaptés à cette chambre inhabitée. Sa mallette noire, luxueuse, était appuyée contre le sofa, son sac de voyage à elle, encombrant et miteux, près de la porte comme un vieux chien attendant patiemment que ses maîtres s'en aillent.

— Où étais-tu ? Tu m'as dit que tu serais là mardi.

Il émit un claquement de langue.

— Non, Anna, je t'ai dit que je t'avertirais. J'ai toujours su que je ne pourrais peut-être pas partir aussi vite. Je t'ai appelée à Londres lundi pour te prévenir mais tu n'étais pas là.

— J'étais déjà partie. (Son débit était rapide.) Tu n'as pas laissé de message, n'est-ce pas ?

— Non. On s'était mis d'accord que je ne le ferais pas. Mais j'en ai laissé un à l'hôtel mardi. Tu ne l'as pas eu ?

— Non.

Elle secoua la tête. Elle revit le bureau de la réception et la flopée de jeunes filles vulgaires qui semblaient toujours avoir quelque chose de mieux à faire.

— Ce n'était pas l'endroit le plus efficace du monde.

— Tu aurais dû t'installer ailleurs. Je t'ai dit que je paierais.

— J'ai pensé que nous n'y resterions pas. Je ne veux pas de ton argent, dit-elle doucement, en jetant des coups d'œil autour d'elle. Quel est cet endroit ?

— Ça appartient à un ami. Il travaille pour une multinationale, mais il voyage la moitié de l'année. Il ne passe pas beaucoup de temps ici.

— Est-il au courant ?

— Que je l'utilise de temps à autre ? Oui. Que je suis là avec toi maintenant ? Non.

— Où es-tu censé te trouver ?

— Parti. Ailleurs. L'endroit n'est pas important. Et toi ? dit-il, après un silence. Qu'est-ce que tu as dit ?

— Oh, j'ai inventé un truc à propos du travail. Mais je leur ai dit que je serais de retour ce soir.

— Ce soir... ?

— Ouais, je sais. Mais c'était prévu comme ça, rappelle-toi. Tu as dit mardi.

— Eh bien, tu peux les appeler plus tard. As-tu changé ton billet d'avion ?

Elle secoua la tête.

— Je ne peux pas.

— Ils disent toujours ça. On se servira de ma carte, il n'y aura pas de problème.

— Non, tu ne m'as pas comprise, Samuel. J'ai dit *je* ne peux pas. Je ne peux pas faire ça. C'est ce que je suis venue te dire. Je ne reste pas : je vais rentrer ce soir comme promis. Je l'ai décidé avant que tu appelles.

Il hésita.

— Cette décision a-t-elle un rapport avec nous ou avec chez toi ?

Elle haussa les épaules.

— Je ne sais pas. Probablement les deux.

— Je vois. Alors pourquoi sommes-nous là maintenant ?

— Tu ne m'as pas laissé de numéro de téléphone sur ton message. J'ai pensé que je devrais au moins te l'annoncer moi-même.

Il eut un sourire comme pour bien lui montrer qu'il ne la croyait pas, mais que ça n'avait pas beaucoup d'importance.

— Eh bien, c'est fait. Merci.

Une brise inattendue leur parvint par la fenêtre entrouverte et fit bouger les stores. Les étroites bandes de lumière sur le sol semblèrent grossir puis rapetisser. C'était à elle de parler, elle le savait, mais elle ne savait pas quoi dire.

— Je croyais que nous en avions terminé avec tout ça, Anna, dit-il gentiment. Je croyais que nous étions d'accord sur ce qui se passait entre nous.

— Oui, eh bien, moi aussi. Mais en fait non.

Sa voix se chargea soudain de colère :

— Je ne devrais pas être là. Si je reste plus longtemps, je vais rater mon avion.

— Écoute, dit-il, et sa voix était si ténue qu'elle dut faire un effort pour l'entendre. Ce n'est pas ta faute. Ce n'est la faute de personne. C'est arrivé, c'est tout.

Elle secoua la tête.

— Ce n'est pas vrai. C'est à cause de nous si c'est arrivé.

Elle se racla la gorge bruyamment.

— As-tu l'habitude de faire ça ? demanda-t-elle abruptement. Est-ce comme ça que tu agis ? Dans le passé, c'est ça que tu as fait ?

Il éclata d'un rire bruyant.

— Quoi ! tu veux que je te mente à toi comme à elle ? O.K., oui, je fais ça tout le temps. Je commence une aventure sans lendemain et puis je continue jusqu'à ce que ça me tombe des mains.

Il s'arrêta, puis :

— Tu n'es pas la seule à avoir pensé ne pas venir, tu sais. Cette histoire a aussi dépassé les règles que je m'étais fixées.

— Je croyais que tu avais dit qu'il n'y avait aucune règle. N'est-ce pas ce que tu m'as expliqué la première nuit ?

— Oh, tu sais, les premières nuits... Allez, Anna, ne me fais pas jouer le rôle du sale type dans cette affaire. Je ne l'ai jamais été. Et je ne le suis pas.

Elle ferma les yeux.

— Merde ! murmura-t-elle.

Elle ne bougea pas. Qu'attendait-elle ? Qu'il la touche ? S'il le faisait, cela la ferait-il partir ou rester ? Il hocha la tête.

— Je ne peux pas faire les choses pour toi. Le comprends-tu ? Ça ne marche pas comme ça. Tu dois te décider toute seule.

L'heure tournait. Elle fit un pas vers lui. Si elle ne rentrait pas ce soir, Patricia emmènerait Lily dormir chez elle. Elle lui lirait une histoire, l'accompagnerait à l'école le lendemain matin et Paul viendrait l'y chercher comme d'habitude.

Lily irait très bien. Elle était une petite fille heureuse, entourée de personnes qui l'aimaient. Elle rendrait ça aux gens plus tard. À tout le monde. Après tout, il n'était question que d'une nuit ou deux. Tout le monde mérite de prendre du plaisir, d'avoir une chance d'emmagasiner de la chaleur d'été en prévision de l'hiver.

Alors qu'ils pénétraient chacun dans l'orbite physique de l'autre, la chaleur de leur peau enflamma le peu qu'il leur restait de conscience. L'air devint plus léger. Son sac de voyage demeura où il était sur le sol, son billet d'avion timidement rangé dans la poche de sa veste.

À la maison — Tôt samedi matin

Son agenda Filofax se trouvait sur le bureau, au milieu des papiers éparpillés, des lettres, des factures et des coupures de presse. Paul avait certainement dû y chercher avant moi des noms et des numéros de téléphone. S'il n'avait rien trouvé c'était parce qu'il n'y avait rien à trouver. Je le ramassai et il s'ouvrit à la page d'aujourd'hui qui était marquée par un trombone. La semaine était vide. Il n'y était fait mention d'aucun voyage, d'aucun détail de vol, d'aucun hôtel, même pas du mot Florence. Comment était-il possible qu'il n'y ait rien de noté ? Ce départ était bien soudain, bien secret. Au bout d'un instant, je réalisai que je ne savais pas ce que je cherchais.

Les enfants savent se déplacer aussi silencieusement que des animaux quand ils le veulent. J'entendis une respiration et, dans le même temps, je l'aperçus à mes côtés. La peur m'envoya une décharge électrique à travers le corps. Elle était toute chaude, sentait bon le nid et le parfum laiteux du sommeil.

— Oh... Salut, toi. Tu m'as fait sursauter.

— Stella, dit-elle, les yeux endormis.

— Oui. Paul t'a dit que je venais, n'est-ce pas ?

Elle hocha doucement la tête.

— Tu te lèves très tard.

— On est déjà demain ?

— Non. (Je ris gentiment.) C'est encore le milieu de la nuit.

— Est-ce que tu es venue en avion avec maman ?

— Non, chérie, non. Je suis venue d'Amsterdam. Maman n'est pas encore rentrée.

Je lui tendis les bras. Elle hésita (j'adore voir le chemin que prennent ses pensées) puis resta où elle était. Je ne fus pas offensée. Ça prend toujours du temps avec Lily. C'était comme ça depuis toujours. Rien de personnel.

— Tu viens juste de te réveiller, Lil ?

Elle secoua la tête.

— J'ai entendu un bruit. J'ai cru que c'était maman.

— Non. C'était seulement moi. Je cherchais quelque chose.

Elle regarda longuement le bureau, tripotant des papiers du bout des doigts. La bousculer n'aurait servi à rien.

— Maman est allée en Italie, dit-elle après un silence.

— Oui.

— Tu es déjà allée en Italie ?

— Oui.

— C'est beau ?

— Ouais.

— Quelquefois, quand tu vas quelque part où c'est joli, tu n'as pas envie de rentrer.

— Oh, je ne crois pas que l'Italie soit aussi belle que ça. Elle n'a simplement pas pu prendre d'avion.

Elle fronça les sourcils. Bien que Paul ne fût pas un mauvais menteur, elle ne l'avait pas cru.

— Je sais qu'elle va bientôt rentrer, ne t'inquiète pas, dis-je — et ça, ce n'était pas un mensonge. Est-ce que je te remets au lit ?

Elle fit un non vigoureux de la tête.

— Tu vas attraper froid.

Elle secoua la tête une nouvelle fois et grimpa sur mes genoux pour se lover contre moi, en quémandant un bisou. Je l'entourai de mes bras. Avant qu'elle ne vienne au monde, je ne savais même pas m'occuper d'un chien. Les enfants sont étonnants : ils vous enseignent ce qu'ils veulent que vous sachiez. Elle était toute tiède, comme si son sang était plus chaud que le mien. Perdons-nous notre chaleur en vieillissant ? Cela me fit penser à la mort et à son froid humide. La vodka. Elle réchauffe le sang et glace l'âme.

— Il faut que tu allumes la lumière.

— Quelle lumière ?

— La lumière sous le porche. Maman pourrait rentrer et croire qu'il n'y a personne à la maison.

— D'accord, répondis-je prudemment. Je vais penser à éclairer.

— Est-ce que tu dors dans son lit ?

— Oui. Paul est dans l'autre chambre.

— Alors où va dormir maman ?

— Oh ! mon cœur. Si elle arrive, j'irai m'installer en bas. Je dormirai sur le canapé.

Elle resta songeuse un instant, puis lança :

— Elle ne le saura pas. Il vaudrait mieux que tu laisses un mot dans les escaliers pour lui dire que tu dors dans son lit. Comme ça, elle saura qu'elle doit te réveiller.

Je la regardai. Quelle que soit sa vision du monde, il faut la mettre en ordre. Ce qui diffère, c'est la taille du paysage.

— Bonne idée. On l'écrit ensemble ?

J'épelai les mots pour elle et elle recopia chacune des lettres très soigneusement. Sous la lueur de la lampe, je la contemplai avec ravissement. Sous ses joues au teint de pêche, je devinais les contours du visage lisse d'Anna. Elle avait déjà ses cheveux, des boucles noires indomptables presque trop belles et trop voluptueuses pour un si petit visage. Les ressemblances avec son père étaient dures à trouver, mais je ne l'avais pas très bien connu. Lily travaillait toujours laborieusement.

— Hé ! c'est génial. Tu apprends vraiment très vite.

Elle me lança un long regard.

— Ce sont juste des lettres, Estella. Tout le monde peut le faire.

Je me mordis les lèvres pour ne pas rire.

Lorsque nous eûmes fini, je l'accompagnai à l'étage en dessous et la bordai dans son lit. La chambre ressemblait à un cocon. Les silhouettes du mobile qui faisait office de veilleuse tournaient sur elles-mêmes en projetant des ombres à travers la pièce. Elle se glissa entre les draps et se tourna vers le mur, s'endormant presque instantanément.

— Veux-tu un bisou ? murmurai-je près de son oreille, mais elle ne répondit pas.

En partant, je fermai la porte derrière moi.

— Laisse-la ouverte.

Non, pas encore endormie.

Je m'exécutai. Je déposai le mot sur le tapis dans l'entrée, à un endroit où ni Anna ni Lily ne pouvaient manquer de le voir. Elle allait se lever avant nous et elle avait une mémoire d'éléphant. Puis, comme promis, j'allumai la lumière sous le porche. À l'extérieur, la rue était calme et déserte, les maisons d'en face noyées dans l'obscurité.

Chiswick se couche de bonne heure. Nous sommes tous des banlieusards désormais : travail, enfants et crédits immobiliers. L'époque est révolue où nous sortions faire la fête en ville.

Où était-elle ?

Je renonçai à répondre à la question et me couchai.

Je dus escalader une pile de livres et de papiers (une partie de la jungle à laquelle Patricia ne touchait jamais). J'y jetai un coup d'œil juste au cas où... Les journaux remontaient à plusieurs semaines. Il y en avait pour tous les goûts : de gauche, de droite, tabloïds, grands formats, suivant la théorie qui veut que lorsque vous travaillez dans la presse, vous vous devez de lire les concurrents. En fait, les gens écrivent trop. La plupart d'entre eux n'avaient même pas été ouverts. Il y avait aussi des livres pour enfants, un tas de magazines et une feuille de brouillon griffonnée de traits de crayon. Un article qu'elle écrivait. Je le parcourus dans l'espoir qu'il pourrait tout expliquer, une enquête salutaire sur un réseau de la Mafia situé à Florence et vendant des enfants de chœur italiens à des réseaux pédophiles. Mais il y avait bien longtemps que les reportages d'Anna n'étaient plus aussi juteux. En fait, il s'agissait d'un article sur l'incapacité des écoles maternelles de se conformer aux programmes d'alphabétisation du nouveau gouvernement.

Encore un article dont elle n'avait pas parlé. Avant la naissance de Lily, sa carrière avait connu une véritable ascension, mais ces dernières années, elle semblait avoir perdu son ambition. Peut-être était-ce l'inverse. Les mères célibataires ne peuvent pas rivaliser avec les hommes, m'a-t-elle expliqué un jour. Si tu te bats, tu ne parviens qu'à te faire du mal.

Dans les tiroirs de la table de nuit, je trouvai quelques stylos à bille, un vieux livre de poésie de Auden, une tétine mâchonnée — une relique des nuits blanches d'hier — et tout au fond une compilation de nouvelles érotiques. Je les feuilletai mais elles étaient trop littéraires pour moi, trop d'euphémismes et de tendresse, pas assez de couilles. Si mes souvenirs étaient exacts, ça ne reflétait pas complètement les goûts d'Anna. Les premiers temps de mon installation à Amsterdam, nous adorions, le samedi soir, aller espionner les hommes qui regardaient les prostituées dans les vitrines du quartier rouge. On passait des heures à parler de ça, à tenter de déterminer qui exploitait qui et la manière dont le pouvoir et le plaisir s'entremêlent dans les fantasmes sexuels. Un soir d'été, nous y allâmes, je m'en souviens, avec Lily qui venait de naître. Anna la portait contre sa poitrine : Lily avait les yeux grands ouverts et l'air surpris comme l'ont souvent les bébés.

Je suis étendue sur le lit et je regarde le plafond. Anna a disparu depuis une journée et presque deux nuits. C'est impensable qu'elle ait pu décider de ne pas rentrer sans nous prévenir. Donc, soit elle l'a fait et, pour une raison ou une autre, nous n'avons pas eu son message, soit elle n'a pas pu nous contacter. D'où j'étais, j'imaginais un autre lit : une chambre d'hôpital en Italie dans laquelle gisait une femme pâle, le nez et la bouche pleins de tuyaux reliés à un écran dont la courbe verte et oscillante s'aplatissait en une ligne mince. Le bip régulier émettait soudain un son strident. Je clignai des yeux, l'image se modifia : la même femme mais sans l'écran, cette fois, s'éveillant dans un profond silence. Elle était assise sur une chaise, ses chevilles et ses poignets attachés, le visage blanc de peur devant une ombre menaçante.

Je m'assis et chassai ces visions. En haut, Paul était-il, lui aussi, hanté par des images terrifiantes ou mon passé me prédisposait-il à ça ? Combien de temps après sa disparition ma mère était-elle morte ? Deux, trois jours ? Je ne m'en souvenais plus. Je ne suis même pas sûre de l'avoir jamais su.

C'est intéressant de voir à quel point les cellules cancéreuses de l'imagination grossissent plus vite que celles du corps. S'il ne s'agit ni d'un crime ni d'un accident, alors bon Dieu, que se passe-t-il, Anna ? Ne comprends-tu pas que nous sommes tous fous d'inquiétude, ici ?

Au loin — Jeudi soir

Son corps était comme un ballon gonflé à l'hélium. À chaque fois qu'elle tentait de bouger l'un de ses membres, elle avait l'impression d'être soulevée du sol, son torse entier s'élevant et tournoyant en une danse lente et langoureuse qui s'accompagnait d'un sentiment de panique et d'une envie de vomir. Elle désespérait de savoir où sa chute l'entraînait, mais ses yeux ne s'ouvraient que sur l'obscurité.

Respirer lui faisait mal. L'air était lourd, gras et humide, remplissant ses narines, lui aspirant la peau. Elle essaya de se déshabiller mais ça ne fit que la soulever encore davantage du sol. Elle savait qu'elle n'était pas vraiment consciente, qu'elle était sur le point de se réveiller d'un lourd sommeil, qu'elle rêvait peut-être, mais elle n'arrivait pas à comprendre pourquoi tout ça lui paraissait si bizarre.

Alors que son corps s'envolait, glissait et virevoltait dans les hauteurs, elle entendit le crissement du gravier et, l'espace d'une seconde, aperçut quelque chose : un bout de ciel nocturne, des éclairs roses contre un badigeon bleu-gris foncé, telles des bandes de tissu brillant projetées par la foudre. Elle se sentait comme les couleurs, dissoute et libre. Quelqu'un la saisit fermement par les bras et elle se sentit ramenée d'un coup sec vers le sol. Une odeur de vomi lui monta à la gorge et elle sut qu'elle allait être malade.

L'obscurité retomba.

Lorsqu'elle rouvrit les yeux, elle ne volait plus. Il lui fallut un moment pour s'en rendre compte. Elle était couchée, entièrement habillée, son corps inerte et immobile, comme écrasé par l'air. Son cerveau s'était remis à fonctionner. La surface sur laquelle elle était allongée était moelleuse, un divan ou un lit. Peu à peu, l'obscurité laissa place à une galerie d'ombres, d'un noir plus ou moins dense. En face d'elle, elle distingua une masse volumineuse, une commode peut-être ou un gros meuble, et, à sa droite, sur le sol, une raie fine de lumière jaune sale provenant probablement de sous une porte. Sa tête lui faisait mal et elle avait affreusement envie d'uriner. C'était dur de penser à autre chose. Elle se leva mais ses jambes se dérobèrent, telles des éponges gorgées d'eau, et elle dut s'appuyer au mur pour pouvoir avancer vers la porte.

Elle pénétra dans une salle de bains exiguë éclairée par une veilleuse fantomatique ; des murs carrelés, une baignoire, un lavabo surmonté d'un dessus en marbre, une pile de serviettes blanches immaculées, des échantillons de shampooing et d'après-shampooing comme on en donne dans les hôtels.

En tremblant, elle défit le bouton de son pantalon. Un jet d'urine éclaboussa violemment la cuvette. Elle s'était retenue jusqu'au dernier moment, comme un enfant qui, pris par le jeu, oublie puis doit courir pour se soulager. Un enfant. Lily. Lily... La pensée lui fit l'effet d'une décharge électrique. Lily. Elle vit des feux de circulation, le panneau d'un aéroport et le visage d'un homme assis à la place du conducteur la regardant anxieusement. Elle se souvint du bruit de gravier et d'un éclair de soleil couchant. Et d'avoir vomi. Elle s'éloigna des toilettes. Je suis malade, pensa-t-elle. Mais qu'est-ce que j'ai ? Et que m'est-il arrivé ? Un élan de peur lui monta à la gorge. Elle avait l'impression d'avoir mâché des cailloux. Elle fit couler de l'eau au lavabo et en but une gorgée mais ça ne changea rien.

Elle regagna la pièce principale et, après avoir cherché l'interrupteur, donna de la lumière. Une lueur blafarde l'aveugla. Clignant des yeux, elle découvrit une chambre d'hôtel immaculée et déserte : un lit simple, une table de chevet, une armoire, un bureau et une chaise, des meubles de bureau inoffensifs et banals, rien à voir avec la chambre qu'elle avait quittée ce matin. Un des murs était couvert de lourdes tentures. Elle les repoussa, s'attendant presque à apercevoir la silhouette d'une ville illuminée, mais il n'y avait qu'une fenêtre, considérablement plus petite que la largeur des rideaux, plongeant dans l'obscurité. Quand elle souleva le loquet, la fenêtre s'ouvrit de quelques centimètres. Pas plus. Contre toute attente, il faisait frais dans la pièce et l'on entendait un murmure, le bruit de l'électricité chantant dans les câbles des pylônes. Pourtant, elle ne vit rien. C'était comme si le monde s'achevait derrière la vitre.

Lorsqu'elle se retourna, la chambre lui parut soudain moins agréable. Il n'y avait aucun téléphone, aucune lampe de chevet, aucun prospectus ou papier sur le bureau. Rien du tout. Rien qui puisse confirmer qu'il s'agissait d'une chambre d'hôtel. Même les murs étaient nus, tout comme le dos de la porte d'entrée. Pas de tableau annonçant les frais de pension ou les consignes obligatoires en cas d'incendie. Quand elle appuya sur la poignée, la porte ne s'ouvrit pas. Elle était verrouillée... de l'extérieur !

La panique la submergea. Frénétiquement, elle rassembla les débris de sa mémoire, les souvenirs de sa dernière soirée, et repensa soudain au café sirupeux, à son malaise soudain et à son envie de dormir. Elle revit le visage de l'homme, souriant, rassurant et inquiet. Non, ça ne pouvait pas... Ce n'était pas possible. Dans son esprit défilèrent à toute allure des récits atroces de kidnapping, à la mode italienne ; des riches magnats ou leurs enfants séquestrés dans des caves et amputés pour obliger leurs proches à payer d'énormes rançons. Ça n'avait aucun sens. Pourquoi quelqu'un voudrait-il la kidnapper, elle, une touriste anonyme, une mère célibataire sans famille et sans argent ? C'était sans doute une erreur grotesque.

Elle se jeta contre la porte et la martela de ses poings, hurlant de toutes ses forces. Depuis combien de temps était-elle inconsciente ? De nouveau, elle réfréna une envie de vomir. Elle transpirait abondamment. Elle regarda sa montre. Le verre était brisé et les aiguilles étaient arrêtées sur neuf heures moins dix. On était maintenant au milieu de la nuit. Mais de quelle nuit ? Depuis combien de temps était-elle là ? Saisie d'un nouvel élan de panique, elle se remit à frapper sur la porte jusqu'à ce que la douleur qui lui vrillait les tempes l'oblige à s'arrêter. Elle avait tout à coup très soif. Elle alla dans la salle de bains et but une nouvelle gorgée d'eau, le regard attiré par une des bouteilles en plastique posées sur le bord du lavabo. Un gel douche de couleur verte, *made in Milan*, et embouteillé par milliers pour une chaîne d'hôtels parmi tant d'autres. Où était-elle ? Elle eut un vertige. Elle repartit s'asseoir sur le lit, nauséeuse, l'œil rivé sur la porte, le souffle court.

Le silence était épais, plus profond que la pièce. Elle avait envie de vomir. Ses mains et son corps étaient moites. Elle s'allongea sous les couvertures. L'air conditionné se mit en marche, émettant un léger son mécanique, comme dans un hôtel. Comme dans un hôtel. Au moins, ce n'était pas une cave. Ce fut la dernière chose qu'elle se rappela avant de retomber dans le sommeil.

Au loin — Vendredi matin

Anna était assise près de la fenêtre dans un fauteuil si profond que ses accoudoirs semblaient l'envelopper, la couper du reste de la pièce. Un verre empli d'un liquide pétillant était posé en équilibre sur l'un d'eux. Sur le sol, une serviette. Elle était nue, ses jambes repliées sous elle, ses cheveux mouillés coiffés en arrière. Sa peau était nette, sans fard, bien lavée et brillante comme celle d'un enfant. Elle semblait fatiguée mais sereine et paraissait regarder quelque chose par la fenêtre à demi ouverte, mais il n'y avait rien à voir. Au cœur de la nuit, la ville aussi était paisible. Au-dessous, dans la vallée, Florence étalait ses lumières comme une constellation d'étoiles dans l'immensité. Elle bougea légèrement une de ses jambes et sa peau fit un léger bruit de succion. Elle glissa une main sous sa cuisse, sentant la transpiration qui s'y était accumulée. Sa chair était vivante sous ses doigts. Elle ne se rappelait plus la dernière fois où elle avait été aussi consciente de son corps. Non, c'était inexact. Elle se le rappelait très bien.

C'était cinq semaines plus tôt, elle repartait chez elle, vers Lily, après leur première rencontre. Ils s'étaient dit au revoir dans la chambre d'hôtel en plein cœur de Londres et elle était rentrée en voiture par la rocade ouest dans le petit matin silencieux.

Elle s'était glissée doucement dans la maison. Patricia dormait à l'étage dans la chambre d'amis, Lily était dans son lit. Elle avait eu une envie folle de revoir sa fille. Non pas pour apaiser un sentiment quelconque de trahison ou de culpabilité mais par besoin de la serrer dans ses bras et de savoir que rien n'avait changé. Elle aurait aimé prendre un bain — son odeur était partout sur elle —, mais les canalisations passaient trop près de la chambre de Patricia. Cela aurait fait une musique par trop discordante au milieu de la nuit. Elle se déshabilla, se brossa les dents et se mit au lit, avec l'impression d'être une amoureuse infidèle.

Lily, tel un missile à tête chercheuse, l'avait localisée et s'était collée contre elle. Sa chemise de nuit en coton était remontée jusqu'à sa taille et sa peau était chaude et douce. Un enfant après un adulte, une femelle après un mâle, le contraste était saisissant et délicieux. Je t'aime, pensa-t-elle. Ce qui est arrivé, ce soir, ne fait aucune différence. Elle voulut la réveiller et le lui dire. Elle bougea légèrement et Lily se mit à tousser, une fois, deux fois, puis assez pour se réveiller.

— Maman ?

— Oui, ma chérie.

— Bonsoir.

La voix était rauque, comme du petit bois brisé.

— Bonsoir. Tu tousses ?

— Muumm...

Elle était encore à moitié endormie. Lorsqu'elle toussa de nouveau on aurait dit un aboiement, une gorge en colère.

— Ça va ?

— Je veux de l'eau.

Anna sortit du lit et remplit un verre au robinet de la salle de bains. Lily se tenait assise, clignant des yeux, l'air grave. Elle prit le verre de ses deux mains et le but bruyamment. Anna entendit le liquide descendre dans sa gorge.

— Tu sens une drôle d'odeur, dit-elle, plissant le nez en lui tendant le gobelet.

— Ah bon ? émit Anna, émerveillée par cet odorat remarquable. Il fait chaud dehors. J'ai transpiré.

— Où es-tu allée ?

— Travailler.

— Tu t'es bien amusée ?

— Pas mal, répondit-elle en se glissant auprès de sa fille. Allez viens maintenant, mets-toi sous les couvertures.

— J'ai pleuré en me couchant, tu sais.

— Ah bon ? Pourquoi ?

— Tu me manquais.

— Oh, espèce de sale petit canard. Patricia était là.

— Mumm. Elle aussi m'a traitée de sale petit canard. Mais elle a dit que je pouvais dormir dans ton lit.

— Et tu t'es sentie mieux.

— Oui.

— Je vois.

— Mais ce n'est pas pour ça que j'ai pleuré.

— Bien sur que non. Allez viens maintenant, rendors-toi.

— C'est comme les cigarettes.

— Quoi ?

— Ton odeur. Le papa d'Eleanor sent comme ça. Eleanor lui a dit qu'il allait mourir, mais elle dit qu'il s'en moque.

Elle était complètement éveillée et papotait, se délectant de transgresser un interdit, celui d'être debout au milieu de la nuit.

— Humm. Eh bien, nous mourrons tous un jour ou l'autre. Je parie que le papa d'Eleanor ne fume pas tant que ça, de toute façon.

— Si. Elle sort les paquets des poubelles.

— Petite moucharde.

— C'est quoi une moucharde ?

— Rien. Hé, c'est le milieu de la nuit ! Tu n'es pas fatiguée ? demanda-t-elle, sans y croire vraiment.

Elle aimait les papotages de Lily et sa curiosité, adorait

autant que sa fille ces petites discussions nocturnes interdites.

Lily resta un moment sans parler. Puis :

— Maman, Paul est en quelque sorte mon papa, n'est-ce pas ?

— Oui, ma chérie. En quelque sorte.

Un silence.

— Alors Michael va être un autre papa maintenant ?

— Non, Michael est juste un ami. Tu l'aimes bien ?

— Oh, ouais, il est très rigolo. Mais je ne veux pas d'autre papa. Un, c'est assez.

Dans l'obscurité, elle attira sa fille tout contre elle.

— Oui, un c'est assez. Et les mamans ? En veux-tu une autre ?

— Non, t'es bête, gazouilla-t-elle, entourant le corps d'Anna de ses bras et de ses jambes comme un petit singe.

Après ça, Anna était restée étendue, éveillée, réfléchissant à la facilité avec laquelle elle était passée de lui à elle, l'amante et la mère séparées comme l'huile et l'eau, un procédé plus biologique que chimique. Le lendemain matin, en rentrant d'accompagner Lily à l'école, elle avait entendu le téléphone sonner de l'autre côté de la porte. Elle savait que c'était lui. Il lui avait demandé son numéro sans lui donner le sien. Elle savait aussi ce qu'elle allait dire. La dernière nuit lui avait apporté tout ce dont elle avait besoin, elle s'était même abaissée à ce qu'elle soupçonnait être des mensonges mutuels.

— Bonjour.

Sa voix était déjà familière, son rythme déjà reconnaissable. Elle fut surprise de se sentir attendrie.

— Comment te sens-tu ?

— Fatiguée.

— Moi aussi.

Il se tut et le silence s'emplit soudain de ses doigts se glissant sous sa jupe, dessinant des caresses vers le bas de son ventre.

— Tu dois travailler aujourd'hui ? reprit-il.

— Oui, j'allais juste sortir.

— Dommage. Écoute, je me suis aperçu que je dois retourner à Londres, lundi. Peux-tu te libérer ?

— Merci... mais non merci. Rappelle-toi. C'était déjà trop tard. Soudain, elle avait envie d'en avoir plus. Elle se justifierait les choses plus tard. Elle essaya de paraître dure.

— O.K. Mais il y a quelques règles à respecter. Pas de promesses, pas de conneries. On ne rencontre pas la famille de l'autre et on arrête cette histoire dès que l'un de nous deux le souhaite, d'accord ?

— Absolument. (Il parut amusé.) Rien d'autre ?

— Si. Il faut choisir un restaurant moins cher. Je n'ai pas beaucoup d'argent et je ne veux pas que tu paies.

— Très bien. Tu veux changer quelque chose en ce qui concerne le sexe ou est-ce que ça, ça t'a plu ?

— Je vais y réfléchir. Pour l'instant, on peut laisser les choses comme ça.

— Merci, mon Dieu. (Silence.) Nous nous sommes bien choisis, n'est-ce pas ?

— C'est le début, dit-elle. Ne va pas trop loin.

Mais bien sûr, c'est ce qu'ils avaient fait.

Au fond de l'appartement, elle perçut le bruit d'une douche qui s'arrêtait. Elle ferma les yeux. Un moment plus tard, elle entendit son pas sur le carrelage. Il vint s'accroupir devant elle. Elle ne bougea pas. Il était vêtu d'un peignoir noir, les cheveux mouillés. Il sourit et, d'une main, repoussa une mèche humide qui lui tombait sur les yeux. Elle ne réagit toujours pas. Dans l'obscurité, elle le devinait à peine. Il l'embrassa gentiment, jouant avec ses lèvres, lui suggérant une réponse. Elle se laissa faire puis s'interrompit, reposa sa tête contre le dossier de la chaise et ferma les yeux.

Il se pencha en avant et l'embrassa de nouveau, cette fois sur le front. Elle fronça les sourcils, comme si son baiser lui avait fait mal, ouvrit les yeux et le regarda. Il lui prit la main et la guida sous son peignoir, vers son pénis presque en érection. Elle y abandonna sa main un instant. Ils se sourirent. Mais leurs gestes — son invitation à lui, sa caresse à elle — ressemblaient davantage à du confort qu'à de la passion.

— Tu as l'air d'avoir froid, dit-elle.

— Ça ne durera pas. Tu es déjà toute chaude.

— Mmm...

Elle avala une grande bouffée d'air, moitié soupir, moitié respiration.

— Ça va bien ?

Elle prit son temps.

— Je ne sais pas.

— Pourquoi ne viens-tu pas t'allonger ?

— J'aurais dû téléphoner.

Il glissa sa main sur son visage.

— Pas de panique. Tout ira bien pour elle. Tu l'as dit toi-même. Tu appelleras dans la matinée.

— Tu n'aurais pas dû me laisser m'endormir.

Il sourit.

— C'était juste pour une heure ou deux. Tu étais fatiguée.

Elle écarta la remarque.

— Je me sens mal vis-à-vis d'elle.

Il la considéra un instant avec gravité.

— Tu sais ce que je crois, Anna, dit-il, en posant doucement sa main sur son bras. Je pense que tu te sens mal car, si tu es réellement honnête avec toi, tu sais que tu te fiches bien qu'elle ne soit pas là.

— Eh bien...

Elle hésita, encaissant le coup. Le fait qu'elle n'éprouve pas le besoin de nier révélait leur proximité.

— Si tu deviens malin comme ça, je vais être obligée de te craindre.

Il sourit.

— Quel est le problème ? T'es pas habituée à la compétition, hein ?

— Ne te flatte pas.

Elle regarda autour d'elle. Dans l'obscurité, le sol carrelé ressemblait à une patinoire, une étendue de glace couverte d'une pâle buée. Il a l'air frais, si tentant pensa-t-elle. C'est comme ça que les gens se noient. Ils prennent la joie de vivre pour de la sécurité.

Il se leva et fit un geste pour partir.

— Non. (Elle leva la main pour l'arrêter.) Ne t'en va pas.

— Je suis fatigué, Anna, dit-il doucement. Je veux dormir et je veux que tu viennes à côté de moi.

Quand s'était-elle couchée pour la dernière fois près d'un homme avec qui elle voulait se réveiller ? Des siècles. Certainement trop longtemps pour pouvoir s'en souvenir.

— Je ne peux pas. Je ne sais pas comment traverser ce sol.

S'il trouva la remarque à double tranchant, il ne le montra pas. Peut-être la comprit-il. Il se rassit à ses pieds, et cette fois posa la tête sur ses genoux, ses cheveux mouillés et froids contre la chaleur de ses jambes et de son ventre. De sa main, elle lui caressa le visage et le berça doucement puis, se penchant en avant, le couvrit de son corps. Ils restèrent ainsi un long moment. L'atmosphère autour changea imperceptiblement, l'obscurité fut entamée par les premiers éclairs d'une aurore estivale. Elle glissa ses paumes sur son dos, sous son peignoir, le massant, le caressant. Du bout des doigts, elle effleura ses fesses, loin, plus loin... glissant un doigt dans son anus. Il poussa un grognement, s'agita et se redressa. Puis ouvrit son peignoir et l'attira vers lui.

— Viens au lit.

— O.K. mais nous ne devons pas dormir.

Il rit.

— Je pense qu'il y a peu de chances. Je vais te dire quelque chose : on va faire comme un vieux couple marié, je vais mettre un réveil.

Ils s'endormirent ensuite, enroulés loin l'un de l'autre, leurs corps dénoués à la recherche d'espaces plus familiers et solitaires. Peut-être était-ce dû à la chaleur. À l'aube, il se leva tranquillement et ferma les persiennes pour échapper au soleil. La chambre se noya dans l'obscurité. Elle dormait. À 6 h 37, il y eut une coupure de courant. Trop de Florentins s'étaient levés en même temps. Le radio-réveil placé près du lit s'éteignit, puis se ralluma, mémoire vidée. Il émit un triste bip d'excuse. Personne n'était debout pour l'entendre.

À la maison — Samedi matin

J'ai toujours trouvé facile de se moquer de la police. Quand on est jeune, elle pue l'autorité, défend des lois que l'on ne respecte pas, s'oppose à celles qu'on soutient, puis lorsqu'on vieillit, on trouve qu'elle rajeunit et du coup, on s'en méfie. Mais lorsqu'il nous arrive une catastrophe, quand on a besoin d'aide et qu'il n'y a personne d'autre, on tombe miraculeusement sur des policiers qui n'ont rien à voir avec ceux qu'on voit à la télé. Ils ne sont pas corrompus, ils partagent juste notre lot quotidien : boulot, train-train, petits problèmes et péchés véniels tout comme nous. C'était le cas des deux jeunes hommes aux visages lisses qui vinrent sonner à la porte d'Anna, transpirant légèrement dans leurs lourds uniformes, casque sous le bras et halo de responsabilité au-dessus de leurs têtes.

Ni Paul, ni moi n'étions au mieux de notre forme. Nous avions tous deux commencé la journée avec un manque évident de sommeil. Pendant la nuit, j'avais entendu freiner tellement de voitures que je n'aurais pu dire si c'était en rêve ou dans la réalité. Je m'étais réveillée en entendant des bruits dans la cuisine, il ne s'agissait que de Paul. Lily dormait toujours.

Il était assis à table, la cafetière et l'annuaire téléphonique devant lui. Je le sentis tendu comme si la peur avait annihilé tout espoir, comme s'il craignait d'avoir fait une bêtise en attendant. Peut-être éprouva-t-il la même chose en me voyant car, quand j'entrai dans la pièce, il s'empara du téléphone. Avant qu'il ait eu le temps de décrocher, la sonnerie retentit sous ses doigts.

Nous sursautâmes tous les deux. Il saisit le combiné. J'entendis au loin une voix de femme. C'est fini, pensai-je. Elle est de retour. Je savais qu'elle allait rentrer. Immédiatement, il me fit un signe de dénégation.

— Oh, Patricia, bonjour ! Comment s'est passé ton voyage ? Bien, bien. Non, non, rien. (Il s'arrêta.) Non, elle va bien. Elle dort toujours. Oui, je sais, on en a déjà discuté et je pense qu'on va devoir le faire. Oui, elle est arrivée la nuit dernière. Tu veux lui parler ?

Il me tendit l'appareil.

Elle a la plus jolie voix du monde, Patricia, douce comme j'imagine la campagne irlandaise après la pluie (je sais, c'est une idée sentimentale que je n'oserais jamais formuler devant elle) et patiente. Elle appelait de chez sa sœur dans les faubourgs de Dublin ; en arrière-fond, on entendait la maisonnée s'éveiller au bruissement des robes de mariée et à l'odeur de la laque.

Elle éprouva le besoin de me dire tout ce qu'elle venait de dire à Paul. De toute évidence, elle craignait d'être un peu responsable de tout ça. Elle avait peut-être mal compris le jour du retour d'Anna, son voyage ayant été organisé à la dernière minute. Anna lui avait parlé de jeudi soir, mais en ne la voyant pas rentrer, elle se disait qu'elle avait peut-être voulu dire vendredi. Si seulement elle avait appelé Paul plus tôt ou vérifié le numéro de téléphone de l'hôtel... La peur, telle une colonne de feu, nous traversait tous.

Je fis de mon mieux pour la rassurer. Je l'imaginais, debout, près du téléphone, petite femme énergique, à l'aube de la cinquantaine. Elle s'était probablement déjà habillée pour la journée. Allait-elle porter un chapeau à l'église ? On pouvait le présumer. Mariage catholique. Coutumes catholiques. Elle n'était pas du style à porter un chapeau, trop terre à terre. Elle se souciait peu de son apparence.

Patricia était le genre de mère qui existait avant l'arrivée du féminisme. Une femme qui savait comment enlever les taches de rouille sur une robe imprimée mais qui ne remplissait pas sa propre déclaration d'impôts parce que c'était le travail de l'homme. Elle avait trois grands enfants et avait accepté de s'occuper de Lily parce qu'elle ne pouvait pas se passer de materner. Elle faisait partie de cette famille peu orthodoxe depuis que Lily avait six mois, d'abord comme nourrice, puis aujourd'hui comme garde d'enfant après l'école et pendant les vacances. L'affection était mutuelle. Elle aurait fait n'importe quoi pour eux. Aujourd'hui, elle ne pouvait pas les aider. C'est ce qui la rendait le plus malheureuse.

Je l'avertis que la police — si nous décidions de l'appeler — pourrait avoir besoin de vérifier certains détails avec elle. Pouvais-je donner le numéro de sa sœur ? Elle me répondit qu'il n'y avait aucun problème mais que personne ne serait de retour avant le soir. « Rappelez-vous que Lily a une leçon de natation à 11 heures. Et que la maman de son amie Kylie viendra la prendre à 10 h 30, ajouta-t-elle. Son maillot est sur un cintre près de la machine à laver. » Je lui mentis en déclarant que nous n'avions pas oublié. Qu'elle devait chasser tout ça de son esprit. Qu'on se verrait — tous — lorsqu'elle rentrerait lundi après-midi. Et qu'en attendant, elle devait transmettre tous nos vœux à sa nièce. En raccrochant je priai Paul d'appeler la police.

Je fis du thé pendant qu'il téléphonait. Bientôt, il eut quelqu'un en ligne. C'est leur travail, pensai-je. Ils s'occupent de ce genre de choses tous les jours de la semaine. Il s'éloigna à l'autre bout de la pièce pour éviter de me regarder. Je l'entendis se décrire comme un très bon ami de la famille. Il parlait d'autre chose lorsque Lily apparut dans l'encadrement de la porte.

— Salut, Lil, lançai-je à voix haute. Tu as l'air d'avoir faim.

Il se retourna et lui fit un signe, puis alla dans le jardin.

Elle le regarda s'éclipser, puis entra en trottinant et s'assit à table.

— Petit déjeuner, dis-je. Que dirais-tu de crêpes ? Je m'occupe de la farine si tu casses les œufs.

— C'est samedi, annonça-t-elle. J'ai ma leçon de natation ce matin. Maman a dit qu'elle serait rentrée pour m'y emmener.

— Eh bien, mon cœur, ça ne va pas être possible. Kylie et sa maman vont venir avec toi, à la place.

Elle se renfrogna.

— Mais elle a promis !

J'attendis. Elle se contenta de dire :

— Pourquoi est-ce que toi ou Paul vous ne m'emmenez pas ?

J'entendis la voix de Paul dehors.

— Oui, oui. C'est bien. Nous serons là. Merci.

— Lily demande si nous pouvons aller à la piscine à 11 heures, demandai-je alors qu'il rentrait.

Il raccrocha le combiné.

— Désolé, morveuse. Estella et moi avons du travail ici. Mais je pense qu'on pourra se débrouiller après pour aller chez McDonald's.

Elle secoua la tête.

— J'en ai marre des *Chicken McNuggets*.

Je levai un sourcil.

— Tu as de la chance, Estella, rétorqua-t-elle. Dans ton pays, les vaches ne sont pas devenues folles.

Ils arrivèrent dix minutes après le départ des petites pour la piscine. Il faisait si bon que nous nous assîmes dans le jardin autour de la table en bois à monter soi-même achetée chez Ikea en 1995. Je m'en souvenais bien. Je m'étais fait un pinçon au pouce en le coinçant entre les lattes. Lily avait revêtu son costume de doctoresse pour me soigner.

Leur présence rendait son absence encore plus sinistre, et de nouveau, j'eus envie de vomir, un peu comme si je devais prendre la parole trop longtemps dans une réunion importante. Paul était plus calme ; normal, il joue mieux la comédie que moi. Qu'allaient-ils penser de nous ? Père et amie ? Et cela voulait-il dire quelque chose ?

Je dois reconnaître qu'ils étaient agréables, consciencieux et délicats, visiblement habitués à traiter avec des gens à bout de nerfs. Nom, âge, taille, poids, couleur des cheveux, vêtements. Tous ces petits tiroirs à remplir... Anna se construisait comme un hologramme verbal devant nos yeux.

Personne disparue : Anna Franklin. Célibataire. Âge : trente-neuf ans. Taille : 1,70 m. Trait caractéristique : jolie était toujours un mot trop banal pour elle, bien faite (un peu plus grosse depuis la naissance de Lily mais elle pouvait se le permettre), des cheveux noirs et épais, un visage ouvert, un large front et des lèvres pleines, avec un léger arc de Cupidon.

Signes particuliers : oreilles percées, aucune bague, mais un petit éléphant bleu tatoué sur une cheville. (Pas d'oiseaux bleus ou de panthères, avait-elle insisté, trop *New Age*. Pourquoi ne pas le faire en grand, avais-je suggéré en m'asseyant auprès d'elle dans une boutique du bord de mer à Brighton en regardant le travail de l'aiguille.)

Vêtements : en général élégants, probablement un peu trop chers pour elle. En particulier : aucune idée.

Paul clama cependant qu'elle avait une veste en lin jaune qu'elle ne quittait plus depuis deux mois et qui n'était pas dans le placard. Qui étais-je pour le contredire ?

Caractère : intelligente, drôle, intense, passionnée.

À la fin de la liste, il y eut un silence. Anna ? Était-ce cela ? Je pensai à elle. C'était aussi d'autres choses mais je ne savais pas les mettre en mots. Tout au moins pour des étrangers.

— Aucun antécédent de dépression, de fatigue mentale, ce genre de choses ?

— Aucun. (Deux voix pensant à la même chose.)

— Part-elle souvent en voyage ?

— De temps en temps, le soir, ici ou là pour le travail, répondit Paul sèchement.

— Et dans ces cas-là, qui s'occupe de la fillette ?

— En semaine, c'est Patricia, la nounou. Le week-end, en général, je suis là.

— Mais vous n'êtes pas le père de l'enfant ?

— Non. Non, pas le père biologique. Mais je les vois très souvent.

— Pourriez-vous nous dire quelle est la nature précise de vos relations avec Mlle Franklin ?

Paul sourit.

— Nous sommes juste de bons amis, monsieur l'agent, dit-il d'un air charmeur.

— Je vois. (Même s'il était évident qu'il ne voyait pas.)

— Donc, s'il y avait quelqu'un d'autre, je veux dire si elle voyait un autre homme, vous ne le sauriez pas nécessairement ? Elle ne vous le dirait pas ? ajouta-t-il.

— Au contraire... elle le ferait très certainement.

Il s'était bien débrouillé depuis le début. Aucune manière efféminée n'était venue troubler sa performance, qui avait été, il faut le reconnaître, irrésistible.

— Mais elle ne l'a pas fait. N'est-ce pas ?

Et moi, pensai-je, qui suis sa meilleure amie. Qui le saurait, si ce n'est moi ? Ils durent surprendre mes pensées car ils regardèrent dans ma direction.

Je secouai la tête.

— Elle n'avait pas d'amant. Elle me l'aurait dit.

Il y eut un court silence. J'eus l'impression qu'ils vérifiaient leurs informations pour s'assurer que leurs petits tiroirs étaient tous bien remplis.

De toute évidence, dans leur esprit, nous ne correspondions pas au critère de famille habituelle. Était-ce très important ? La plupart des policiers avaient rencontré assez de situations tordues pour savoir que la vie actuelle est bien plus complexe que ce que voudraient nous faire croire les discours politiques.

— Donc, elle n'a jamais disparu comme ça, avant aujourd'hui ?

Ce n'était pas ce que l'on appellerait un long silence, mais il était clairement délibéré. Pourquoi avions-nous choisi de ne pas en discuter avant leur arrivée ? C'était d'autant plus étrange que la question était inévitable.

De l'autre côté de la table, ils nous regardaient. Qui de nous deux allait répondre ? Nous aurions dû le décider avant.

Je pris ma respiration.

— Il y a quelques années, elle est partie un moment sans rien dire à personne. Ça n'a pas duré longtemps et c'était avant la naissance de Lily. Elle ne ferait pas ça aujourd'hui.

Ils parurent intéressés, cependant. Comment l'inverse aurait-il pu être possible ? C'était prévisible.

— Aviez-vous contacté la police à l'époque ?

— Non. Ce n'était pas sérieux.

— Pourriez-vous m'expliquer les circonstances ?

Le pouvais-je ?

— C'était une mauvaise période de sa vie, c'est tout. Elle avait des problèmes personnels, sa mère était malade et ça l'affectait réellement. Tout allait de travers. Euh... Elle a juste fait une valise et pris le train. Pour échapper à tout ça.

— Où est-elle allée ?

— Dans la région des lacs. Dans un hôtel.

— Pendant combien de temps n'a-t-elle pas donné de nouvelles ?

— Pas longtemps. Cinq ou six jours.

— Mais elle n'a dit à personne qu'elle partait ?

— Non.

— Comment l'avez-vous retrouvée ?

— Elle m'a téléphoné. Et je suis allée la voir.

Je vis le regard de Paul se fixer sur la table. Il prit la cruche et remplit les verres.

— Avez-vous vérifié si elle n'était pas descendue dans cet hôtel, cette fois ?

— Non. (Je ris.) Cela ne m'est jamais venu à l'esprit.

— Vous ne vous souvenez pas du nom ?

— Si. C'était le Windermere. Comme le lac. (Il nota l'information.) Mais c'était complètement différent d'aujourd'hui.

— Vous voulez dire qu'elle n'est pas sous pression ?

— Je veux dire qu'elle a Lily aujourd'hui.

— Et elle ne subit aucune pression ? répéta-t-il, faisant de son mieux pour que sa question ressemble à une affirmation.

— Non, dis-je.

J'attendis l'aide de Paul. Comme il ne bougeait pas, je lui lançai un coup d'œil. Il regardait toujours la table.

— Et vous êtes d'accord avec ça, monsieur ?

— Oui.

L'agent eut un petit sourire.

— Vous ne semblez pas en être sûr.

Il avait raison. Il n'en avait pas l'air.

Paul haussa les épaules.

— Elle est comme tout le monde. Elle en fait trop. Elle a un travail et un enfant en bas âge. Elle se surmène. Encore que... Je ne pense pas... Eh bien, je ne pense pas que ça a un rapport avec ça.

— Mais elle savait que vous seriez là pour prendre soin de Lily si elle partait ?

— Oui, mais... (Sa voix devint inaudible.)

— Qu'allez-vous faire pour la retrouver ? demandai-je, n'ayant aucune envie de répondre à d'autres questions.

— Eh bien, une fois rentrés au commissariat, on va examiner ce rapport et un agent se mettra en relation avec Florence. On vérifiera auprès des compagnies aériennes pour les jours qui nous concernent, afin de savoir si elle a quitté la ville, quand et où elle est partie. Si on découvre qu'elle est toujours là-bas, on enverra une description par le biais d'Interpol. (Il s'arrêta.) Vous savez, quatre-vingt-dix pour cent des personnes déclarées disparues à la police donnent des nouvelles ou sont retrouvées dans les sept jours.

Aussi simple que ça. Nous étions au pays d'« il était une fois », au cœur des statistiques policières, là où les méchants enfreignaient les lois et où les gentils les en empêchaient. C'était le genre d'histoire que j'aurais pu lire à Lily le soir au coucher, même si malgré son jeune âge elle croyait de moins en moins aux « si ». Dernières exigences : ils nous demandèrent de leur fournir une photo et de les renseigner précisément sur les vêtements qu'elle portait en partant.

À l'étage, je commençai par m'occuper de la garde-robe. Je me rappelais d'un pantalon de crêpe noir qu'elle avait acheté un peu plus tôt au printemps à Amsterdam et qui n'était pas dans l'armoire. Paul avait raison : il n'y avait pas non plus de veste jaune. Dans la salle de bains, je farfouillai dans ses bijoux. Anna adorait les boucles d'oreilles ; plus elle comptait partir longtemps, plus il en manquerait. Mais comment pouvais-je savoir combien il y en avait au départ ? Je regardai dans le miroir et je la vis me dévisager ; pantalon noir, veste jaune, carte d'embarquement à la main.

Mon Dieu, Anna, où que tu sois, pourquoi ne décroches-tu pas ton téléphone ? Un coup de fil, c'est tout ce qu'on te demande. Je songeai à mon attitude de la veille au soir, me noyant dans l'alcool. Que se serait-il passé si je n'avais pas été là pour répondre au téléphone ? René et moi aurions pu décider de passer le week-end quelque part, à Amiens ou à Bruges, pour s'empiffrer de pâtisseries sans penser un seul instant qu'Anna pût ne pas être en sécurité. Je l'aurais imaginée debout, dans le petit bassin d'une piscine londonienne, les bras ouverts à Lily qui avançait vers elle à coup d'éclaboussures. Lorsque ma mère mourut, il me fallut des mois pour accepter l'idée qu'elle n'était pas juste partie en voyage en oubliant d'écrire. Ce n'était pas le moment de penser à ça maintenant.

J'allai dans son bureau pour chercher une photo correcte. Les trois prises dans le Montana n'étaient pas assez nettes et je ne voulais pas, de toute façon, les décrocher du mur. Je fouillai dans les tiroirs du bureau. Celui de droite était rempli de vieux guides du *Guardian* (pourquoi ?) et d'un méli-mélo de pochettes de photos. J'étais sur le point d'en choisir une parmi les souvenirs de Noël dernier, lorsque j'avisai une série que je ne connaissais pas : tirages plus grands, de 10 sur 15, Anna avec un demi-sourire regardant droit dans l'objectif. La lumière était l'œuvre d'un professionnel ; c'était un portrait plus qu'une photo, le genre de cliché que les mères de mannequins disparus donnent à la police juste avant que leurs filles bien-aimées ne soient retrouvées, égorgées, dans le coin d'un terrain vague dans les marais de Hackney.

Que faisait Anna avec de telles photos ? Je n'arrivais pas à comprendre.

— Comment ça va, là-haut, Estella ?

La voix de Paul retentit dans la cage d'escalier. J'avais rêvassé trop longtemps. Les policiers se tenaient près de la porte, impatients de s'en aller.

Je pris deux des clichés et fourrai les autres dans le tiroir.

— Eh bien ! dis-je en refermant la porte sur eux. Qu'en penses-tu ?

Il haussa les épaules.

— Celui avec les cheveux bruns est hétérosexuel, l'autre pourrait être l'un ou l'autre mais il ne le sait pas encore.

Cela ne me fit pas rire. Il soupira.

— Je ne sais pas. Ils savent probablement ce qu'ils font.

— S'ils prennent cette histoire au sérieux...

— Pourquoi ne le feraient-ils pas ?

— Parce que tu leur as dit qu'elle était un peu perturbée, voilà pourquoi !

— Non, Stella. Ce n'est pas ce que j'ai dit.

— Si.

— J'ai dit qu'elle était stressée. Ce n'est pas la même chose. J'ai de la peine à penser qu'ils vont coller le dossier en attente parce qu'on a dit qu'elle était peut-être un peu sous pression.

— On n'aurait pas dû leur donner d'excuse, c'est tout.

— C'est pour ça que tu leur as menti au sujet de la région des lacs ?

— Je n'ai pas menti.

— Oh ! s'il te plaît, Stella. Arrête ton char. Elle t'a contactée ? J'étais dans les parages aussi, si tu t'en souviens. Elle n'a jamais appelé personne. Tu as trouvé le numéro de l'hôtel sur un morceau de papier dans son appartement et tu as téléphoné. Ou ai-je aussi inventé ça ?

Juste après la grossesse d'Anna, Paul et moi ne nous entendions pas aussi bien. Il ne fallait pas être grand clerc pour savoir pourquoi. Mais puisque nous nous étions toujours appréciés auparavant, j'étais persuadée que nos bonnes relations allaient reprendre. C'est ce qui s'était passé. Notre amitié a toujours été canalisée par d'autres, d'abord par Anna puis maintenant par Lily. Nous l'avouons volontiers, il y a toujours le risque qu'une ombre se mette entre nous.

— O.K. ! D'accord, j'ai menti, lâchai-je. Si je leur avais dit la vérité, ils auraient imaginé que c'était comme la dernière fois et ils ne se seraient pas embêtés à la chercher.

— Ouais, je sais. (Il acquiesça et se frotta le front.) Seigneur, j'y ai pensé toute la nuit. Pourquoi serait-elle en retard ? Où peut-elle être ? Entre Lily, Mike et le travail, je suis trop occupé en ce moment, on n'a plus le temps de se parler. (Il s'arrêta.) Mais je trouve vraiment qu'elle était différente ces derniers temps. Je ne sais pas... détachée, distraite. Je n'arrive pas à formuler ça plus correctement. Je me suis dit que c'était peut-être lié à un homme. Mais si c'était sérieux, elle te l'aurait dit ?

Qu'en savais-je ? Je ne l'avais pas vue depuis Pâques, il y a deux mois. Elle et Lily étaient venues une semaine. Elle enquêtait sur la politique des drogues douces menée à Amsterdam. Lily et moi avions joué pendant trois jours tandis qu'elle fréquentait mes cafés préférés et les antichambres des politiciens. On avait passé du bon temps. Depuis, nous avions toutes deux été occupées le vendredi soir... moi un peu défoncée, elle un peu... un peu quoi ?

Occupée ? Fatiguée ? Avais-je laissé échapper quelque chose ? Quelque chose qui s'était égaré entre la vodka et la fumée des joints ? Qu'est-ce que Anna pouvait ne pas m'avoir dit ?

— Tu crois que ça pourrait avoir un rapport avec Menzies ? demandai-je.

— La star de télé, le donneur de sperme ? Non, je ne crois pas. Elle ne parle jamais de lui.

Pour un homme qui vivait un peu grâce au petit écran, Paul avait toujours manqué de confiance dans la télévision. Cela vulgarise la culture nationale, tel était son point de vue. J'en connais beaucoup dans le pays qui l'accuseraient d'en faire autant. Mais au moins, nous avons toujours été du même avis sur Menzies.

— Où est-il allé après Washington ?

Il haussa les épaules.

— J'sais pas. Quelque part en Europe, je crois. Paris peut-être ?

Pas loin de Florence. Je secouai la tête. Ça ne pouvait pas être Menzies, pas après tout ce temps.

Paul regarda sa montre.

— J'ai dit à la maman de Kylie que je viendrais les chercher à la piscine et que j'emmènerais Lily déjeuner. Tu viens avec moi ?

— Je pense que quelqu'un devrait rester ici, dis-je. Pour le cas où elle appellerait.

En disant ces mots, je savais déjà qu'il n'y avait aucune certitude.

Au loin — Vendredi matin

La lumière du soleil se déversait par la haute fenêtre. On frappa un coup sec à la porte et Anna entendit le bruit d'une serrure qu'on ouvrait. Elle sauta du lit d'un bond avant qu'il n'entrât dans la pièce, s'immobilisa, tendue, prête à crier ou à courir.

— Vous êtes réveillée ? demanda-t-il dans un sourire. Bien.

La porte se referma toute seule et claqua derrière lui.

— Comment vous sentez-vous ?

Il avait l'air embarrassé et portait un plateau avec une cafetière, du lait, une tasse et une assiette. Elle se contint pour ne pas envoyer le plateau voltiger contre la porte.

— Vous avez fait une grave erreur, dit-elle d'une voix glaciale. Je ne sais pas à qui vous croyez avoir affaire, mais je n'ai pas d'argent, rien du tout. Personne ne paiera pour moi, vous comprenez ?

Il continua de sourire, sans comprendre. De toute évidence, il n'avait pas la moindre idée de ce qu'elle voulait dire. Plus lentement, pensa-t-elle. Recommence.

— Où suis-je ? Que s'est-il passé ? Que m'avez-vous fait ?

— S'il vous plaît. Ne soyez pas bouleversée. Vous allez très bien. Vous avez été malade dans la voiture. Vous ne vous en souvenez pas ? J'ai appelé un médecin. Elle a dit que vous alliez vous rétablir.

— Où suis-je ?

— Chez moi. Je vous y ai amenée hier soir quand vous avez été malade. Vous ne vous rappelez pas être descendue de la voiture ? Vous m'avez parlé, je vous ai expliqué ce qui se passait. Le docteur vous a examinée et elle a déclaré que vous faisiez peut-être — je ne connais pas le mot — de l'épilepsie ? Ou une réaction à quelque chose, mais je n'ai pas pu lui dire ce que vous aviez mangé.

Sa bouche était sèche. Était-ce la peur ou une envie de dormir ?

— Ce n'est pas ce que j'ai mangé. C'est la boisson. Le café.

— Le café ? Mais comment... J'en ai bu une tasse aussi. Mais sans sirop. Vous faites une allergie aux amandes ? Je ne pensais pas...

Elle secoua la tête en signe de dénégation. Il haussa les épaules comme si tout ça lui semblait bien mystérieux, inexplicable. Elle repensa à la porte fermée, à l'obscurité. Il mentait. Il faisait semblant de parler un mauvais anglais. Alors qu'il posait le plateau sur la table, elle en profita pour se précipiter vers la porte.

Il ne fit aucun geste pour l'arrêter. C'était ouvert. Elle se retrouva dans un large corridor qui s'achevait par un escalier menant à un vaste hall. En se penchant au-dessus de la rampe, elle aperçut une porte d'entrée. Où aller ? Elle s'arrêta un instant, incertaine, puis recula de quelques pas, figée dans l'encadrement de la porte. Il n'avait pas bougé. Le plateau était toujours sur la table. Il avait l'air d'un homme comme il faut, d'un hôte inquiet ; rien d'un gangster ou d'un type de la Mafia. Elle comprit soudain qu'elle faisait erreur.

— Ne m'avez-vous pas entendue crier cette nuit ? J'ai hurlé et appelé. La porte était verrouillée.

— Vous vous êtes réveillée cette nuit ? (Il sembla sincèrement bouleversé.) Je suis vraiment désolé. Je dors au rez-de-chaussée, à l'autre bout de la maison. J'ai fermé la porte pour que la femme de ménage ne vous dérange pas, ce matin de bonne heure. Vous n'avez pas lu mon mot ?

— Un mot ? (Son regard erra dans la pièce.) Quel mot ?

— Je l'ai laissé près de votre lit.

Il se dirigea d'un pas leste vers la table de chevet, se pencha pour ramasser un bout de papier.

— Voilà. Il était tombé par terre.

Elle ne bougea pas d'un centimètre. Il s'avança vers elle, tenant la feuille à bout de bras pour ne pas l'effrayer. Elle l'attrapa. Sur une page arrachée à un cahier d'écolier il y avait cinq lignes écrites d'une main nette et ferme.

« Ne vous inquiétez pas. Un docteur vous a examinée. Elle vous a donné quelque chose pour vous aider à dormir. J'ai appelé chez vous, j'ai trouvé le numéro dans votre sac à main et j'ai laissé un message. Je leur ai dit que vous étiez retardée. Je vous réveillerai dans la matinée. »

Quelle politesse, quelle sollicitude ! Il parlait un anglais si grammaticalement correct. Une nouvelle fois, un élan de panique et de confusion s'empara d'elle. Il avait même appelé chez elle... Lily...

— Quelle heure est-il ? demanda-t-elle, agitée.

— 11 heures, je crois.

— 11 heures ? Je dois appeler ma fille.

— Je vous l'ai dit, susurra-t-il gentiment. Je l'ai fait. J'ai laissé un message sur le répondeur. J'ai prévenu de votre retard. Je leur ai dit de ne pas s'inquiéter, que vous rentreriez dès que possible. J'espère que j'ai bien fait ; votre fille doit être en classe à cette heure-ci, oui ?

11 heures ici, 10 heures là-bas. Oui, elle était à l'école. Patricia était déjà partie pour Dublin. Elle avait dû brancher le répondeur et emmener Lily chez elle pour la nuit. Elle pouvait essayer le portable de Paul mais il n'était pas toujours connecté. De toute façon, il allait chercher Lily le

vendredi après l'école, pour l'emmener goûter ou au cinéma. En prenant un avion cet après-midi, elle arriverait à la maison à peu près en même temps qu'eux.

Elle leva la tête. Il l'observait avec attention. Il avait changé depuis la veille mais elle ne parvenait pas à savoir en quoi.

Tu imagines tout ça, se dit-elle tout à coup. Le mot, l'histoire, il a tout inventé pour me rassurer.

En même temps, cette idée était ridicule. Pourquoi mentirait-il ? Après tout, ce genre de malaise arrivait à bien des gens. L'automne dernier, Lily s'était évanouie chez une amie. Elle était assise dans le jardin et l'instant d'après, elle était tombée dans l'herbe. Elle avait passé trois heures aux urgences pendant qu'on l'examinait. Selon le docteur, elle n'avait rien. Ce genre de choses arrivait parfois. Comme maintenant.

Il n'empêche. Tout ça lui paraissait bizarre. Elle se sentirait plus à l'aise quand elle serait partie d'ici, une fois en sécurité chez elle.

— J'ai réservé une place pour vous, dit-il comme s'il lisait dans ses pensées.

— À cette période de l'année, les avions sont complets mais j'ai trouvé une place de libre sur un vol Air Italia pour Londres cet après-midi. Je vous l'ai réservée. J'espère que j'ai bien fait ? Vous n'aurez qu'à payer. Ce n'est pas un charter. (Il s'arrêta.) Cela ne vous gêne pas que j'aie pris cette initiative ? J'ai trouvé votre billet dans votre sac.

— Non. (Elle eut un rire bref, éprouvant un sentiment de soulagement palpable.) Cela ne m'ennuie pas. Merci.

— Donc, vous avez du temps maintenant, oui ? L'aéroport n'est pas loin de chez moi. J'ai commandé un taxi pour 16 heures. Pourquoi ne prenez-vous pas une douche et ne venez-vous pas prendre le petit déjeuner en bas ? Vous vous sentirez mieux quand vous aurez mangé quelque chose.

Devinant sa gêne, il fit demi-tour et quitta la pièce en refermant la porte derrière lui. Quand elle essaya de faire jouer la poignée, elle s'aperçut qu'elle était ouverte.

L'eau chaude la réveilla, mais le sentiment de panique subsista. Il avait raison. Elle se sentirait mieux après avoir mangé.

Elle changea de vêtements et se sécha les cheveux. Alors qu'elle roulait le chemisier qu'elle venait d'enlever, une légère odeur de vomi s'en dégagea. Elle le renifla de plus près puis l'examina. Il y avait une tache à la hauteur du sein gauche. On aurait dit que quelqu'un avait frotté avec un chiffon mouillé et savonneux. Ses nausées dans la voiture lui revinrent en mémoire. Les médecins ne nettoyaient pas le vomi de leurs patients. Donc, c'était lui qui s'en était chargé.

Elle ne pouvait supporter l'idée d'une quelconque intimité avec cet homme pendant qu'elle était inconsciente. Ainsi il l'avait sortie de la voiture, étendue, nettoyée tout en regardant le médecin l'examiner... Ça ressemblait trop à un outrage. Elle ne pourrait ni oublier ni pardonner.

Elle glissa une main entre ses cuisses. Comment savoir ce qui se passe lorsqu'on est inconsciente ? Elle se remémora une histoire atroce entrevue à la une d'un journal. Celle d'une femme hospitalisée à New York qui avait donné naissance à un bébé bien qu'elle fût dans le coma depuis trois ans. C'était l'un de ces récits apocalyptiques qui, avant même d'avoir eu lieu, étaient élevés au rang de mythe. Non, ce n'était pas possible. Elle le saurait. Il ne l'avait pas touchée.

Une fois loin d'ici, elle se sentirait mieux. Dans l'avion, elle pourrait même lui écrire une lettre pour s'excuser de son manque de gratitude. Il semblait assez honnête. Il comprendrait. Quand elle serait chez elle, les événements de ces vingt dernières heures appartiendraient à la légende, égayeraient sa vie quotidienne.

En plein jour, la pièce était moins sinistre mais son décor ressemblait toujours trop à celui d'un bureau. Peut-être que dans les mœurs italiennes, la chambre d'amis devait faire penser à une chambre d'hôtel. Elle l'examina de plus près ; la commode munie de tiroirs et l'armoire étaient fermées à clef. Elle retourna vers la fenêtre. Un désert l'accueillit. Au bout du jardin mal entretenu, il y avait une forêt, une masse de pins serrés les uns contre les autres, immenses et enrégimentés, telle une armée silencieuse attendant un signal pour attaquer. Ça expliquait l'obscurité et les sifflements entendus pendant la nuit.

Comme elle ouvrait la fenêtre, un courant d'air, plus frais que la chaleur nauséabonde de la ville et embaumant le pin, la frappa au visage. Elle réalisa à quel point, malgré la douche, elle avait encore mal à la tête. Était-il possible réellement qu'elle n'ait pas supporté quelque chose ? Elle connaissait des enfants, des amis de Lily, qui étaient tellement allergiques aux noisettes que leurs parents lui avaient téléphoné avant qu'ils ne viennent chez elle pour être sûrs qu'ils ne mangent pas n'importe quelle barre de chocolat. Cependant, on ne devenait pas allergique comme ça — cela venait bien de quelque part. Dans le même temps, elle ne se rappelait absolument pas la dernière fois où elle avait mangé des amandes.

Elle refit sa valise et la prit avec elle en sortant. Elle laissa son regard errer une fois de plus sur la chambre, pour l'imprimer dans sa mémoire : un endroit qu'elle ne voulait pas oublier, aussi longtemps qu'elle n'aurait jamais à le revoir. Elle laissa la porte grande ouverte et descendit tranquillement l'escalier.

Ses pas résonnèrent sur les marches de bois. C'était une maison spacieuse, ancienne, à mi-chemin entre la ferme et la bâtisse prétentieuse. Belle, paisible. Il n'y avait aucun signe de vie. Elle se sentit redevenir nerveuse.

Elle abandonna sa valise au bas des marches. Des deux côtés du hall, il y avait un grand nombre de portes fermées, une à l'autre bout était ouverte. En temps ordinaire, elle se serait peut-être laissée aller à la curiosité et à fureter à droite et à gauche, mais tout ça ne lui paraissait pas normal. Elle se dirigea vers la lumière.

C'était une pièce sortant de l'ordinaire, imposante, avec un sol de pierre et deux immenses fenêtres par lesquelles se déversait la lumière du matin. Il n'y avait presque pas de meubles, juste un vieux sofa près d'une cheminée, une chaise et une table dressée pour le petit déjeuner devant laquelle il était assis. L'endroit semblait trop vaste pour lui, mais il n'y était pas seul. Sur les murs étaient accrochées des photographies, des douzaines, en noir et blanc, agrandies et encadrées comme des tableaux, chacune représentant la même femme.

Elle était jeune et séduisante, avec des cheveux noirs tel un nuage d'encre qui se découpaient sur une peau pâle, presque translucide. Sur certains clichés, elle parlait, animée, occupée, ignorant superbement l'objectif, sur d'autres, elle regardait droit devant elle, avec coquetterie. Une femme élégante et belle, radieuse. Le photographe qui avait pris et rassemblé ainsi ces photos avait de toute évidence accompli une œuvre d'amour.

Était-ce lui ? se demanda-t-elle. Au même instant elle comprit qu'il s'agissait bien de lui.

Il se leva pour l'accueillir. Il s'était changé et portait un pull en coton sur un jean au pli central fortement marqué. Ses cheveux étaient coiffés en arrière, dégageant son front. Ses yeux paraissaient plus petits et le soleil matinal soulignait un faisceau de rides sur son visage ; deux sillons profonds sur le front qui le vieillissaient. Il lui rappela étrangement Dirk Bogarde, après qu'il eut cessé de jouer les idoles des matinées pour se tourner vers des rôles plus complexes et plus sinistres. Dans sa façon de se tenir, il avait quelque chose de fabriqué... Elle pensa à la tache sur son chemisier, aux petites fioles dans la salle de bains et un signal, comme un avertissement, résonna dans son esprit.

Même si je me trompe, il faut que sorte très vite d'ici, pensa-t-elle. Sur la table était posé un panier rempli de croissants frais et de pâtisseries, une demi-douzaine de pots de confiture et de miel, parodie d'un petit déjeuner parfait. Il l'accompagna jusqu'à sa place, tira la chaise en un geste de courtoisie démodée.

— Vous vous sentez mieux ?

— Oui, merci.

— Bien.

Elle refusa le café, préférant de l'eau plate, mais mangea du pain et de la confiture. Il la regardait, souriant, appréciant son appétit, mais ne disait rien, comme s'il attendait qu'elle mène la discussion.

— C'est une pièce étonnante, dit-elle enfin alors qu'un lourd silence envahissait la pièce.

— Oui, cela faisait partie d'une... ah, j'ai oublié le mot... d'une maison religieuse pour femmes, comment appelez-vous ça ?

— Un couvent ?

— Oui, oui, un couvent. Mais aujourd'hui en Italie, il n'y a plus assez de femmes de ce genre.

— Où cela se trouve-t-il exactement ?

— Comme je vous l'ai dit, près de Pise, mais plus haut. Dans les collines. C'est pour ça qu'il y fait plus frais.

Pise se trouvait près de la côte. Elle ne se souvenait d'aucune hauteur dans les environs, mais la Toscane était une région vallonnée et après tant d'années, elle avait un peu oublié sa géographie.

— Ma femme et moi sommes venus ici il y a sept ans. (Il montra la pièce de la main.) C'est elle qui a apporté tous ces changements.

Sa femme. Une fois de plus, ce n'était pas ce à quoi elle s'attendait.

— Est-ce elle sur les photos ?

— Oui.

— J'aimerais bien la rencontrer.

Il secoua la tête, et reposa sa tasse délicatement sur la soucoupe. Oh, mon Dieu, pensa-t-elle brusquement. Elle est morte, et voilà le problème. Sa femme est morte et il ne s'en est pas remis.

— Elle... elle n'est pas là. Elle est morte il y a un an.

Bien sûr. Ça expliquait tout, les photos, la galanterie exagérée, son étrange intensité...

— Je suis désolée, je...

Il fronça les sourcils.

— Vous ne saviez pas. Elle a eu, comment dites-vous ça ?... une tumeur au cerveau.

Il s'arrêta, comme s'il attendait qu'elle l'interroge. Elle ne répondit rien.

— Ce fut très soudain. Elle était dans le jardin, un après-midi, et elle est tombée. Les médecins ont dit qu'elle n'avait pas souffert. C'était comme si elle s'était endormie.

Juste comme elle, dans la voiture, la nuit dernière ; un moment là, l'instant d'après glissant dans une brèche aussi profonde que la mort. La répétition d'un tel événement avait dû le glacer. Avait-il pensé à sa femme en la transportant à l'intérieur de la maison ? Pensait-il toujours à elle maintenant ? Cela expliquait-il son attitude tendue, les rides autour des yeux ? Un chagrin réprimé peut vous empoisonner à petit feu, telle une rage épaisse couvant sous la cendre. Étaient-ce les raisons de tout ceci ? Peut-être que oui, peut-être que non...

— Pourquoi ne m'avez-vous pas emmenée à l'hôpital ? demanda-t-elle brusquement.

— Quoi ?

— La nuit dernière, lorsque j'ai été malade dans la voiture, pourquoi ne m'avez-vous pas emmenée à l'hôpital ? Pourquoi m'avoir transportée ici ?

Il haussa les épaules.

— L'hôpital de Pise se trouve de l'autre côté de la ville. Je ne savais pas si vous aviez une mutuelle. Les soins sont chers. J'ai pensé que ce serait mieux ici. Mon docteur est excellent.

Elle fronça les sourcils.

Il remplit de nouveau son verre.

— Vous avez dû être très inquiète, non ? La nuit dernière... en vous réveillant dans une chambre fermée. Je ne voulais pas vous effrayer.

— Ce n'est pas grave, dit-elle rapidement.

Puis, comme consciente de son impolitesse :

— Je suis désolée pour votre femme.

Il y eut un silence inconfortable. Elle regarda sa montre, oubliant le verre brisé.

— À quelle heure est mon av... ?

— À 17 heures. Vous avez largement le temps. Mangez encore un peu, s'il vous plaît.

La nourriture ne parvenait pas à la calmer. Elle sirota son verre d'eau. La maison était si tranquille. C'était difficile d'imaginer qu'un aéroport important se trouvait à peine à quelques kilomètres.

— Plus rien ? D'accord. Allons-nous nous asseoir dans le jardin ? Il n'est plus très entretenu, mais il y a un endroit à l'ombre très agréable. Peut-être préférez-vous vous reposer encore un peu ?

Elle eut la vision soudaine d'un fauteuil sous un arbre et d'une femme tombant raide morte. Elle repoussa sa chaise et se leva, les images se bousculant férocement dans son esprit.

— En fait, si cela ne vous gêne pas, je crois que j'ai envie d'aller directement à l'aéroport.

Il ne répondit rien. Le silence s'épaissit. Comme s'il ne l'avait pas entendue.

— J'ai besoin de changer mon billet, ajouta-t-elle faiblement.

— Il est prêt, dit-il calmement. Je m'en suis occupé quand j'ai appelé.

— Oui, mais je... eh bien, j'ai envie d'aller là-bas de bonne heure.

Dans un univers où les B.A. n'éveillaient aucune suspicion, sa prévenance aurait pu passer pour de la gentillesse. Elle savait qu'elle risquait de paraître grossière mais il fallait qu'elle sorte de là.

— Je vois. Très bien.

Sa voix était douce.

Il se leva et se dirigea à l'autre bout de la pièce vers le téléphone posé sur le buffet. Il décrocha le combiné en se tournant vers elle.

— Vous êtes sûre que vous ne pouvez pas rester plus longtemps ? Vous n'avez pas encore l'air très en forme. Vous pourriez vous étendre au soleil, aller nager dans le lac. J'ai encore quelques-unes de ses affaires. Son maillot de bain vous irait, j'en suis sûr. (Il s'arrêta.) Je serais heureux de vous avoir comme invitée.

C'est un homme entre deux âges qui ne parvient pas à oublier sa femme, qui souhaite de la compagnie et ne sait pas comment s'en procurer. Pourquoi était-ce aussi sinistre ? Cela aurait dû être simplement triste. Le monde est plein de tristesse. Sois polie, se dit Anna. Sois polie, ne lui laisse pas voir à quel point il t'effraie.

— J'aimerais bien. La prochaine fois, dit-elle d'un ton uni : la prochaine fois, j'adorerais rester.

Il se retourna vers le téléphone, dit « allô » à deux reprises, soupira et se mit à taper sur les touches avec irritation.

— Je suis désolé. C'est le téléphone. Il ne marche pas. Ça arrive souvent à cette époque de l'année. Je réessaierai plus tard. Sinon, le taxi que j'ai commandé ce matin sera là à 16 heures.

Dans sa voix, maintenant, il y avait quelque chose de différent. Le mensonge semblait se répandre comme une énorme tache sur le sol de pierre. Un élan de panique, telle une nuée de lucioles, lui tordit le ventre. Elle pensa courir vers la porte d'entrée. Sans sa valise, elle pourrait avancer aussi vite — probablement plus vite — que lui. Il y avait bien une route quelque part. Là où il y avait une route, il y avait des voitures, des conducteurs... Elle avait oublié quelque chose ! C'était lui qui avait son sac à main. Billets, passeport, argent, cartes de crédit. Elle n'irait nulle part sans eux. Il disait quelque chose...

— ... la voiture.

— Quoi ?

— Je disais que s'il est si important pour vous d'aller là-bas maintenant, je vais vous y emmener en voiture. Mais je dois la sortir du garage.

— Euh... Eh bien, merci, je veux dire... (Elle bafouilla, gênée une fois de plus par sa sollicitude et son obséquiosité.) C'est très gentil. Je...

— Ce n'est pas un problème. (Il l'interrompit, avec froideur tout à coup.) Vous êtes prête. Je vais chercher la voiture.

— Si je pouvais avoir mon sac ?

Il fronça les sourcils.

— Votre sac ?

— Oui, mon sac à main. Vous l'avez pris la nuit dernière. J'avais mon carnet d'adresses dedans. Pour appeler chez moi.

— Oui, mais je l'ai mis dans votre chambre.

— Où ?

— Sous le lit.

Il ajouta avec impatience :

— Je l'ai vu ce matin quand j'ai ramassé le petit mot. Vous ne l'avez pas trouvé ?

Non. Mais elle n'avait pas bien regardé. Elle avait simplement tiré les couvertures et laissé le lit comme ça, pensant qu'il s'en occuperait. Elle sentit ses jambes flageoler. Elle ne voulait pas retourner dans cette chambre. Elle resta plantée un moment, indécise.

Il se dirigea vers la porte, la frôlant. Pendant un instant, elle crut qu'il allait lui proposer...

— Je vais chercher la voiture. Je vous retrouve dehors dans cinq minutes.

Il tourna les talons et s'éloigna.

Dès qu'elle eut entendu la porte d'entrée s'ouvrir puis claquer, elle s'élança dans le couloir, grimpa l'escalier à toute allure et pénétra dans la chambre.

Elle chercha désespérément un objet pour caler la porte mais il n'y avait rien. Elle se précipita alors vers le lit, releva les couvertures et, tout en gardant un œil sur la porte, tâtonna dessous à la recherche du sac. Rien. Elle plongea la tête sous le sommier. Le sac était là, tout au fond, dans le noir. Elle s'allongea et rampa pour l'attraper.

Comme elle l'ouvrait, elle l'entendit arriver. Il avait dû grimper les marches sans bruit. Comment avait-il fait ? En un éclair, elle s'aperçut que son billet et son passeport avaient disparu. D'un bond, elle se redressa et s'élança vers la porte. Il la devança. Tandis qu'il la claquait d'un coup sec, elle aperçut son visage. Il ne souriait plus.

Au loin — Vendredi matin

Elle se tut et raccrocha le combiné. Dans une cour intérieure, en dessous de la fenêtre de la cuisine, une femme étendait du linge, le poussant vers le soleil sur la corde au moyen d'une poulie. Cette image lui rappela un film qu'elle avait vu quelque part ; italien, noir et blanc, des années 50 ou 60, elle ne se souvenait plus du titre.

— Ça va ? appela-t-il de l'autre pièce.

— Ça ne répond pas chez Patricia. J'ai appelé le portable de Paul et j'ai laissé un message.

— Et ta fille ?

— J'en ai laissé un pour elle aussi. Elle adore les téléphones. Surtout les portables. À cause des touches.

— Bien. Alors on peut prendre le petit déjeuner ?

— Patricia doit déjà être partie pour l'Irlande. J'aurais dû lui téléphoner avant. Elle va s'inquiéter.

— Tu aurais dû les prévenir que tu serais en retard.

Il se tenait dans l'embrasure de la porte, habillé pour sortir, pantalon de lin et chemise en coton ; volontairement décontracté. Si elle palpait le tissu, elle sentirait l'argent. Et derrière l'argent, la chair. Une partie d'elle-même aurait voulu retourner au lit avec lui mais le réveil qui n'avait pas sonné avait ranimé en elle la peur de son propre désir et des dégâts qu'il pourrait causer dans leurs vies respectives. Il eut pitié d'elle.

— Ne m'as-tu pas dit que ce gars, quel est son nom ?...

— Paul.

— Tu ne m'as pas dit que Paul prenait Lily à l'école tous les vendredis ?

— Oui.

— À ce moment-là, il aura eu ton message et préviendra la baby-sitter quand elle appellera. Qu'est-ce que tu as dit ?

— Que j'avais manqué l'avion et que je rentrerai pendant le week-end si j'arrive à en trouver un autre.

— Voilà. La crise est terminée. Viens, je meurs de faim, allons manger.

— D'abord, il faut que je réserve mon retour.

— Anna ! dit-il en riant. Notre relation est peut-être exclusivement charnelle mais il y a une chose que tu dois savoir me concernant, c'est que je ne peux pas fonctionner avec un estomac vide. Cela me rend irrationnel et désagréable.

Depuis le premier jour, son humour faisait partie de son charme. Elle aimait la façon dont il la débarrassait de ses angoisses.

— Ne me dis rien. Tu dois aussi aller à des matchs de foot.

Il haussa les épaules.

— Pourquoi ai-je suggéré Florence, selon toi ? C'est loin Ventura Milan ?

— Je vois. Et pendant tout ce temps, moi qui croyais que tu étais infidèle.

Le café se trouvait sur la place principale. Elle avait de puissants souvenirs de Fiesole qui dataient d'il y a vingt ans. Elle préférait la ville en hiver lorsque les touristes la désertaient et que les froidures arrivaient. Elle se rendait souvent dans un monastère désaffecté. On pouvait aller s'asseoir dans les cellules étroites, en pierre nue, avec leurs minces fenêtres taillées dans les murs épais, meublées d'un lit de camp et d'une table de bois, exactement comme des siècles auparavant. Elle imaginait avec bonheur les moines qui vivaient là en prière, année après année avec seulement la présence de Dieu pour se protéger du froid, jusqu'à ce que leurs âmes s'envolent enfin libres par les trous des serrures. Ce qui à dix-huit ans lui avait semblé romantique lui paraissait aujourd'hui cruel. Depuis la naissance de Lily, tout la faisait pleurer, même la gentillesse. Sans compter qu'un enfant a des milliers de moyens de vous ébranler.

De l'autre côté de la table, il se concentrait sur son estomac. Elle le regarda étudier le menu, comme le premier soir où ils s'étaient rencontrés. À l'époque, il l'avait prévenue, il était obsédé par la nourriture. Elle avait trouvé ça agaçant, puis drôle. Aujourd'hui, elle s'y était habituée. D'une certaine façon, c'était assez dérangeant.

Comme tout ça était arrivé vite.

Cette nuit-là, ils s'étaient montrés tous deux si sûrs d'eux, escaladant à loisir l'assurance de l'autre. Pour lui, c'était une histoire de cul, pour elle un bon article. Rien de plus. Une aventure sans risque. Facile. Qu'y avait-il de changé ?

Sans qu'elle s'en aperçoive, cet homme avait franchi les panneaux « Défense d'entrer » dont elle avait orné sa vie. Depuis la naissance de Lily, six ans trois quarts, elle avait accepté l'idée de ne plus rien éprouver de ce genre. Elle n'était pas vraiment une mère obsessionnelle. Au contraire, elle aimait et savait se séparer de sa fille parfois pour jouer les adultes dans un monde d'adultes. Mais pas dans ce monde-ci. Pas comme ça. Elle en était venue à croire que l'énergie douce et amère de la passion sexuelle lui avait été prélevée à la naissance, arrachée ou re-canalisée dans l'amour plus intense de la maternité. Elle n'avait couché depuis qu'avec des hommes de « second choix », choisis davantage pour leur disponibilité que pour leur charisme : une façon de garder la main, de vérifier que la machine ne s'était pas rouillée. Ils la remettaient en marche et elle retournait vers Lily, toute neuve. Elle ne désirait pas davantage. Elle n'en avait pas l'énergie. Bien sûr, il y avait eu des moments où elle avait pleuré la disparition de la passion, mais Lily revenait danser dans sa tête et il n'y avait plus de place pour une telle nostalgie.

Comment aurait-elle pu se méfier de quelque chose qu'elle ne pensait plus jamais ressentir ? Comme il l'avait dit, ce n'était la faute de personne. Ce qu'on ressentait était une chose. C'était ce qu'on en faisait qui était important.

— Laisse-moi te dire ce que j'ai prévu pour le week-end, lança-t-il en trempant un morceau de pain dans l'huile d'olive en guise d'apéritif tandis qu'ils attendaient le déjeuner. Après avoir visité le monastère, je crois qu'on devrait quitter la ville. Monter dans les collines, loin de la chaleur et de la foule.

— Où ça ?

— À Casentino... C'est à l'est. Je crois que ce sont des forêts et des montagnes. Mon ami — celui à qui appartient l'appartement — dit que c'est une des régions les moins visitées. Tu le savais ?

— Le nom m'est familier. Mais ça fait très longtemps.

— Selon le guide, il y a toute une série d'églises romanes dans la vallée. C'est dans les collines que se trouve le monastère construit à l'endroit où saint François a vu apparaître ses stigmates. C'est une sorte de grotte. L'église est pleine de peintures de Della Robbia. Une des collections les plus impressionnantes selon l'avis général.

— Sans en avoir l'air, tu n'essaierais pas de flirter subtilement avec le travail, hein ?

Il haussa les épaules.

— On ne peut pas baiser tout le temps. J'ai cru que tu m'avais dit aimer l'art.

— Oui, c'est vrai.

— Eh bien, alors ! J'ai loué une voiture et réservé une chambre dans un hôtel à Bibbiena. Il y a une photo dans le guide. Ça paraît très beau.

Elle hésita.

— Tu étais certain que je resterais, n'est-ce pas ?

Il haussa les épaules.

— J'étais sûr de le vouloir. Je ne sais pas si c'est la même chose.

Il y eut un silence.

— Qu'y a-t-il Anna ? À Londres, tu étais d'accord pour ça. Que s'est-il passé ?

La brume des dernières nuits lui apparut soudain tels des sables mouvants vaporeux. Quand vous réalisez que vous vous enfoncez, il est déjà trop tard.

— Peut-être ai-je eu le temps de réfléchir.

Il était marié, elle avait une fille et un travail. Aucun des deux n'avait avoué à l'autre l'entière vérité, comme si les mensonges étaient une bonne protection. Elle se renversa dans sa chaise et sentit la chaleur du soleil, brûlant sur son bras. Il n'y avait qu'à accepter. Peut-être ne serait-elle pas compromise ? Après tout, cela lui apporterait une autre forme d'indépendance.

— Et mon billet de retour ?

— Je m'en suis occupé. Tu as une place sur le premier avion qui part de Pise lundi matin. Tu peux aller là-bas en voiture et l'y laisser. Tu seras de retour pour aller chercher ta fille à l'école. Tu peux laisser un message à ton ami en lui donnant tous les détails avant que nous partions.

— Et toi ?

— Je dois aller à Genève pour le travail. Je prendrai un avion plus tard.

— C'est là que ta femme te croit en ce moment ?

Il s'arrêta. Comme si la question l'avait surpris.

— Oui, plus ou moins. Je te l'ai dit, ce n'est pas le genre de choses dont on parle ensemble. Cela dit, je croyais qu'on ne devait pas aborder ce sujet entre nous. Pas de familles, tu te souviens ? Ce sont tes propres règles.

Lorsqu'elle avait rencontré Chris pour la première fois, des années auparavant, il n'avait jamais évoqué sa femme. Ils avaient passé deux semaines à travailler ensemble, de plus en plus proches l'un de l'autre, sans jamais parler couches ou engagements antérieurs. Lorsqu'il avait trouvé le temps de lui dire la vérité, il était si contrit et bouleversé qu'elle avait presque dû le consoler. Sa propre réaction l'avait surprise. Elle aurait dû faire attention aux signaux : marée émotionnelle montante ! Seuls les meilleurs nageurs peuvent s'en sortir. Elle avait cru en faire partie. La plupart des gens le croient — jusqu'à ce qu'ils se noient. Elle se demanda combien de fois il avait joué cette carte depuis. Christopher. Elle n'avait pas pensé à lui depuis longtemps. C'était étrange qu'il apparaisse ainsi alors que l'air était chargé de menaces et de promesses.

Le restaurant était bondé. Le serveur ne parlait pas assez bien anglais pour s'apercevoir que l'ambiance à leur table était tendue. Il s'affairait autour d'eux. Bientôt la nappe se couvrit de plats de pâtes, de salades. Il remplit de nouveau leurs verres, puis s'éloigna, et Samuel attaqua :

— Regarde les choses en face, déclara-t-il. Trois jours c'est long. On va peut-être se lasser l'un de l'autre. Ne pas être d'accord. Se battre et rentrer chez nous plus tôt que prévu.

Il lui sourit. Elle lui rendit son sourire, s'apercevant soudain que sa culpabilité était enchâssée dans son désir et qu'elle ne le rendait que plus amer. Depuis des années, c'était son épice quotidienne. Elle avait cru qu'elle n'avait plus le goût à ça. Apparemment, ce n'était pas le cas.

— D'accord, dit-elle. Quand partons-nous ?

Finalement, ils ne quittèrent la ville que le lendemain matin. Les cellules des moines, au sommet de la colline de Fiesole, étaient agréablement fraîches dans la fournaise de midi. Alors que les pierres leur racontaient des histoires de chasteté et de solitude, ils ressentirent violemment le manque de chaleur humaine et tombèrent dans les bras l'un de l'autre. C'était comme s'ils avaient besoin d'une excuse. Gourmands, ils y demeurèrent tout le reste de la journée et tard dans la nuit. Lorsque le soleil se leva, ils se réveillèrent, montèrent en voiture et grimpèrent dans les collines.

À mi-chemin, la route en lacet et le manque de sommeil faillirent avoir raison de l'estomac d'Anna. Pour oublier son envie de vomir, elle se remémora quelques-unes des histoires qu'elle connaissait sur la région. Vingt ans plus tôt, au cours de son précédent voyage en Italie, elle avait été jeune fille au pair dans la famille d'un médecin de Florence pendant deux mois. Les enfants avaient un livre que leur avait donné leur grand-mère, des contes de sorcières et de démons qui se passaient dans les forêts de Casentino. Il y en avait un qui racontait l'histoire d'une jeune fille qui, pour avoir refusé d'aller à l'église, perdait son âme dans la crevasse d'un rocher et devait descendre au centre de la terre pour la retrouver. Valeria, six ans, lui avait fait lire et relire ce conte indéfiniment, captivée par ce mélange de désobéissance et de punition.

Elle n'y avait pas songé depuis des années, mais la façon dont la route mordait dans le rocher et dont la terre diminuait, étroite et profonde, comme tailladée par un couteau de boucher, lui rappela cette histoire. Elle ne se souvenait plus s'il y avait un *happy end.*

À la maison — Samedi matin

Avant de me replonger dans les photos, j'ai besoin de parler d'Anna et de Chris. Ce dernier ne cesse de hanter mon esprit, ce qui n'est pas surprenant puisque la seule fois où Anna est partie sans permission, c'est après leur rupture quand elle portait comme un hameçon dans son âme. Rétrospectivement, il ne semblait pas mériter ça, encore moins qu'on souffrît pour lui. Pour moi, aucun homme ne le mérite.

Elle l'avait rencontré l'année avant mon installation à Amsterdam alors qu'elle préparait un sujet sur les mauvais traitements infligés à des enfants dans des institutions locales. Reporter vedette du journal télévisé, il voulait lui aussi révéler cette affaire à l'opinion et ils avaient mis leurs informations en commun.

Un bon généreux au cœur tendre, voilà ce qu'était Christopher, un homme qui s'inquiétait de l'état du monde, clamait son amour pour elle, mais qui ne la rappelait que lorsque sa femme n'était pas dans la pièce. Anna pensait être amoureuse. Selon moi, elle était obsédée. Ce fut le seul désaccord que nous eûmes jamais.

Leur liaison dura dix-huit mois. Durant toute cette époque, elle se comporta en véritable yo-yo, un jour en haut, l'autre en bas, heureuse, triste, heureuse, triste, désespérée. Je ne l'avais jamais vue ainsi. C'était presque comme si elle avait besoin de cette souffrance. Son père était mort l'année d'avant et j'ai toujours pensé qu'elle cherchait à le remplacer mais, ne pouvant supporter cette trahison, avait choisi un homme qui ne resterait pas. Elle savait que ça lui prenait la tête. Je suis presque incapable de dire le nombre de fois où elle a rompu avec lui. Il n'avait qu'à claquer des doigts pour qu'elle revienne. Elle attendait la fin du journal télévisé dans les pubs, s'installait dans des endroits étranges, des hôtels bizarres aux moments les plus creux de la semaine. Mais cela aurait pu être pire. S'il avait quitté sa femme et ses enfants pour elle, elle se serait retrouvée coincée entre son sentiment de culpabilité et ce branleur. Nous savions toutes deux que ça aurait été insupportable, bien pire que tout ce qui était arrivé.

Finalement, ce fut lui qui fit ce qu'il fallait faire... mais très mal. Un jour, alors qu'elle l'appelait à son bureau, il fit répondre par son assistante personnelle (les gens qui bossent dans la presse n'ont pas de secrétaire mais des assistantes personnelles !) qu'il était trop occupé pour lui parler. Aucun dernier au revoir, aucun « Merci pour les souvenirs » ou « Désolé, ça n'a pas marché », juste le bruit d'un téléphone qu'on raccroche. Peut-être Dieu lui avait-il parlé pendant la nuit ! Ou peut-être avait-on parlé à sa femme ! Quelle que fût la raison, il redevint juste un visage à la télévision. Elle, rude et dure, qui autrefois mangeait des hommes au petit déjeuner, perdit un peu la boule.

Je ne l'ai pas remarqué tout de suite. Il faut dire que je n'avais pas prévu le coup. Je venais de déménager et vivais encore au milieu des cartons. De plus, j'ignorais totalement ce qu'elle ressentait. Je ne peux pas dire que je le regrette. Entre deux de ses visites, elle semblait avoir arrêté de dormir, de manger, etc. La seule chose qui l'intéressait, c'était de regarder la télévision à l'heure des informations. De retour chez moi, près du canal, je l'appelais chaque soir, à la même heure, pour l'éloigner du petit écran.

— Comment va la vie ? Qu'est-ce que tu fais ?

— Oh, rien ! répondait-elle.

Alors, dans le fond, j'entendais sa voix discourir d'un ton monotone sur une catastrophe imminente au Burundi, ou commenter la dette de la Fondation des Hôpitaux et la réaction du porte-parole du gouvernement. J'ai appelé un jour la chaîne de télé pour me plaindre de lui, pour exiger davantage de femmes au journal du soir, mais que représente une voix au milieu de l'apathie des consommateurs ?

Elle continua de se languir. Deux semaines plus tard, elle s'en alla. J'avais pris l'habitude de l'appeler deux ou trois fois par jour, juste pour vérifier. Un matin, elle était partie. Personne ne savait où elle était. Ni au travail, ni chez elle, ni Paul. Finalement, morte d'inquiétude, j'avais débarqué dans son appartement. Dans son bureau, je trouvai, griffonné sur un bout de papier, le nom d'un hôtel. Lorsque je composai le numéro, on me répondit qu'elle était partie marcher pour la journée. Elle rappela le soir même. Elle semblait presque soulagée. Avec la mort de son père et le départ de Chris, c'était comme si elle avait peur que personne ne puisse plus jamais l'aimer assez. C'était aussi une façon de me mettre à l'épreuve. Qu'avons-nous donc, nous autres les femmes ? Nous sommes modernes, courageuses, intelligentes et fortes, mais nous passons notre temps à mettre nos cœurs dans la moulinette de l'amour et à pleurer, à gémir quand il ressort brisé et sanglant. Je ne le fais pas, moi, mais si j'avais eu ce potentiel (ce dont je doute), regarder Anna à cette époque m'aurait guérie à jamais. C'est l'une des nombreuses choses inattendues dont je lui suis reconnaissante.

Quand elle revint à Londres quelques jours plus tard, elle semblait miraculeusement avoir décidé que même sans lui, ça valait le coup de vivre. La brûlure qui l'avait blessée avait cautérisé ses nerfs. Elle récupéra un peu de son ancienne jovialité, du genre « Je t'emmerde » même si c'était souvent davantage par bravade. D'après mes sources, ils ne se revirent pas jusqu'à cette dernière rencontre où, ostensiblement, il était venu la trouver pour lui dire au revoir avant de lui laisser un souvenir durable. Je me suis demandé, après coup, s'il avait prévu ça aussi. Que dit le vieux dicton d'avant le politiquement correct ? Qu'il n'y a rien de tel qu'une grossesse accidentelle. La ferveur avec laquelle Anna embrassa cet accident était suspecte mais je n'ai jamais osé lui poser la question. Après la naissance de Lily, cela devint hors de propos, car il fut tout de suite évident que la fillette se devait d'exister. Il y avait une place pour elle dans ce monde, il était impératif de la lui donner...

Christopher fut finalement éclipsé par sa propre progéniture — une fin appropriée pour un homme aussi narcissique — et Anna libérée des mâchoires du loup. Je me suis souvent demandé ce qui se serait passé si elle avait rencontré quelqu'un d'autre d'important. Mais visiblement, elle était opposée à une telle éventualité, elle était trop amoureuse de Lily pour perdre son temps à se laisser séduire.

Je m'assis devant son bureau et tentai de me mettre à sa place. Le week-end dernier, elle avait décidé d'aller à Florence. Je fouillai de nouveau ses dossiers avec plus de soin. Ce travail me convenait à merveille. Lent, patient, méthodique. Je dénichai des factures, des billets et des coupures de presse, dont certaines, très vieilles, étaient presque illisibles. Le bazar qui régnait dans la vie d'Anna était aussi personnel que l'odeur de ses vêtements. Durant nos années de cohabitation, nous avions tracé une ligne de démarcation nette entre son espace et le mien. J'avais toujours envié sa capacité d'agir au milieu du tourbillon.

Finalement, je trouvai au dos d'une enveloppe des notes gribouillées, horaires, prix d'avion, le genre de choses qu'on griffonne en parlant au téléphone. Pour venir à Amsterdam, elle passait souvent par une agence de voyages dont le patron lui combinait des réductions avantageuses. Je l'appelai. Il n'avait pas eu de ses nouvelles depuis deux mois. Elle avait donc réservé ailleurs. Je feuilletai son carnet d'adresses. Peut-être connaissait-elle quelqu'un à Florence dont je ne savais rien. C'était étrange de voir mon propre nom dans cet agenda, une adresse écrite à la hâte au crayon des années plus tôt, des numéros de téléphone et de fax rajoutés. Une pensée soudaine me frappa. Si elle avait un quelconque problème et que pour une raison ou une autre, elle ne pouvait appeler chez elle, ne téléphonerait-elle pas chez moi ? J'interrogeai mon répondeur ; il n'y avait que deux messages, l'un d'un collègue m'invitant à une fête sur une péniche pour ses quarante ans et l'autre de René me disant qu'il était encore à Stockholm et qu'il me rappellerait en rentrant.

Je retournai à mes recherches et fouillai de nouveau le tiroir contenant les guides et les photos. J'étalai ces dernières sur le bureau, comme un rédacteur en chef cherchant sa une. Une demi-douzaine d'Anna, souriante, posée, confiante, me regardaient fixement. À côté, je posai les quelques guides week-ends du *Guardian*. Ils dataient de deux mois. Pourquoi garder ce genre de choses si vite inutiles ? Je feuilletai le plus récent. Il s'ouvrit sur une page marquée par des trombones. Dessus, trois ou quatre articles entourés au feutre, ressemblant à des petites annonces. Je vérifiai le chapeau du papier : AMIS DE CŒUR. Amis de cœur ? Puis je lus les textes :

« Homme, profession libérale, aimant culture, musique et vie, AR femme vivante 35-45, GSDH pour conversation et plus si affinités. ML 32 657. »

« Organisé, direct mais persuadé qu'il y a plein de choses à vivre. Si vous avez plus de 30 ans et aimez la fantaisie, appelez-moi. ML 457911. »

« Romantique solvable et prospère cherche amie de cœur pour regarder la série *Urgences*. Si vous êtes comme moi et avez moins de 40 ans, j'aimerais avoir de vos nouvelles. ML 75964. »

Je vérifiai les autres magazines. Partout des petites annonces entourées au crayon, avec un point commun — toutes recherchaient une femme volontaire et vivante de moins de quarante ans. Je ne pouvais pas le croire. Anna cherchant des amants dans le journal ? Ça n'avait aucun sens. Je connaissais la vie amoureuse de mon amie, n'est-ce pas ? Depuis la naissance de Lily, elle avait eu deux aventures, une à l'étranger pendant un séjour d'ordre professionnel, et plus récemment une histoire d'une nuit pendant que Paul avait emmené Lily à Brighton pour le week-end. Cette dernière rencontre avait été si regrettable qu'elle jurait ne plus se rappeler le nom du type. Nous avions ri de son amnésie.

Mais le sexe par petites annonces ! Ce n'était pas la même chose. Les mots respiraient la solitude. Imaginez, manquer tellement d'amour qu'on ne peut pas regarder *Urgences* tout seul. Imaginez, répondre à une petite annonce pour trouver de l'aide. Je ne ferais pas une chose pareille. Peut-être était-ce pour ça qu'elle ne m'en avait pas parlé.

Un homme. Tout cela avait-il un rapport avec sa disparition ?

Au loin — Vendredi après-midi

D'abord, la terreur fut physique ; le claquement de porte la frappa comme un coup de poing au visage. Sous l'intensité, elle se sentit défaillir. Un nœud de panique encercla sa poitrine et lui coupa le souffle. Elle aurait été bien incapable de crier. Elle n'arrivait pas à respirer. Elle pouvait à peine déglutir. Elle parvint enfin à se redresser au prix d'un effort intense.

Tandis qu'elle récupérait physiquement, son esprit commença à se désintégrer, projetant des visions d'horreur : incarcération, mutilation, mort lente comme dans les films d'épouvante pour adolescents. Mais alors qu'elle glissait vers le précipice, elle comprit soudain qu'elle ne se laisserait pas abattre par une peur de seconde zone. Si elle voulait survivre, elle devait garder toute sa présence d'esprit.

Elle courut dans la salle de bains et mit sa tête sous le robinet d'eau froide, jusqu'à ne plus rien ressentir, ni le froid ni la terreur. Elle n'était pas encore morte. Elle s'accrocha à cette évidence comme à un morceau de bois dans une eau démontée. Elle n'était pas encore morte. Elle avait juste la malchance de s'être fourrée dans les fantasmes d'un dingue qui avait transformé son chagrin conjugal en pathologie du kidnapping. Ce n'était pas sa faute. Elle avait maintenant deux pensées bien propres pour la protéger de l'avalanche de la douleur. Pas encore morte et pas sa faute. Une fois compris ça, elle pouvait se défendre.

Elle s'assit sur les toilettes et s'ingénia à classer le peu de renseignements qu'elle possédait. D'abord où, puis comment ? En dépit de ses connaissances géographiques médiocres, elle bâtit une sorte de chronologie de la nuit précédente. La dernière chose consciente dont elle se souvenait, c'était le panneau de l'aéroport de Pise un peu avant 19 heures. Puis l'envie de vomir, le coucher de soleil, quelqu'un qui la sortait de la voiture, parce qu'elle était malade ou plus probablement parce qu'ils étaient arrivés.

À cette époque de l'année, la nuit tombait vers 21 heures. Donc, ils avaient roulé deux à trois heures entre l'autoroute de Pise et la maison. Mais dans quelle direction ? Le seul indice, c'était le paysage. La fenêtre, entrouverte pour l'aération mais qui ne permettait pas de s'enfuir, donnait sur une forêt de pins. Son insistance à parler de la côte lui faisait penser que la maison devait se trouver à l'intérieur des terres. C'était plus sûr de ne pas croire ce qu'il disait. Elle se souvenait d'avoir visité en plein été une région moins touristique, à l'est de Florence, mais elle ne s'en rappelait plus le nom.

L'endroit était en altitude et boisé, une sorte de parc naturel qui s'étendait sur des kilomètres et des kilomètres, tel un désert toscan. C'était magnifique, l'air des sommets et les arbres adoucissant l'atmosphère, redonnant un coup de fouet après la chaleur suffocante de la ville. Tout comme maintenant.

Elle avait entendu dire que cette région avait été autrefois inaccessible, avec une économie aussi primitive que ses routes, mais qu'avec les progrès du réseau routier, de nombreux Florentins aventureux y avaient bâti leurs résidences secondaires. À l'heure actuelle, il devait y avoir des centaines de demeures complètement isolées fréquentées par des populations estivales. Un couple de plus passait facilement inaperçu.

Ce travail de détective lui donna l'impression de

contrôler les choses mais augmenta son désespoir. Même si elle parvenait à s'échapper, comment rejoindrait-elle l'aéroport et quitterait-elle le pays sans argent et sans passeport ? Pas à pas. D'abord, juger de l'étendue de sa folie et voir comment on pouvait la calmer.

Lui. Depuis son élan de panique quand il avait claqué la porte, elle avait évité de penser à lui. Elle le mit sous la lumière et s'obligea à le regarder en face. Elle étudia son visage, sa posture rigide, son comportement plein de sollicitude, sa politesse démesurée et coincée. Elle y gagna un certain recul et le sens des proportions. Sa folie semblait plutôt du genre ordinaire, le refoulement presque banal. Était-il réellement fou ? Elle ne parvenait pas à croire qu'elle avait pu monter dans la voiture d'un psychopathe sans remarquer que quelque chose clochait. Peut-être était-il davantage désespéré que violent. Elle devait le découvrir.

L'après-midi tirait à sa fin (elle n'avait pas de montre mais le soleil se trouvait en dessous de la barre de la fenêtre et la lumière perdait de son éclat) lorsqu'il revint.

Il avait dû, une nouvelle fois, grimper les escaliers en silence car elle ne l'entendit que lorsqu'il frappa un coup sur la porte, doucement, presque avec hésitation comme une femme de chambre vérifiant que le client est là avant d'entrer changer les draps. Elle sauta du lit, cherchant des yeux dans la pièce de quoi se défendre avant de réaliser qu'il n'y avait ni lampe de chevet ni bibelot, rien qui pût servir d'arme.

— Avez-vous faim ?

La voix, assourdie par le bois, semblait presque affable.

— Si vous vous éloignez de la porte, je vous apporterai de la nourriture, ajouta-t-il.

En l'entendant, le calme qu'elle avait soigneusement entretenu la déserta. Elle éprouva soudain l'envie de se ruer sur la porte, de la frapper de ses poings en hurlant des insultes comme une épouse cinglée enfermée dans le grenier. En même temps, elle savait que la fureur ne lui apporterait rien de bon. Elle devait garder son calme, même si ça lui coûtait.

Plutôt la glace que le feu.

— Je ne mangerai rien tant que vous ne m'aurez pas laissée sortir d'ici, dit-elle, impressionnée par son ton glacial. Vous comprenez ?

Il répondit par un silence, une longue plage de silence puis, lentement, s'éloigna dans le couloir. Déconcertée par sa fuite, Anna tenta de se convaincre qu'elle n'était pas surprise. Regarde, se dit-elle. Notre première rencontre et je suis toujours en vie. Il ne peut pas m'intimider. Et après ? Il n'allait pas la laisser mourir de faim. Sûrement pas. Il n'y avait aucun d'intérêt. Elle devrait attendre qu'il revienne. Alors je serai prête pour toi, pensa-t-elle avec férocité. Je sais que je le serai.

Cette exhortation la ragaillardit.

Depuis la naissance de Lily, Anna s'était habituée à accepter des limites, à ne plus pouvoir faire certaines choses, à ne plus aller partout, à ne plus pouvoir tout réussir. Ça ne l'avait pas tellement gênée. Car elle commençait déjà à être un peu insatisfaite de sa vie, comme si la marche inexorable du féminisme lui demandait d'être plus courageuse ou meilleure qu'elle ne l'était en réalité, ne lui permettant pas de se reposer ou d'apprécier ce qu'elle avait fait. L'arrivée de Lily avait changé tout ça. La simple existence de sa fille était un tel miracle qu'Anna n'éprouvait plus le besoin de dominer le monde. Elle était presque soulagée de voir que la contrainte avait disparu, que la violence était domptée.

Mais rien ne dure jamais et depuis peu, un an environ, elle avait réalisé que quelque chose s'était remis à palpiter en elle. Lily allait avoir sept ans. L'an prochain, elle entrerait à l'école primaire. Elle savait lire et certains soirs refusait qu'on lui fasse la lecture pour s'endormir. Elle allait chez ses copines, on les entendait glousser et elle fermait la porte quand on s'approchait de trop près. Bien sûr, lorsque les choses allaient de travers, quand elle était malade ou blessée, qu'elle pleurait ou éprouvait une déception, elle était toujours une enfant, mais une métamorphose progressive et certaine s'opérait en elle. Récemment, Anna avait commencé à entrevoir un temps où Lily ne serait plus une fillette.

Qui serait-elle lorsque la dépendance à son enfant ne la définirait plus ? Cette question la plongeait dans une impression de malaise encore floue.

Le monde n'était pas resté immobile non plus. Maintenant Paul avait Michael, Stella, eh bien, même Stella avait René. Elle ne voulait pas d'homme (tout du moins, elle pensait ne pas en vouloir), mais cela voulait-il dire qu'elle souhaitait rester seule sa vie entière ? Elle se remit à travailler, proposa des reportages, chercha de nouvelles idées, au lieu de se contenter de celles qu'on lui proposait. Ça ne marcha pas. Ses articles ne l'absorbait que le temps de l'écriture. Bientôt, elle réalisa qu'elle était insatisfaite.

Quand elle avait ouvert le journal samedi et découvert cette demi-page de pub vantant des tarifs bon marché pour des vols à destination de l'Europe, elle avait décroché son téléphone avant même de réfléchir. Trois jours au loin sur un coup de tête. Qu'est-ce qu'elle espérait, bon sang ? Un retour au rayon des souvenirs, quelques jours seule ou bien une aventure ? Eh bien, elle avait trouvé tout ça et même plus. La question était de savoir comment elle allait pouvoir s'en sortir.

Le premier jour déclina et fit place à la nuit. La faim et la peur la tenaillaient. Elle but l'eau de la salle de bains dans un verre à dents en plastique qu'elle garda près du lit, avalant de petites gorgées comme des morceaux de nourriture. Il ne revint pas. Bien qu'elle fût épuisée par l'émotion et les séquelles de son malaise de la nuit précédente, elle se força à rester éveillée, minée par sa versatilité. Peut-être allait-il la prendre au mot et la laisser mourir de faim. Cette idée la terrifia. Et s'il revenait alors qu'elle dormait ? C'était presque pire.

Elle se leva et, attrapant une chaise, cala le dossier sous la poignée de la porte. Cela ne l'arrêterait pas mais cela lui donnerait du temps.

Pas avant que je sois prête... pensa-t-elle. Mais elle n'avait pas la moindre idée du moment où ça arriverait.

Au loin — Samedi matin

L'église, la troisième qu'ils avaient visitée ce matin et la plus difficile à trouver, était blottie derrière une demi-douzaine de maisons au bout du village. L'extérieur était austère, la simple façade de pierre datant d'une époque où le christianisme était assez récent pour se montrer modeste. Quand ils arrivèrent en fin de matinée, elle était fermée mais une pancarte sur le porche indiquait qu'un gardien habitait la maison voisine et qu'on pouvait aller le chercher n'importe quand.

— Il s'offre probablement une petite sieste en avance. On le réveille ?

Elle lui jeta un coup d'œil.

— Je ne savais pas que tu lisais l'italien.

Il haussa les épaules.

— Seulement quelques mots. Mais je ne prendrais pas le risque de le lire à voix haute, dit-il. C'est toi qui parleras.

Ils réveillèrent le gardien, un homme presque aussi ancien que l'église, le dos courbé comme une arche gothique et les yeux aussi laiteux que du vieux verre. Pourtant, son cerveau avait l'air encore plutôt vif. Une fois dans l'édifice, il se révéla bon historien. Anna n'avait pas entendu le rude dialecte toscan depuis des années et eut du mal à le suivre. Elle en comprit l'essentiel et le traduisit de son mieux tandis qu'ils se tenaient au milieu de l'allée centrale.

— Il dit que c'est une des églises construites au XIe-XIIe siècle sur la route des pèlerins mais que des gens vivent ici depuis l'époque des Romains. Les architectes de ces édifices religieux étaient de la région, tout comme les artistes.

— Visiblement, ils avaient encore une imagination païenne. Regarde ces personnages sur la chaire.

Le relief gravé dans la pierre était primitif mais passionnant : un homme assis au-dessus d'une femme, sa tête dans les mâchoires d'un serpent et son corps distordu, ses jambes si largement écartées que ses pieds touchaient les oreilles et que ses poils pubiens et son pénis frôlaient les vagues flous de la chevelure de la femme en dessous. Ses jambes à elle étaient également écartées, recourbées vers le haut de son corps, se transformant en queues de poisson avec des nageoires comme des arêtes descendant de chaque côté.

Le vieil homme parlait avec rapidité.

— Il dit que personne ne sait ce que ça signifie. On dit que c'est... un symbole. Je pense que ça parle de fertilité... D'autres estiment que c'est la punition de Dieu pour... pour un truc ou un autre, je ne comprends pas le mot.

— Péché, je crois, lâcha-t-il sèchement, son attention déjà attirée ailleurs.

Il était descendu vers la nef et étudiait l'autel. Derrière, sur le mur, on apercevait de faibles touches de couleur.

— Peux-tu lui demander pour l'autel ?

Le vieil homme avait déjà compris et l'avait rejoint en traînant les pieds, gesticulant et hochant la tête.

— Il dit qu'il était question d'une fresque sur le mur du fond. Alors, l'an dernier, ils ont tout cassé et voilà ce qu'ils ont trouvé.

— Humm. Le tabernacle est également très joli.

— Le tabernacle ?

— L'armoire de marbre au milieu de l'autel. C'est là qu'on conserve les hosties. Il y a une œuvre assez splendide sur la porte. Peinte directement sur le cuivre, tu vois ? Une pietà. La Vierge et le Christ mort.

— *Si, si, la Pietà.*

Le vieil homme hocha la tête vivement et repartit dans une nouvelle déferlante de mots.

Elle lutta pour garder le fil.

— Il dit... Enfin, je crois qu'il dit... que lorsqu'ils ont enlevé l'autel quelqu'un a cru que la peinture — la peinture du tabernacle — avait peut-être de la valeur. Botteno, Bottinno, un nom comme ça ? Il...

Le vieil homme l'interrompit, encore plus rapidement cette fois.

Elle haussa les épaules.

— Je ne comprends pas ce qu'il raconte. Il parle d'une fille, une nonne ? Et d'un cadeau à l'église. Il dit qu'il a toujours pensé qu'il s'agissait d'une belle peinture. Mais que lorsqu'elle a été... restaurée, oui ? quand elle a été restaurée, on a découvert qu'elle n'avait pas été peinte par ce type — peu importe son nom.

— Humm. Dommage. Eh bien, quel que soit l'artiste, c'est une œuvre magnifique.

Il fit un large sourire au vieil homme :

— *È bella, la figura de la Madonna.*

— *Si, si, bellissima.*

Stimulé par cet intérêt authentique, le gardien ne put résister à leur offrir la visite complète... Du grand luxe : une conférence sur la croix de bois de l'autel latéral, sculptée dans des marronniers de Casentino, un examen à la lampe de poche des fresques effacées sur le mur du XIVe siècle et l'histoire des nobles ossements enfouis sous le pavé de pierre : un aristocrate local apparemment mentionné dans l'*Enfer* de Dante.

Il termina l'excursion debout sur la pierre tombale, déclamant un texte qui semblait sortir tout droit du célèbre poème.

C'était, expliqua-t-il après avoir refermé l'église tandis qu'ils repartaient lentement vers sa maison sous la chaleur accablante, une coutume toscane que de connaître par cœur et de savoir réciter la *Divine Comédie.* Dans le passé, beaucoup de gens du pays connaissaient l'œuvre en entier, il faisait partie des quelques-uns qui restaient. De toute évidence, il considérait la disparition de cette tradition comme une perfidie.

Ils se serrèrent la main devant sa porte. Il garda celle d'Anna un peu trop longtemps.

Ils en rirent en retournant à la voiture.

— C'était la façon dont tu parlais italien. C'était tellement sexy...

— Oh, bien sûr. En attendant, toi, tu es un imposteur. Tu n'avais absolument pas besoin de moi. Tu comprenais presque tout ce qu'il disait.

— Non, pas vraiment. Il se trouve que je connaissais le mot pour « péché ». De toute façon, il ne serait pas sorti de chez lui si c'était moi qui avais fait la traduction. (Il glissa un bras autour de sa taille.) Tu aurais dû voir son visage. Quand il te parlait, ses yeux brillaient autant que lorsqu'il récitait son poème bien-aimé.

— Non. (Elle rit.) Pas autant.

Il s'était garé judicieusement sous les branches d'un marronnier, son large feuillage donnant de l'ombre comme un gigantesque parasol. Ils sortirent la carte routière et l'étalèrent sur le capot, calculant les kilomètres restant à faire dans la journée. Une partie d'elle se tenait près de lui, vérifiant les routes et les courbes, l'autre flirtait avec l'envie de sentir de nouveau ses mains sur son corps. Elle étudia son visage, la façon dont sa mâchoire bougeait quand il se concentrait. Qu'y a-t-il dans le sexe ? pensa-t-elle. Qu'est-ce que ça déclenche dans la tête et le corps ? Six semaines auparavant, elle aurait croisé cet homme dans la rue sans le remarquer. Aujourd'hui, la seule courbe de ses doigts écartés sur une carte routière l'emplissait de désir. C'était comme si ça n'avait rien à voir avec lui, comme si c'était sa jouissance à elle qui les stimulait tous deux. Elle savait que ce n'était pas vrai, qu'il y avait deux appétits en marche. Et qu'à bien des égards, celui de Samuel était le plus vorace, pas simplement pour le sexe mais pour tout un ensemble de choses.

Ils se connaissaient depuis si peu de temps. Si l'on mettait bout à bout les repas, les appels téléphoniques, les heures grappillées dans les chambres d'hôtel, ils avaient passé probablement moins de deux jours entiers en compagnie l'un de l'autre.

Que sais-je réellement de toi ? songea-t-elle, à part le fait que tu es marié depuis sept ans, que tu vends des œuvres d'art, que tu aimes manger et que tu apprécies le sexe oral en guise de digestif plutôt qu'en plat principal ?

Si ça se trouve, il avait peut-être menti en ce qui concernait les deux premiers éléments. Ce n'était pas difficile, elle était bien placée pour le savoir. Si elle découvrait d'autres choses sur lui, apprécierait-elle ? Les déchets de la vie quotidienne saliraient-ils le flot tranquille de cette histoire ?

— Qu'est-ce qu'il y a ? demanda-t-il en relevant la tête, sentant qu'elle le regardait.

— Rien. (Elle haussa les épaules.) Je rêvasse. Dis-moi... As-tu reconnu cette peinture ? Celle dans l'église, sur le tabernacle ?

Il fronça les sourcils.

— Non. Pourquoi me demandes-tu ça ?

— J'sais pas. La façon dont tu l'as regardée. C'était comme lorsque tu regardes le menu quand tu as faim. De toute évidence, tu pensais qu'il y avait quelque chose dans cette œuvre. Je me demandais ce que tu avais vu.

— Probablement la même chose que celui qui croyait y avoir vu un Bottoni. La peinture avait de très belles lignes. La composition était très forte, ce qui est important pour une œuvre aussi petite. Et la Vierge était magnifiquement peinte, tu ne trouves pas ?

Elle haussa les épaules.

— Je ne pourrais pas dire. Je ne sais pas avec quoi la comparer. Qui était Bottoni d'ailleurs ?

— Oh, je ne connais pas grand-chose de lui. Ce n'est pas ma période. Voyons, Italien, XVIIIe siècle. Il a peint beaucoup de portraits, je crois. Il n'est pas spécialement connu pour son art religieux.

— Si c'est lui qui avait peint ce tableau, ça lui aurait donné de la valeur ?

Il haussa les épaules.

— Probablement. C'est certainement plus rare.

— Mais ce n'est pas le style de tableaux que tu achèterais pour ton travail ?

Il secoua la tête.

— Non. Bottoni est davantage un peintre pour collectionneurs. De toute façon, ce n'est pas le genre d'œuvres qu'on achète. Ça appartient à l'église et ça n'arrive pas sur le marché, ou très rarement. Non... moi, je vends des œuvres plus traditionnelles.

— Dis-moi comment ça marche.

— Comme n'importe quelle profession. Les patrons d'une société viennent me voir, me disent combien ils peuvent mettre. Je les conseille sur les œuvres à vendre. On les trouve en général dans les ventes aux enchères, les collections privées, grâce aux successions.

— C'est pour ça que tu es si souvent à Londres ?

— Oui.

— Alors pourquoi vis-tu à Paris ?

— Parce que c'est pratique. C'est central pour tous les marchés. (Il eut une seconde d'hésitation.) Et parce que ma femme est française.

— Ah ! je vois. (Elle s'arrêta.) Et ça rapporte ?

— Pour moi ou pour eux ?

— Toi, je le sais. Je le vois à ce que tu portes. Et eux ?

— Eh bien, j'imagine qu'ils changeraient de secteur s'il n'y avait pas d'argent à gagner. Oui, il y a de l'argent. C'est un marché en pleine expansion. Des fonds de pension, essentiellement. Tu as probablement investi dedans sans le savoir. Ça donne du sens aux affaires. Faible risque, profit élevé. À l'exception d'un léger plongeon à la fin des années 80, le marché de l'art continue de bien se porter. Tout ce qu'il faut faire, c'est investir sagement.

— C'est là que tu interviens ?

— Oui.

— Alors, si cette œuvre dans l'église avait été un Bottoni — était-ce ce nom-là ? — et si tu avais pu l'avoir, combien aurait-elle valu ? Pour toi, je veux dire ?

Il haussa les épaules.

— Je ne sais pas vraiment. Comme je te l'ai dit, ce n'est pas mon rayon. Un maître italien du XVIIIe siècle, même mineur, travail inhabituel. Sur le marché libre pour le bon collectionneur ?... Deux, peut-être trois cent mille.

— Et pour toi ?

— Ça dépend de ce que j'ai fait. Peut-être vingt pour cent de la somme. Le prix dépend aussi de celui qui achète et à quel point il le veut. Comme je te l'ai dit, les églises ne sont généralement pas vendeuses. De toute façon dans ce cas précis, ils n'ont rien à vendre. Je doute qu'il y ait un marché pour un presque Bottoni.

— Mais tu penses quand même qu'ils devraient mieux le protéger. Tout le monde peut entrer et l'emporter sous le bras.

Il sourit.

— À mon avis, il est mieux protégé qu'il n'en a l'air. En plus, je ne donne pas une chance à celui qui croiserait notre vieux Œil Chassieux. Alors, qu'en dis-tu ? Consultant d'art, c'est plus intéressant que professeur ?

Elle eut un petit rire.

— Je ne sais pas. Certainement plus rentable financièrement. À ton avis, on est à combien de kilomètres de la ville maintenant ? ajouta-t-elle rapidement, soucieuse de ne pas rentrer dans une conversation où il faudrait faire semblant.

Le premier soir dans le bar, si elle avait pu connaître l'avenir, aurait-elle menti plus sagement ? Que dirait-il si elle le lui annonçait maintenant ? Tout dépendrait sans doute de ce qu'elle en ferait. Elle n'était pas prête à y réfléchir.

Lorsqu'ils arrivèrent, Bibbiena avait les yeux fermés pour se protéger du soleil, les boutiques et les maisons étaient comme barricadées et la place principale virtuellement déserte. Arrivée à l'hôtel, elle monta directement dans la chambre pendant qu'il s'occupait des formalités à la réception. Le voyage avait duré plus longtemps que prévu et, avec le manque de sommeil de la veille au soir, ils étaient tous deux éreintés. Elle essaya d'appeler Londres mais la ligne n'était pas encore branchée. Quand elle ressaya un peu plus tard, c'était occupé. Elle se déshabilla et alla prendre une douche.

Par la fenêtre de la salle de bains, elle aperçut un bout de l'horloge de la ville et un ciel bleu céramique. J'ai envie de dormir une semaine, pensa-t-elle. Je suis même trop fatiguée pour faire l'amour.

Lorsqu'elle revint dans la chambre, il était couché sur le lit, tout habillé, les yeux fermés. Elle s'enveloppa dans le drap de bain et chercha sa valise des yeux. Elle n'était pas là.

Il y avait trois sacs près de la penderie ; son porte-documents, son petit sac de voyage, tout aussi chic et anonyme, et à côté un grand sac en cuir comme en possédaient les médecins à l'ère victorienne. Le plus exquis des sacs *made in Italy* : souple, élégant, coûteux, le genre de bagage qu'on s'imagine voir sur le pont supérieur du Titanic. Il semblait plein. Elle s'accroupit devant et trifouilla le fermoir. Il s'ouvrit d'un coup. À l'intérieur se trouvait son vieux fourre-tout.

— Alors, qu'en penses-tu ?

Sur le lit, il n'avait pas ouvert les yeux.

Elle releva la tête.

— D'où ça vient ?

— De Florence. D'une boutique que je connais. C'est fait main. J'ai pensé mettre directement tes affaires dedans, mais j'ai eu peur que, euh... que ça t'ennuie.

— Que veux-tu dire ? Tu n'as pas acheté ça pour moi ?

Elle se tourna vers lui.

Il faisait semblant de dormir de nouveau.

— Hé ! Samuel. Arrête de jouer la sainte-nitouche et parle-moi.

Il soupira, se redressa à contrecœur.

— Ça va particulièrement bien avec ton drap de bain. Tu devrais porter les deux ensemble.

— Qu'est-ce que c'est ?

— C'est un cadeau. Tu sais, une chose qu'une personne donne à une autre pour lui dire à quel point il l'aime bien.

Elle secoua la tête.

— Je ne peux pas accepter.

— Pourquoi pas ?

Il semblait sincèrement surpris.

— Parce que ça représente beaucoup trop d'argent.

— Comment sais-tu ce que ça coûte ? Tu ne l'as pas payé.

— C'est le problème. Écoute... je...

— Non, Anna, pour une fois, c'est toi qui vas m'écouter, dit-il, et sa voix devint plus sérieuse. Je vends de l'art, tu enseignes à des enfants. Je gagne beaucoup d'argent, tu en gagnes un peu. Quand les choses ont démarré entre nous, tu as établi les règles et je les ai acceptées. Nous dînons dans tes restaurants parce que tu ne peux pas t'offrir ce que j'aime et que tu ne veux pas que je t'invite. Quand tu es venue à Florence, tu t'es installée dans un hôtel de troisième classe parce que tu n'avais pas les moyens d'aller dans celui que je t'avais suggéré. Alors à la place, j'ai décidé de t'acheter un cadeau. J'y pense depuis longtemps et très fort. Quel cadeau ? J'ai pensé que tu serais probablement offensée si je t'achetais des vêtements et en plus je suis nul pour choisir les tailles. Tu n'aurais jamais accepté un bijou ou quelque chose d'aussi frivole. Je t'ai vue arriver avec une valise qui tombait en ruine et dont visiblement tu ne te préoccupais pas. J'ai trouvé que c'était une bonne idée. Ne t'inquiète pas. Ça ne change rien entre nous. Tu n'as même pas besoin de me dire merci. Tout ce que tu as à faire c'est de t'en servir. Et si possible de l'aimer. (Il s'arrêta.) La seule chose que tu ne peux pas faire, c'est la rendre. Parce que j'ai fait mettre tes initiales dessus.

Elle revint vers le sac et effectivement les découvrit près du fermoir : A.R., de longues et élégantes lettres de style gothique. Quelle ironie, se dit-elle. C'est la plus jolie chose que j'aie jamais reçue et elle est adressée à quelqu'un d'autre. Ça m'apprendra à tricher. Elle laissa courir ses doigts sur le cuir. Il était aussi doux qu'une peau d'homme. Que fallait-il faire à une vache pour qu'elle soit si satinée ? Mais il y avait autre chose. Quelque chose qui n'avait aucun sens.

— Où l'avais-tu mis ? Je ne me souviens pas l'avoir vu dans l'appartement.

— Il était dans la voiture. Sous une couverture, afin que tu ne le voies pas.

— Quand es-tu allé le chercher ?

— Jeudi après-midi.

— Tu l'as commandé avant d'arriver ? Mais... Mais tu n'avais pas encore vu mon sac ? Il aurait pu être flambant neuf.

Il sourit.

— Il ne l'était pas, n'est-ce pas ? Je te l'ai dit, j'y ai pas mal pensé. Je te connais peut-être mieux que tu ne le réalises.

Elle jeta un nouveau coup d'œil sur la valise. Elle l'imagina arrivant au-devant d'elle sur un tapis mécanique dans le hall des arrivées de Heathrow, faisant la belle, bien plus chic que ses compagnes. Regarde-moi. Je suis là maintenant. Rentrons à la maison. Effectivement, c'était un cadeau intelligent. Il avait raison. Elle ne se serait pas acheté ça, en plus cela lui permettrait de continuer à voyager avec elle, quoi qu'il se passe entre eux, d'être ensemble dans les avions et les chambres d'hôtel, partout dans le monde, sans s'occuper de la personne qui l'accompagnerait. Elle titilla l'image du carrousel à bagages, fantasmant sur une demi-douzaine de valises identiques tressautant en silence sur le tapis et sur une demi-douzaine de femmes s'avançant vers elles comme dans un rêve, puis s'arrêtant et se regardant les unes les autres, l'air horrifié.

Le cynisme caché derrière cette vision la choqua. Était-ce réellement ce qu'elle pensait de lui ? Peut-être n'était-elle pas habituée à recevoir des cadeaux ? Ou en tout cas pas aussi chers. De styles différents... Elle décida de se soumettre avec grâce.

— Eh bien, c'est magnifique... Merci. Je ne sais pas quoi dire.

— Je te l'ai dit, tu n'as pas besoin de dire quoi que ce soit. Je suis simplement ravi que tu l'aimes.

Elle se releva pour aller le rejoindre. Dans sa précipitation, elle ne vit pas la porte ouverte de la penderie. Le craquement du bois sur le coin de sa tête fut assez fort pour qu'ils l'entendissent tous les deux.

— Seigneur ! Ça va ? dit-il, descendant du lit et s'approchant d'elle.

— Oui. Bien. Enfin, presque bien.

Il prit sa tête gentiment entre ses mains et fit courir un doigt léger sur la peau rougissante, à la hauteur du sourcil, au-dessus de l'œil droit.

— Sale bruit. Tu vas avoir un œil au beurre noir. On ferait mieux de faire attention au personnel de l'hôtel. Les gens vont croire que je te bats.

Elle sourit.

— Et tu le fais ?

— Quoi ?

— Battre les femmes ?

Il eut un large sourire.

— Seulement si elles me le demandent. Veux-tu que j'aille te chercher de la glace ?

Elle secoua la tête.

— Ça va bien, je t'assure.

— Tu devrais venir t'allonger un peu, juste un moment.

Alors qu'il la portait sur le lit, le drap de bain tomba. Il ne se donna pas la peine de le ramasser.

À la maison — Samedi après-midi

Je repris le premier magazine et notai soigneusement les numéros des petites annonces. En en-tête, il y avait des instructions pour appeler le service téléphonique. Je composai le numéro. Une voix de femme, hachée comme si elle avait développé une maladie neurologique, m'accueillit et me donna des instructions, les touches sur lesquelles il fallait appuyer pour obtenir les annonces désirées. Je choisis le service des hommes. La voix revint.

« Merci. Tapez le numéro de la petite annonce que vous voulez entendre. »

Je tapai celui du type direct qui cherchait une femme aimant la fantaisie.

« Message ML 457911 », énonça la femme dont les problèmes vocaux s'accentuaient à mesure que chacun des chiffres sortait de la mémoire de l'ordinateur. Une voix masculine, douce, plutôt contrite me sauta à l'oreille. Direct sans aucun doute, mais pas si organisé que ça. Je tentai d'imaginer Anna assise à ma place en train de l'écouter.

« Bonjour. Je ne sais pas vraiment quoi dire. Je m'appelle Franck. J'ai quarante-deux ans. Je suis divorcé, avec un enfant que je vois le week-end et auquel je suis très attaché. Je suis dans les affaires, directeur d'exportation dans une société étrangère, donc je passe pas mal de temps loin de chez moi. Je suis en parfaite santé, actif, gym, natation, ce genre de choses. J'aime la musique, le football, le cinéma et j'apprends la plongée sous-marine. J'ai l'intention d'aller en mer Rouge l'automne prochain. Je suis toujours très occupé et j'aime mon travail, mais je veux pouvoir aussi mener une vie différente. Je suppose que je cherche une femme séduisante ; aucune préférence pour une blonde ou une brune, mais je voudrais qu'elle soit mince, avec le sens de l'humour et intelligente. Ce serait bien si vous partagiez certaines de mes passions. Mes opinions politiques se situent au centre gauche mais la politique ne m'intéresse pas beaucoup. Je ne vois rien d'autre à dire. Je suis un type plutôt tendre cherchant une femme aimante. Je n'ai pas peur de m'engager — enfin je ne le crois pas. Je veux bien vous rencontrer si vous correspondez à cette annonce. Dans ce cas-là, laissez-moi un message et je vous rappellerai. Sinon, bonne chance à vous pour vos recherches. »

La femme au timbre métallique reprit la parole. Voulais-je réentendre le message, laisser une réponse ou écouter une autre sélection de petites annonces ? Je tapotai un autre numéro. L'homme à la profession libérale cherchant une femme GSDH. GSDH ?

La voix était très bourrue, brusque, mais respirait tout autant l'attente.

« Salut, je m'appelle Graham. J'ai trente-neuf ans. Je travaille dans la City. Je n'ai jamais été marié, je suis propriétaire de ma maison et j'ai un large cercle d'amis. Je mesure 1,75 mètre, je pèse soixante-quinze kilos et je fais partie d'un club de gym. J'aime le football, la musique — de tous les genres —, mais j'aime surtout la country et le western. J'aime voyager. Je viens de rentrer d'un safari en Tanzanie. La femme que j'aimerais rencontrer doit avoir entre trente et quarante ans, petite, avec des formes, blonde. Cela vous ressemble-t-il ? Si oui, laissez votre message, je vous rappellerai. »

Il me semblait entendre le froissement du papier tandis

qu'il repliait sa feuille de texte. GSDH : grand sens de l'humour. AR : aimerait rencontrer. Les codes n'étaient pas vraiment difficiles. Je me demandai ce que Graham allait faire ce samedi. Le passer au lit avec une blonde optimiste bien roulée ou sur la double page du dernier guide *Guardian* en quête d'une nouvelle petite annonce féminine correspondant à la sienne.

Je composai un autre numéro. Le spectateur d'*Urgences* n'avait pas laissé de message. Mais on pouvait toujours lui en laisser un. Pourquoi parler à quelqu'un qui ne vous avait pas adressé la parole ? Pourquoi décrocher son téléphone en premier ? Parce qu'on voulait quelque chose que la vie ne pouvait pas donner. Était-ce réellement ce que ressentait Anna ? Je fis un autre numéro. Puis un autre. Cela correspondait à un besoin irrépressible et compulsif, comme écouter la séance d'analyse de quelqu'un.

« Je n'ai pas peur de dire que je cherche aujourd'hui une relation durable et que je me sens prêt à m'engager. »

« Je cherche une femme pas trop critique qui accepterait de prendre des risques. » Cela voulait-il dire des risques sexuels ? Sûrement pas. Le sexe était une chose que personne ne mentionnait. Plus j'en entendais, plus ça me rendait cruelle. Franck était trop contrit, Graham trop arriviste, Dan trop ennuyeux, Ron trop sérieux... La liste s'allongea. Pour quelles raisons Anna se serait-elle intéressée à l'un d'entre eux ? Je pris l'une de ses photos. Quelle était l'étape suivante ? Vous appeliez quelqu'un, échangiez des photos, puis organisiez une rencontre sous l'horloge de la gare Victoria ?

Mon regard fut attiré par une petite boîte dessinée sur la page. Sous le titre « Sécurité d'abord », il y avait quelques lignes d'instructions. On vous disait de fixer les rendez-vous dans des lieux publics, de ne pas donner son adresse personnelle à quiconque tant qu'on n'était pas sûr, de faire confiance à son instinct et d'avertir ses amis et ses proches lorsqu'on était sur le point de rencontrer quelqu'un pour la première fois.

Je fis redéfiler toutes ces voix dans ma tête. On pouvait utiliser une tonne d'adjectifs pour les définir mais dangereuses ne faisait pas partie du lot. Ce qui les rendait marquantes, c'était leur banalité : elles étaient nerveuses, ordinaires, quelquefois embarrassées, comme si elles étaient obligées de faire ça parce que la vie ne les avait pas gâtées. Tristes aussi mais sans rien de psychotique. Quoique les psychopathes tenteraient sûrement de se camoufler.

Anna avait relevé les noms de ces hommes avec un stylo à bille bleu, écouté leurs histoires, et si elle en avait rencontré un, elle ne semblait pas avoir appliqué les conseils de prudence. Mais cela avait-il un rapport avec son absence ? Je n'en avais pas la moindre idée.

Sur le bureau, devant moi, le téléphone sonna. Mon cœur bondit dans ma poitrine.

— Anna, dis-je à voix haute. Enfin. Qu'est-ce qui t'a retardée ?

Puis je décrochai le combiné.

J'entendis du bruit, de la musique et des gens. Je hurlai « bonjour » une ou deux fois. Une toute petite voix me parvint à travers le tumulte.

— Maman ?

— Oh, salut Lily. Ce n'est pas maman, c'est Stella. C'était comment la piscine ?

— Bien. Est-ce que maman est là ?

— Non. Elle n'est pas encore rentrée, chérie.

— Oh !

Elle hésita.

— Que fais-tu ? dis-je pour combler le silence.

— Euh... Il y a une fête foraine sur le pré communal. On est passés devant. Paul dit qu'on peut y aller. (Elle s'arrêta de nouveau, quelqu'un lui disait quelque chose dans le fond.) Tu veux venir aussi ?

— J'aimerais bien. Mais... écoute, pourquoi ne me laisses-tu pas lui parler ? Il est là ? demandai-je.

Le téléphone émit des bips vibrants puis se tut. Trente secondes plus tard, la sonnerie retentit de nouveau.

— Aucune nouvelle, annonçai-je avant qu'il ne pose la question. Qu'est-il arrivé à ton portable ? Lily l'a encore fait tomber dans le bain ?

— Comment es-tu au courant ?

Comment ? Anna avait dû me le raconter. Les liés et déliés de la vie quotidienne détaillés lors de nos appels du vendredi soir. Où se trouvait-elle hier soir ?

— Non, je l'ai perdu hier dans le métro, reprit Paul. C'est sacrément ennuyeux. C'est le deuxième que je perds en trois mois.

— À Amsterdam, on les remplace en une heure.

— Je sais. Mais ils parlent hollandais. Écoute, notre petite mangeuse de *Chicken Burger* pique sa crise.

— De larmes ou de colère ?

— Un peu des deux.

— À cause d'Anna ?

— Peut-être. En ce moment, c'est à cause du nombre de tours de manège qu'elle peut faire.

Corruption. Si c'est valable pour les vrais parents, ça l'est aussi pour les suppléants.

— Cède, conseillai-je. C'est une bataille qui ne vaut pas le coup. Où est-ce que j'interviens ?

— J'ai pensé qu'elle apprécierait peut-être d'être avec une femme pendant un moment. Veux-tu sauter dans un taxi et nous rejoindre ?

— Et si elle rentre ou appelle pendant notre absence ?

— Laisse un mot et branche le répondeur. C'est tout au plus pour une heure ou deux.

En raccrochant le téléphone, il me vint à l'esprit qu'Anna avait sûrement le numéro du portable de Paul pour les cas d'urgence. Et si pour une raison ou une autre, elle n'avait pas réussi à joindre les autres numéros et avait laissé un message sur son mobile ? À cette heure-ci, la ligne devait être coupée. Dans la vie, il n'y a pas beaucoup de voleurs au cœur tendre pour renvoyer à leur destinataire les messages volés.

J'eus soudain l'image d'Anna au centre d'un paysage toscan inondé de soleil avec l'un des hommes des petites annonces. Quelqu'un qui cherchait l'amour mais qui, ne le trouvant pas, devenait violent. Il n'y avait aucun moyen de savoir. C'est ce qui était le plus douloureux.

Au loin — Samedi matin

Elle trouva la clef de l'armoire dans l'après-midi, à l'endroit où elle avait toujours pensé la trouver, là où il avait dû la mettre le premier soir lorsqu'elle était inconsciente. Elle était enfouie au fond de son sac à main. C'était inévitable qu'elle y jetât un coup d'œil, à un moment où elle serait plus calme.

La clef n'ouvrait que la serrure de la penderie. En tirant la porte, elle découvrit, suspendue devant elle, une vie entière déployée sur une rangée de cintres... Elle comprit alors ce qu'il attendait d'elle et pourquoi il lui avait pris sa valise et sa liberté. Au moins, cela lui donnait une arme pour se battre.

La matinée avait été mauvaise. Elle s'était réveillée de bonne heure en même temps que le soleil, émergeant d'un rêve intense, possédée par l'image de Lily. Elle s'était vue assise avec elle dans un bain rempli de bulles, Lily plongeant la tête sous l'eau puis réapparaissant, clignant des yeux, couverte de mousse. Tout était si réel. Elle apercevait le porte-savon ébréché en forme de grenouille derrière la tête de sa fille. Elle sentait la chaleur de l'eau, entendait les gloussements de Lily qui batifolait. Elles étaient dans le bain. En ce moment même. Elle était rentrée chez elle. Le soulagement la faisait saliver comme un flot de saveurs.

Lorsqu'elle se réveilla dans la chambre toujours close au sol tacheté de soleil, l'estomac grondant de faim, le souvenir de ce rêve trompeur la frappa douloureusement. Le courage gagné de haute lutte la nuit précédente s'évanouit sous une vague de désespoir.

Lily. Elle se pelotonna sur elle, tentant de contenir sa déception. Lily. Elle s'entendit gémir à voix haute. Oh, Lily. Qu'allait-il lui arriver maintenant ? Ne pense pas à ça, se dit-elle impérieusement ; tu ne peux rien faire et l'horreur de la situation va te rendre folle. Mais c'était impossible de s'arrêter. Les pensées sombres prenaient le dessus, vibraient dans son esprit. Elle ne pouvait rien y faire, elle était dépassée : les faits lugubres se transformaient en fantasmes encore plus sinistres, plus froids que la peur, si glacés et si nets qu'on était bien forcé de croire à leur réalité.

Deux nuits avaient passé. Sa disparition avait dû réunir les clans. Elle imagina Paul et Estella ensemble devant les grilles de l'école attendant la sortie de Lily. Elle regarda le visage de sa fille, grave et interrogateur, ramenant une mèche de cheveux derrière ses oreilles comme elle le faisait à chaque fois qu'elle était indécise, demandant où était sa maman. Une fois de plus, ils détourneraient la conversation, mettant son retard sur le compte du travail ou des avions avant de l'emmener dîner, regarder la télé à la maison ou jouer au parc.

Les jours passant, alors que la police suivrait une trace qui s'évanouissait dans une ville étrangère, ils continueraient les faux-semblants (dans ce scénario, elle était déjà morte, son corps enterré quelque part dans un jardin désert, sa valise et ses affaires réduites en cendres et dispersées aux quatre vents — ça ils ne le savaient pas encore). Ils feraient venir ses copines pour jouer avec elle, lui offriraient des vidéos, l'occuperaient pour qu'elle n'ait pas le temps de s'ennuyer. Lily ne serait pas dupe. Comme d'habitude, les deux premiers jours, elle se montrerait un peu distante, mais aimable, obéissante, irait se coucher sans faire d'histoires, se pelotonnerait en rabattant les couvertures.

Mais assez rapidement, les choses commenceraient à se gâter. Elle se réveillerait au milieu de la nuit, se lèverait pour s'asseoir sur le palier du dernier étage, les bras autour des genoux, fixant l'obscurité. C'est ce qu'elle faisait quand elle était inquiète. Estella s'en apercevrait-elle ? Entendrait-elle ce silence différent, saurait-elle détecter sa présence ? Et si elle y parvenait, quelles horreurs se raconteraient-elles ensemble, assises dans l'obscurité, là où les mensonges brillent aussi vivement que les lucioles. Ce serait au cours d'une nuit semblable que Lily poserait la question inévitable ou, plus probablement, lancerait la phrase prouvant qu'elle savait tout depuis le début. Ce serait seulement à ce moment-là qu'Estella comprendrait à quel point leurs vies avaient changé à jamais. Pauvre Lily. Pauvre Estella qui allait se retrouver à chasser ses propres démons sur cet escalier. Le destin n'aurait pu leur jouer tour plus cruel à chacun d'entre eux. Son incroyable symétrie vous coupait le souffle.

Elle s'assit derrière elles sur les marches et tenta de les prendre dans ses bras. Mais elle ne pouvait pas les aider. Elles étaient seules désormais. C'était ça le problème. Combien de temps allait-il falloir à Anna la disparue pour se transformer en Anna la morte ? Qu'allait devenir Lily ? Serait-elle mieux à la maison, même si rien n'était plus comme avant, ou à l'étranger avec Stella dans un endroit nouveau où l'oubli serait plus facile ? On l'aiderait, c'est sûr : une armée de thérapeutes compatissants avec des poupées et des boîtes de peinture, prenant soin d'extraire la souffrance jusqu'à ce qu'elle soit si mince qu'elle puisse être absorbée, comme de l'huile par un océan. Jusqu'à ce que Lily commence à l'oublier...

La violence de cette pensée la fit revenir brutalement à la vie. Lily n'allait pas l'oublier parce qu'elle n'était pas morte. Pas encore. Elle n'était pas morte. Pas encore morte. Elle se servit de ce vieux mantra pour se remuer. En examinant la pièce, elle vit que la chaise n'avait pas bougé. À côté, sur le plancher, il y avait un morceau de papier plié, arraché visiblement au même cahier d'écolier. Trois mots y étaient inscrits. « Dîner ce soir. »

Elle fourragea dans la garde-robe. La femme qui avait porté ces vêtements était plus grande qu'elle mais elles avaient d'évidentes ressemblances. Elles étaient bâties de la même façon, leur teint et leurs cheveux étaient les mêmes. Elles ne se ressemblaient pas vraiment, du moins pas d'après ce qu'elle avait vu sur les photos — mais tout dépendait de ce que l'on voulait voir...

Elle se rappela comment elle l'avait surpris la dévisageant dans la boutique comme s'ils se connaissaient déjà. Bien sûr, ils s'étaient déjà vus. Il avait dû la suivre. Que faisait-il ? Errait-il en ville en quête de sosies ? Était-ce ainsi qu'il avait su qu'elle prenait du sucre dans son café ? Elle s'était assise dans tellement de bars pendant ces trois derniers jours. Il avait pu s'y trouver avec elle. Avait-il besoin de sosies ou simplement de quelqu'un à qui parler ? Elle réalisa que son épouse était peut-être anglaise. En dépit de quelques fautes, il parlait sa langue avec confiance et aisance. Comme s'il l'avait apprise avec quelqu'un de son pays. Avec quelqu'un de très intime.

Il avait dit qu'elle était morte un an auparavant. Alors, ce pèlerinage morbide était-il saisonnier ? Était-elle la première de la série ? Si elle ne l'était pas, c'était peut-être pire !

De toute façon, elle se débrouillerait. Si elle voulait rentrer auprès de Lily, il le fallait bien. Tout à coup, elle avait quelque chose à négocier. Elle se sentit presque excitée. Pourtant, c'était capital de ne pas le montrer.

Lorsqu'il revint, il s'était, lui aussi, changé pour le dîner. Les oreilles aux aguets, guettant le moindre silence, elle entendit des chaussures cirées avancer à petits pas sur les dalles du couloir. Une clef tourna dans la serrure et la porte s'ouvrit. Il sentit une résistance. Elle avait déjà bougé la chaise de façon à ce qu'il puisse entrer sans grand effort.

Il donna une forte poussée. La porte remua. Encore une autre et ce serait bon. Elle se leva pour aller à sa rencontre.

En la voyant, il sembla abasourdi. Il ne pouvait détacher ses yeux d'elle, ou plutôt de la robe qu'elle portait. Ce n'était pas son style, elle était trop traditionnelle, trop élégante, dépourvue d'esprit, mais la couleur lui allait bien : la soie rouge vif tranchait avec ses cheveux noirs et sa peau pâle, presque fantomatique. Saisissant. Elle se rappelait l'une des photos. Lui aussi. Il resta à la regarder, les yeux brillants, sans dissimulation, sans toute cette politesse éprouvante. Que voulez-vous ? pensa-t-elle. Une femme ? Un substitut ? Continuez de rêver.

— Bon sang, où étiez-vous ? (Sa voix était glaciale, sa peur transformée en agressivité comme le souffle en fumée, en plein hiver.) J'étais morte de faim.

Il avait l'air dépassé comme s'il ne s'attendait pas à cette attitude de la part d'une femme portant cette robe.

— Je vous ai apporté de la nourriture ce matin. Je n'ai pas pu entrer. (Il montra la chaise du doigt.)

Conneries, se dit-elle, si vous aviez essayé de bouger la porte, je vous aurais entendu.

— Conneries ! cria-t-elle, sans perdre pied.

Il avança d'un pas.

— Restez où vous êtes.

Il s'arrêta immédiatement.

Une odeur puissante, presque chimique, familière et étrange à la fois, la saisit à la gorge. Qu'est-ce que c'était ?

— Je vous l'ai déjà expliqué, dit-il calmement. Vous n'avez pas à avoir peur de moi.

— Que voulez-vous de moi ?

— Pourquoi...

— Qu'est-ce que vous voulez ?

Et cette fois, elle paraissait presque hors d'elle.

Il fronça les sourcils comme si cette explosion était quelque peu irrationnelle et inutile pour leur relation naissante.

— Je vous l'ai déjà dit, je veux que vous soyez mon hôte.

— Votre hôte ? Que voulez-vous dire ?

Il hésita.

— Je voudrais que vous restiez ici avec moi quelques jours.

— Quelques jours ?

— Oui.

— Combien de jours ?

— Trois.

— Trois jours. Jusqu'à mardi ?

— Oui.

— Et après ?

— Après, vous pourrez rentrer chez vous.

— Mardi, vous me laisserez partir ?

— Oui, je vous laisserai partir.

— Juste comme ça ?

Il acquiesça.

— Qu'est-ce qui va se passer ici, pendant ces trois jours ?

Il fronça les sourcils comme s'il ne comprenait pas entièrement la question.

— Qu'est-ce qui va se passer ? Vous resterez en ma compagnie.

Il y eut un silence.

— Passer du temps avec vous. C'est ça ? Rien de plus ?

— Rien de plus.

— Je ne coucherai pas avec vous, vous le savez, n'est-ce pas ? demanda-t-elle, d'une voix presque bourrue. (C'était une affirmation davantage qu'une question.) Et si vous tentez de me toucher, je vous tue. Vous comprenez ?

Il haussa les épaules comme si cette idée l'ennuyait.

— Je ne vais pas vous faire de mal, répliqua-t-il d'un ton patient. Si j'avais voulu vous blesser, je l'aurais déjà fait.

Silence.

— Et si je ne suis pas d'accord pour rester. Si je dis non ?

Il ne répondit pas. Il n'en avait pas besoin. Pas de passeport, pas d'argent, pas de billet d'avion. Une maison perdue au milieu de nulle part dont les portes et les fenêtres étaient barricadées. Il avait raison. Ça ne valait pas la peine de discuter.

Trois jours. Trois jours... Jusqu'à quand ? Jusqu'à ce que cet anniversaire douloureux soit passé ? Était-ce vrai ? Il avait déjà tellement menti qu'il n'y avait aucune raison de le croire maintenant. Ça n'avait pas d'importance. C'était ce qui allait se passer après qui était important.

— O.K., reprit-elle froidement. Ça, c'est ce que vous voulez. Maintenant je vais vous dire ce que moi, je veux. Je veux appeler ma fille. Je veux lui parler au téléphone pour lui dire que je vais bien. Compris ? Je ne dirai rien d'autre, je le promets, mais si vous ne me laissez pas le faire, alors je ne sortirai pas de cette chambre quoi que vous me fassiez et aussi longtemps que vous me garderez ici. Comme ça je ne vous serai d'aucune compagnie. Me comprenez-vous ?

Il la regarda longuement, puis fixa un autre endroit de la pièce. Il avait, pensa-t-elle, comme un sourire sur les lèvres.

— Si vous téléphonez, vous resterez ?

Elle prit sa respiration.

— Oui, je resterai, dit-elle parce qu'un bon mensonge en méritait bien un autre et que personne ne la condamnerait jamais pour ça.

Il s'écarta pour la laisser passer et la suivit hors de la chambre.

Au loin — Samedi après-midi

Ils étaient entrés plus avant dans les jeux d'amoureux, passant du sexe à l'attouchement verbal, explorant leurs passés comme s'il s'agissait de leurs corps ; chaque révélation mettant l'autre à nu, chaque question déclenchant une confession ou une reddition. Un passe-temps plus dangereux que la baise, parce que c'est plus dur de savoir quand il faut s'arrêter pour se protéger.

— Donc, tu ne lui as jamais dit ?

— Non.

— Tu n'as pas pensé qu'il avait le droit de savoir ?

— Je te l'ai dit, il partait. Lui et moi c'était fini. Il aurait voulu que je me fasse avorter.

— Tu es sûre de ça ?

— Oui, j'en suis sûre.

— Comment te sentirais-tu s'il le découvrait aujourd'hui ?

— Comment le pourrait-il ?

— Je ne sais pas, il y a cent façons différentes. Par exemple, toi et elle vous traversez un parc un dimanche après-midi et il arrive en face de vous sur le sentier, avec sa famille. En vous croisant, vous faites semblant de ne pas vous reconnaître. Il vous jette un coup d'œil puis la regarde... La voilà, la fille dont il ne savait pas qu'il était le père.

— Non, non. Elle ne lui ressemble pas. Et il n'a jamais été très observateur.

Elle roula sur le dos et regarda le plafond. Les stores étaient toujours tirés bien que le soleil fût déjà très bas. Le lit ressemblait à un radeau fantomatique au milieu d'une mer de charbon de bois. Elle ressentait un extraordinaire confort physique comme si elle était suspendue dans les airs au creux d'une immense main.

— C'était sexuel ? Était-ce ça, le lien entre vous ?

— Je suppose que oui, c'était très sexuel.

— Comme notre histoire ?

— Non. Pas comme ça. Différent.

— En quoi ?

— J'anticipais toujours. On ne savait jamais quand on allait se voir. Quand enfin on faisait l'amour, ce n'était pas toujours génial. Mais j'avais attendu si longtemps que ça n'avait pas d'importance.

— Penses-tu que tu étais obsédée par lui ?

Elle imagina les doigts de la main s'ouvrant lentement, un par un. C'était comme voler. Tout serait parfait tant qu'elle ne regarderait pas en bas. Ici, dans ce lit, elle pourrait faire ou dire n'importe quoi. Même les souvenirs les plus douloureux ne contiendraient aucune terreur.

— Obsédée ? Je ne sais pas ce que le mot signifie. Je sais qu'il y avait des moments où je ne pouvais penser à rien d'autre. J'avais l'habitude de rester à la maison tous les soirs de la semaine au cas où il pourrait se libérer et m'appeler. C'était comme une maladie dont je ne voulais pas me défaire. Je suppose que c'est une définition de l'obsession, oui.

— Quand ça arrivait, ça t'effrayait ?

— Parfois. Souvent je ne l'aimais pas vraiment. Ni moi d'ailleurs. Mais j'aimais bien cet état, ce sentiment de, je ne sais pas..., de ne rien contrôler. Ça ne m'était jamais arrivé auparavant. Ça me donnait l'impression d'être très vivante.

Bien sûr, elle savait qu'elle pouvait tomber. Tout le monde peut toujours tomber. Mais c'est ça qui était excitant. Depuis de nombreuses années, elle s'était davantage inquiétée pour Lily que pour elle-même. Aujourd'hui, suspendue ici dans le temps et l'espace, elle était une amante plus qu'une mère. Elle avait changé de rive et le risque faisait partie du plaisir. C'était exactement pour ça qu'elle était venue. Elle le savait maintenant. Re-bonjour, Anna, pensa-t-elle. Re-bonjour.

— Et que s'est-il passé entre vous ? À la fin ?

— Ah, c'est une bonne question. J'ai longtemps cru qu'il avait mis un terme à l'histoire et qu'il m'avait mutilée. Je n'en suis plus sûre désormais. D'une certaine façon, nous nous étions tous deux vidés de notre énergie. Ou plutôt notre énergie est devenue amère, aigre. Après, je me suis sentie très... je ne sais pas le mot... souillée pendant longtemps. Comme si j'avais acheté de la marchandise de contrefaçon, brûlé une part de moi-même dans quelque chose qui n'en valait pas la peine. Cela m'a rendue presque folle pendant un temps. Mais j'ai dépassé ça. En fin de compte...

— Et lui, qu'a-t-il éprouvé ?

— Je n'en ai pas la moindre idée. Quand je l'ai revu neuf mois plus tard, il m'a avoué qu'il s'était senti anéanti. Il m'a dit que je lui avais manqué tous les jours de la semaine. Mais il avait le talent de dire aux gens ce qu'ils voulaient entendre. Ça vient de son boulot. Sincèrement, je crois qu'il a été trop occupé pour s'en soucier. Deux enfants, une femme, un boulot important, une vie publique et tant de gens qui le désirent. Je ne peux pas croire qu'il ait remarqué l'absence de quelqu'un.

— Cependant, tu as recouché avec lui.

— Seulement parce que c'était fini et que je savais que je ne ressentirais rien.

— Et tu as ressenti quelque chose ?

— Non, rien du tout. C'était plutôt étrange. Je me souviens que lorsqu'il est parti, je me suis rassise dans mon lit et j'ai lu un livre. Je suis entrée sans problème dedans.

— Et puis il y a eu Lily...

— Oui. Et puis il y a eu Lily.

— Était-ce délibéré ?

Elle s'arrêta.

— Je n'ai pas pensé que je tomberais enceinte, dit-elle prudemment, sachant que ce n'était pas une réponse, mais que c'était la seule qu'elle pouvait donner, à elle-même et aux autres.

— Et ça ne t'a pas gênée qu'elle ait été conçue de cette façon-là ? Sans rien ressentir ?

— Non. Non, pas du tout. Au contraire, ça paraissait tout à fait propre, comme si cela ne concernait qu'elle et moi, et non pas moi et lui.

— Tu ne penses plus à lui maintenant.

— Presque jamais. C'est drôle, je ne suis pas sûre de très bien me souvenir de lui. C'était il y a si longtemps, comme si j'étais quelqu'un d'autre.

— On dirait que tu as remporté une victoire, en fin de compte.

— Tu crois ? Je ne vois plus ça du tout comme une bataille.

— C'est pour ça que tu sais que tu as gagné.

— Aaah ! Je me souviendrai de ça à l'avenir.

Elle changea légèrement de place. Sa main effleura son bras. Elle l'y laissa un instant, enregistrant la chaleur moite de sa peau, s'attendant à le voir se tourner vers elle. Comme il ne bougeait pas, elle fit courir ses doigts sous son aisselle, dans la touffe de poils emmêlés. Elle tira dessus gentiment. Elle l'imagina se déplaçant pour faire semblant de se venger, se hissant au-dessus d'elle, son poids la clouant au lit. Maintenant, il faisait presque assez frais pour faire l'amour. Ils s'allongeraient là, leurs corps collés l'un à l'autre. Il ne bougea toujours pas. Elle approcha son visage de la fourrure au creux de son bras, respirant l'odeur âcre de sa sueur. Les poils étaient longs et étonnamment soyeux, comme ceux d'un enfant, différents des boucles drues de son entrejambe. Elle les caressa de sa langue, léchant et explorant, imaginant en retour sa bouche gourmande descendant dans ses cheveux. Cette pensée l'excita encore plus. Elle poursuivit son voyage, marquant d'un fin trait de salive le dessus de sa poitrine. Là, sa peau était plus douce, presque plus jeune. Elle songea au corps parfait et tendre de Lily, à ses aisselles si délicates qui révélaient qu'elle n'était pas encore formée. Elle pensa à la façon dont elles s'allongeaient ensemble quand Lily s'endormait ; elle, se servant de son doigt comme une plume, jouant sur le dos de la fillette, traçant les contours de son omoplate en forme d'aile de poulet avant de glisser sous son aisselle. Elle l'entendait glousser au bord du sommeil, puis crier « encore ! » En six ans, Anna avait appris à toucher une peau. Elle s'était perfectionnée. La frontière entre la sensualité et la sexualité était mince comme une pensée et épaisse comme le désir. Elle ne pouvait comprendre qu'on puisse confondre les deux.

Aujourd'hui, face de nouveau à une chair d'adulte, elle était étonnée de découvrir tout ce qu'elle avait appris. Elle ressentait davantage les choses et prenait un plaisir particulier à faire naître le sentiment. La générosité possédait un érotisme puissant. Elle n'avait pas connu ça dans ses liaisons avant la naissance de Lily.

Son absence de réaction l'excita encore davantage. Elle glissa sa main par-dessus son ventre en direction de sa queue qui se durcit légèrement à l'idée de la caresse. C'était autant du réflexe que de la passion. Elle eut envie de continuer. C'était un de ses charmes, il aimait se laisser séduire et n'était ni effrayé ni nerveux devant son désir. Peut-être était-ce dû à son âge et au mariage. S'ils s'étaient rencontrés vingt ans plus tôt, sans doute les choses auraient-elles été différentes. Entre eux, il y avait davantage que du sexe : la force du mystère, les choses tues, les demi-vérités, l'intimité violente des étrangers. Dans la douce lumière du soir qui descendait, leurs mots étaient aussi érotiques que leurs gestes.

— Parlons de toi, dit-elle, en se redressant pour regarder son visage tandis qu'elle continuait de le caresser du bout des doigts. Quels sordides petits secrets caches-tu pour avoir besoin de te racheter ? (Elle lui donna gentiment une bourrade dans les côtes.) Allez, avoue-moi ça.

Il ouvrit les paupières dans un battement.

— Hé !

Puis :

— N'arrête pas avec tes doigts. J'aime ça.

— Eh bien, réponds à ma question.

— Pourquoi ?

— Parce que c'est à ton tour de témoigner. Je veux te voir à la lumière d'un contre-interrogatoire.

Il secoua la tête en souriant.

— Je te préviens, je suis retors. Sous la pression, j'invoque le cinquième amendement.

— Si tu ne réponds pas, j'arrête de te toucher.

— D'accord, d'accord. J'abandonne. (Il ouvrit les yeux et la regarda fixement.) Tu sais déjà tout ce qu'il y a à savoir sur moi, Anna. Je suis un homme marié qui ne devrait pas être ici, mais qui ne peut pas résister. D'abord, quel était son nom ?... Chris, maintenant moi. Peut-être es-tu le genre de femme qui séduit les hommes mariés sur les rochers avec ton chant de sirène.

Elle éclata de rire. Mais ils savaient tous deux que c'était faux. Une authentique sirène doit être sourde à tous les autres chants que le sien. Et Anna avait déjà trop de voix qui chantaient dans sa tête.

— Sottises ! Tu essaies juste de rebrancher la conversation sur moi.

— D'accord. Alors commence. Dis-moi ce que tu vois.

Elle réfléchit un court instant.

— Je vois un homme qui s'ennuie facilement, quelqu'un qui est habitué à avoir ce qu'il veut et qui désire ce qu'il ne peut avoir.

Il fit la grimace.

— Humm. On passe aux critiques maintenant, ou on continue dans la flatterie ?

Elle sourit mais poursuivit.

— Ce qui m'intéresse le plus, c'est ce que tu fais de ta culpabilité.

Il secoua la tête.

— Je ne suis pas doué dans ce domaine-là. Je te l'ai dit la première nuit où nous nous sommes rencontrés. Je ne l'ai jamais été, même quand j'étais enfant. La culpabilité ne sert à rien sauf si on croit en la contrition et je n'y ai jamais cru.

— C'est aussi simple que ça ?

— Probablement pas, mais au moins, c'est honnête.

— Honnête. Tu utilises beaucoup ce mot.

— Ah bon ? Eh bien parce que je crois que je le suis.

— Honnête ? Avec qui ? Toi-même ? Moi ? Elle ?

Il eut un petit haussement d'épaules comme si une réponse était inutile puisqu'elle ne le croirait pas.

Elle tenta une nouvelle fois.

— Dis-moi une chose. Quand tu retournes auprès d'elle en me quittant, tu ne te sens pas coupable ? Tu es le même que d'habitude ?

Il réfléchit à la question.

— Non. Pas le même. Je pense que je suis plus attentif à elle.

Elle haussa les épaules.

— Pour moi, ça ressemble à de la culpabilité.

— Parce que ça ne t'est jamais arrivé. C'est plus complexe que ça. Être avec toi me la rend plus étrangère. Elle a l'air différente et j'aime ça.

— Donc, quand tu fais l'amour avec d'autres femmes, elle te paraît plus intéressante sexuellement. Ça t'excite ?

— Ce n'est pas nécessairement une question de sexe, répondit-il calmement.

Elle resta silencieuse un moment en le regardant, attendant qu'il aille plus loin. Mais rien ne vint. N'y avait-il rien ou ne voulait-il pas céder ? C'était dur de le savoir.

— Qu'est-il arrivé à ta main ? reprit-il doucement. Tu as arrêté de me séduire.

Elle éclata de rire. De ses doigts, elle lui caressa légèrement la poitrine puis s'arrêta, sa paume inerte sur son torse.

Au cours des quelques dernières minutes, ils avaient franchi une sorte de ligne. Chacun d'eux le savait à sa façon.

— Et elle ? Elle sait que tu baises à droite et à gauche ?

— Est-ce une affirmation ou une question ?

— Prends-le comme tu veux.

Un jeu dangereux, honnêtement.

— Tu sais, Anna, je ne crois pas que parler des choses les rende toujours plus claires.

Ce n'était pas tant ce qu'il disait que la façon dont il le disait, comme si en lui, il y avait un petit trou bien net, vide, sans émotion. À sa grande surprise, au lieu de s'énerver, elle eut un élan de tendresse vers lui. Elle souleva sa main, il la saisit, l'attira, nouant étroitement ses doigts aux siens, puis il ajouta :

— Écoute, je ne dis pas ça pour te blesser.

— Je ne suis pas blessée, répondit-elle avec fermeté. Mais quand tu commences quelque chose, va jusqu'au bout.

Il soupira.

— D'accord. Quelle était la question ?

— Est-ce qu'elle sait que tu baises à droite et à gauche ?

Il se tut pendant un moment.

— Elle sait que je l'ai fait dans le passé.

Elle revit en pensée le carrousel à bagages, la demi-douzaine de valises identiques et luxueuses dansant une chorégraphie de Busby Berkeley, chacune portant des initiales amoureusement gravées. Les conquêtes de Samuel. Elle avait eu raison. Il s'arrêta.

— Mais elle n'est pas au courant pour ça.

Le carrousel stoppa, mettant sa valise en pleine lumière, un sourire à la Ruby Keeler pour la caméra.

— Et si elle le savait ? Si elle savait pour ça ? insista-t-elle.

Il soutint son regard.

— Je pense qu'elle serait terrifiée.

Quelque chose dans son estomac se serra et se dénoua.

— Pourquoi ?

Il fronça les sourcils. Elle lui tira sur la main.

— Non, allez, pourquoi ?

— Oh, Anna ! Tu n'es pas idiote. Tu sais aussi bien que moi ce qui se passe. Nous prenons un risque. Et plus nous nous amusons, plus ça devient dangereux.

— Mais je croyais que tu m'avais dit que ça ne t'était jamais arrivé.

— Je t'ai dit que ça n'était jamais arrivé. Dans le passé.

— Mais hier...

— Hier, j'ai dit ce qu'il fallait pour te faire changer d'avis. Parce que nous étions très loin de chez nous et parce que je voulais que tu restes. (Il s'arrêta.) Et puisque nous essayons d'être honnêtes, tu dois admettre que j'ai dit également ce que tu voulais entendre.

Ce fut à son tour de hausser les épaules.

— Regarde les choses en face, Anna. Cette histoire te chamboule autant que moi. Serais-tu restée, hier, si je t'avais dit que je pouvais penser à quitter ma femme ? Si j'avais commencé à parler crédits immobiliers et rendez-vous au cinéma avec Lily pour mieux la connaître ? Je ne crois pas. Je pense que si je l'avais fait, tu serais rentrée par le premier avion. Parce que tu ne voulais pas plus d'un compagnon que je ne voulais d'une autre femme. Ou tout au moins, c'est ce que tu pensais. C'était ce que nous pensions tous les deux. C'est pour cette raison que tu restais dans cette histoire comme moi, coupable ou pas. C'est ce qui rendait cette aventure si égale et si douce.

— Alors, pourquoi parlons-nous au passé ? demanda-t-elle calmement, consciente soudain de la tension dans l'air.

Il ne répondit pas immédiatement, mais enlaça ses doigts plus étroitement et attira sa main vers lui. Elle résista, en attente.

— Parce que je ne sais plus ce que je veux, dit-il calmement. Et je ne suis pas sûr que tu le saches, non plus.

À la maison — Samedi après-midi

20 heures. Samedi soir. Il faisait si chaud que nous décidâmes de manger dans le jardin. Paul avait trouvé du poulet au congélateur et inventait une nouvelle recette sur le barbecue. J'avais préparé des salades. Je sais bien faire les salades, sûrement à cause du rituel tranquille du hachoir.

Michael arriva à la dernière minute avec une bouteille de champagne. S'attendait-il à trouver Anna ou pensait-il qu'il y avait quelque chose à fêter ? Ce n'était pas très clair. De toute manière, c'était une bonne idée. Je le regardai venir vers Paul qui cuisinait debout près du feu et lui glisser une main autour de la taille avant de lui asséner un baiser rapide dans le cou. Paul fit semblant de ne pas s'en apercevoir, mais son bassin eut un petit sursaut tandis qu'il reculait pour se coller au corps de son amant.

Puis il se dirigea vers moi et, à la place de l'habituel sourire, m'embrassa spontanément et maladroitement. Je fus étonnée de la chaleur que ça me procura. Anna m'avait raconté que Paul était seulement la deuxième grande histoire d'amour de Mike. Au-delà de sa jeunesse et de son énergie, on le sentait accueillant, en quête d'une vie de famille et de gens à materner, comme si son homosexualité n'était que secondaire. Quelle autre sorte d'homme aurait pris en charge avec autant d'aisance non seulement Paul, mais son autre famille bizarre ? Pour la énième fois, je me répétai que certains gays sont une perte véritable pour les femmes : des hommes qui, avant, à une époque bornée et sinistre, auraient été forcés de se marier, d'avoir des enfants et des liaisons secrètes et auraient peut-être pourtant éprouvé une sorte de plaisir dans ces faux-semblants. Les gens étaient-ils plus heureux aujourd'hui ? La question était abstraite. Il semble qu'on ne peut pas discuter avec le sexe. Il gagne toujours.

— Lily est couchée ? demanda Mike en servant l'alcool.

— Tout juste, répondis-je.

— Comment va-t-elle ?

Paul et moi nous regardâmes.

— Elle sait que quelque chose ne va pas mais elle accepte l'idée de se tromper, dit-il prudemment. D'un autre côté, elle a tellement nagé et joué aujourd'hui qu'elle s'est endormie comme une masse.

C'était vrai. L'après-midi avait été épuisant. Écartelés entre la volonté de continuer à avoir une vie aussi normale que possible et de la gâter au maximum pour compenser, nous étions restés plus longtemps que prévu à la fête foraine, montant sur chaque manège, essayant chaque jeu, certains deux fois. Paul avait gagné un panda anormalement gros en jetant une poignée de fléchettes (ce n'était pas un talent que je partageais avec lui). Et elle avait remporté un punching-ball en trouvant le bon numéro sur le dos des canards. À l'heure où nous étions partis, la foule barbe-à-papa et familiale de l'après-midi laissait place à des groupes d'adolescents bruyants en quête de défoulements. Lily était si harassée que nous dûmes l'empêcher de s'endormir dans la voiture. Nous achetâmes des *fish and chips* sur le chemin du retour, puis je regardai une vidéo avec elle, racontant l'histoire d'une jeune fille qui aidait un vol d'oies à retrouver son chemin. Elle était trop fatiguée pour prendre un bain mais insista pour que chacun de nous lui raconte une histoire. Elle ne parla pas d'Anna, se mit sur le ventre et s'endormit comme une bougie qu'on souffle.

La dernière fois que j'étais allée voir, elle dormait profondément. Je ne savais pas si j'en étais soulagée ou inquiète.

Après le champagne, nous bûmes du vin et je montai à l'étage pour aller chercher les photos et les petites annonces. Je regardai leurs visages tandis que je les étalais sur la table.

— Tu penses vraiment que ça peut avoir un rapport avec sa disparition ?

Paul n'était pas convaincu.

— En l'absence d'autre chose, oui, je suppose que oui. Pourquoi ? Qu'en penses-tu ?

Il secoua la tête.

— Je ne l'imagine pas partant en week-end cochon sans rien dire.

Je haussai les épaules.

— Peut-être n'a-t-elle pas osé nous le dire.

— Pourquoi pas ?

Mike était renversé au fond de sa chaise et se balançait sur les deux pieds arrière, une photo d'Anna à la main.

— Eh bien, en général, on ne se vante pas de trouver ses amants dans les petites annonces...

Paul sourit.

— Tu as toujours été snob en ce qui concerne le sexe, Estella.

J'éclatai de rire.

— C'est une façon généreuse de décrire des années et des années d'échecs. Cela dit, qu'est-ce ça peut faire si je le suis ? Je ne crois pas que c'est le genre de choses qu'Anna irait crier sur les toits.

— Pourquoi pas ? reprit Mike calmement. Paul a raison. Ce n'est plus un problème de nos jours... Tu sais, les annonces, les agences matrimoniales... Il y en a partout. Le monde est plein de célibataires friqués trop occupés. Mettre une petite annonce, c'est une façon de lancer le filet. Il n'y a pas à en avoir honte, plein de gens font ça.

Lancer le filet. Ça semblait vaguement biblique, comme un prélude à la naissance d'une lignée.

— Ah bon ?

— Bien sûr. C'est de la rigolade. Surtout ce genre de truc. Tu sélectionnes quelques annonces qui te paraissent intéressantes, tu appelles et si ça assure, tu laisses un message.

— Tu l'as fait ?

— Évidemment. Quand je suis arrivé à Londres, je ne connaissais personne, il fallait bien que je commence par quelque part. J'ai pensé que le *Guardian* me procurerait quelques gays cultivés.

— Et... ?

Il secoua la tête.

— La récolte n'a pas été aussi riche que je l'espérais.

— Mais tu en as rencontré certains ?

— Oh, bien sûr. J'ai rencontré un couple. Un prof du Surrey — il était pas mal — et un gars de Wandsworth. Un analyste en informatique. Il possédait une superbe collection de disques de jazz. Sauf que je n'aimais pas le jazz.

Paul, à ses côtés, le regardait affectueusement.

— Tu as couché avec lui ?

— Non. Il était trop sérieux. Ne me regarde pas comme ça. Je suis persuadé que toi aussi, dans ton passé plus agité que le mien, tu as donné suite à quelques messages. (Paul eut un haussement d'épaules étudié. Mike lui donna un coup de coude dans les côtes.) Je vois. Et je parie que tu les as baisés...

Conversation d'amoureux. C'était plutôt mignon de surprendre ça.

— Certainement pas. Je ne les ai même jamais rencontrés. J'ai juste... Eh bien, ils ne semblaient pas...

— Ils ne semblaient pas assez cochons pour toi, je parie.

Mike éclata de rire en remplissant le verre de Paul et, se penchant, il fit pareil avec le mien.

D'un certain côté, j'étais ravie d'être là, assise à les regarder étaler leur relation intime. Anna adorerait ça, pensai-je : l'alcool, la compagnie, les plaisanteries et les bavardages. Cela me rappelait les soirées que nous passions quand nous avions davantage de temps et d'énergie.

Mais Anna n'était pas là, c'est pour ça que nous étions réunis. Je secouai la tête.

— C'est différent pour les femmes. Les homos voient sûrement ça comme une forme de drague.

Paul me sourit avec bienveillance.

— Ça, ma chère Stella, ce n'est pas de la drague, ce n'est pas assez direct. Draguer implique une action. Là, c'est plus un plaisir intellectuel.

— Ah bon ? En tout cas, Anna s'est arrêtée de parler à un moment et a commencé à entrer dans le vif du sujet. Tout au moins c'est ce que disent ses factures de téléphone.

Je les avais trouvées dans une chemise après avoir mis Lily au lit. Le numéro du service des Amis de cœur apparaissait sur le trimestre allant jusqu'à la fin juin. Il y avait trois à quatre longues communications par semaine de la fin mai à juin pour un montant exorbitant. Puis, à la moitié du mois, tout s'était arrêté. On était maintenant mi-juillet. Nous examinâmes les factures.

— Putain, ce truc est hors de prix, siffla Mike doucement. Ce n'est pas étonnant que j'étais toujours fauché, les premiers mois. Est-ce que ça veut dire qu'elle a appelé plusieurs fois ou qu'elle a bavardé longtemps ?

— Si mon expérience de l'après-midi a une quelconque valeur, c'est plutôt la deuxième solution. Mais vous avez vu quand s'arrêtent les appels ? Soit Anna en a eu marre, soit elle a trouvé quelqu'un.

Paul haussa les épaules.

— Tu en as appelé certains ?

Je fis oui de la tête.

— Ils étaient toujours disponibles ?

— Pas tous. Certains, oui.

— À quoi ressemblaient-ils ?

— Plutôt à des types désespérés.

— Pas le genre d'hommes qui plaisent à Anna ?

— Pas du tout. À moins que... (J'hésitai sur les mots.) À moins qu'elle ne soit désespérée, elle aussi. (Il y eut un silence.) Je me suis demandé si elle ne s'était pas sentie, je ne sais pas, plus seule, exclue, en vous voyant tous les deux ensemble.

— Nous avons fait très attention à elle, trancha Paul, immédiatement sur la défensive. Elle sait que ça ne changera rien.

— Je le sais... Je ne vous attaque pas. Seulement...

— Je pense que vous vous trompez, coupa Mike, visiblement très sûr de lui.

— Sur quoi ? dis-je.

— Sur tout. Sur Anna. Je ne pense pas qu'elle soit désespérée. Je crois qu'elle est juste en train de réfléchir à tout un tas de choses.

— Quelles choses ?

— Les hommes. Le sexe.

Paul le regarda longuement.

— Qu'est-ce qui te fait dire ça ?

Il redressa sa chaise et étala les photos sur la table.

— Eh bien, d'abord, ces derniers mois, elle s'est davantage intéressée à son apparence. Elle a essayé de se teindre les cheveux pour rehausser sa couleur noire.

— Ah bon ? renchérit Paul.

— Oui, on en a parlé tous les deux. Des teintes qui iraient le mieux. C'est ma spécialité, la couleur et la lumière. Elle s'est décidée pour de l'acajou. C'était parfait. Et elle s'est mise à porter des vêtements différents, plus près du corps. Elle est devenue davantage sexy.

— Sexy ? répétai-je, me disant en mon for intérieur que ce mot était drôlement joli, riche de toutes les odeurs de la terre et de dents acérées.

— Ouais, dit-il en haussant les épaules. Plus sexy.

— Et de quoi d'autre t'a-t-elle parlé, à part de la coloration des cheveux ? demanda Paul.

Il était visiblement intéressé, pas seulement par ce qu'il apprenait sur Anna mais par ce qu'il découvrait sur son amant.

— De rien en particulier. Mais c'est clair, non ? Je veux dire, Lily n'est plus un bébé. Et même si elle l'adore, elle s'en aperçoit. Je pense qu'elle a besoin d'ouvrir ses ailes. Ou d'essayer. Juste pour voir l'impression que ça fait.

Tandis qu'il parlait, je découvris soudain que le fait de connaître Anna depuis des années ne nous aidait pas. Alors que nous la percevions comme une femme façonnée par le passé, par les vieilles blessures et son amour total pour Lily, Mike l'avait sentie loin de tout ça, préoccupée davantage par le futur.

Paul fronça les sourcils.

— Si elle ne t'a rien dit, comment sais-tu tout ça ?

Mike sourit.

— Ton problème, c'est que tu crois que tu en sais plus que moi parce que tu es plus vieux.

— Non ! s'esclaffa Paul. Quelle putain d'impertinence !

Mike eut un large sourire, appréciant visiblement la plaisanterie.

— Écoute, c'est simple. J'ai vu Megan passer par les mêmes choses l'an dernier. Megan est ma sœur aînée. Son mari l'a plaquée — il y a, quoi, trois ans — en la laissant avec deux enfants en bas âge. Elle a été une très bonne maman, elle a beaucoup travaillé sans prendre le temps de se détendre mais elle s'en est lassée. Elle a besoin de souffler un peu, de vivre pour elle et de voir si elle en est capable. Je pense que c'est un peu ce qui est arrivé à Anna.

Nous restâmes silencieux, réfléchissant à tout ça. Je n'avais pas vu Anna depuis ma visite fin avril. Elle était très prise, avait acheté de nouveau vêtements et semblait avoir le moral par intermittences. Ensuite, nous nous étions ratées plusieurs fois au téléphone. Un autre vendredi, nous avions peu parlé à cause du travail qui nous accaparait toutes les deux. Peut-être avait-elle senti que je n'approuverais pas. Peut-être n'étais-je pas la bonne confidente, avec ma vie installée. C'était pareil pour Paul, avec ses affaires croissantes et sa nouvelle histoire d'amour. Ce soir, il allait apprécier son amant encore plus. Mike venait de révéler une compassion et une intuition qui le rendaient encore plus désirable et pimentaient leur relation. C'était étrange de penser que l'absence d'Anna avait pu apporter quelque chose de positif.

— Alors, on en est où ? demanda Paul. Est-ce qu'on raconte tout ça à la police ? Stella ?

— Je ne sais pas. Qu'est-ce qu'on peut leur dire ? On n'a aucune preuve qu'elle n'est pas rentrée à cause de ces petites annonces. Et même si c'est le cas, on ne sait même pas de laquelle il s'agit. Elle en a appelé dix ou quinze. Elle aurait pu en appeler cent. Elle a pu aussi répondre à d'autres ailleurs, ou même en mettre une elle-même. On pourrait chercher pendant des semaines.

— Oui, sans doute. Si tu te lèves, Mike, tu peux apporter une autre bouteille de vin ? Elle est sur l'étagère. Et passe la tête dans la chambre de Lily. Vérifie qu'elle dort bien.

— D'accord. (Il ramassa les assiettes et se dirigea vers la porte de la cuisine. Puis se retourna.) Hé ! les gars, vous avez mis le répondeur ?

Paul et moi nous regardâmes.

— Non, dis-je. Je l'ai éteint après avoir écouté les messages. Pourquoi ?

— Parce que j'ai l'impression qu'il y a quelqu'un qui parle dans l'entrée.

Au loin — Samedi après-midi

Il se tenait à côté de la porte. Elle dut prendre son courage à deux mains pour ne pas courir.

Cette fois, elle prit conscience de tout. Des quatre portes fermées sur le palier, des barreaux à la fenêtre à mi-hauteur dans l'escalier, de la porte d'entrée au fond, sombre, en bois épais, apparemment impénétrable. Elle eut la vision soudaine d'une femme en robe rouge vermillon tirant frénétiquement sur le verrou, ouvrant le battant à toute vitesse, s'élançant le long d'un sentier, le bas de sa robe s'accrochant à une mauvaise herbe, le bruit d'un pas la poursuivant. Elle ne savait pas si cette femme était plus grande qu'elle ou s'il s'agissait d'elle-même. Elle chassa cette image.

Au rez-de-chaussée, elle passa devant d'autres portes fermées et se dirigea vers celle qui était entrebâillée. Même s'il vivait en ermite, il avait nécessairement besoin d'une cuisine et d'une chambre. Son passeport et son billet devaient se trouver dans l'une de ces deux pièces. Il y avait aussi forcément une fenêtre s'ouvrant sur le monde extérieur. Ne te précipite pas, Anna. D'abord Lily et puis de quoi manger. Après, tu réfléchiras aux moyens de t'enfuir.

La pièce avait été transformée pour la soirée : de gros cierges d'église sur le manteau de la cheminée et les rebords de la fenêtre, et de la musique religieuse, un enregistrement de jeunes voix dont le timbre chaud se répercutait dans la pièce. Sur une nappe bleu foncé posée devant l'âtre se trouvait de la nourriture ; une douzaine de mets présentés sur des assiettes de céramique brillantes, plusieurs sortes de fromages, de viandes, de pains, des salades, des poissons cuits et des poivrons grillés. Et à côté une bouteille de vin rouge. L'ensemble était presque sinistre dans sa perfection. Malgré elle, elle se mit à saliver. Elle se détourna du feu et chercha le téléphone des yeux. Il l'avait déjà en main. Elle pensa à son mensonge quand il avait essayé d'appeler un taxi. Il n'oserait pas retenter ça de nouveau, n'est-ce pas ?

— Je vais faire le numéro pour vous, expliqua-t-il calmement. Afin d'être sûr que vous tombiez bien au bon endroit.

Il appuya sur quelques touches. Elle hésita. Connaissait-il réellement son numéro personnel ? Il lui avait dit qu'il avait téléphoné la nuit de son arrivée pour prévenir de son retard mais c'était sûrement un mensonge. En tout cas, il semblait savoir ce qu'il faisait. Elle le regarda composer le numéro. Elle s'imagina dans sa cuisine en ce beau crépuscule d'été. Lily dormait sûrement à cette heure. (Paul était plus scrupuleux qu'elle sur les heures de coucher.) Lui et Estella devaient rôder près du téléphone, attendant son appel. S'il tombait sur l'un ou l'autre, allait-il raccrocher ? Un étranger demandant à parler à Lily leur mettrait tout de suite la puce à l'oreille. Même s'il raccrochait immédiatement, ce serait sans doute assez pour les alerter. C'est ce qu'elle espérait. C'était le moins et le plus qu'elle pouvait faire. Pouvait-on localiser un numéro provenant de l'étranger ? Il devait ignorer ça. Elle sentit son estomac se nouer. Elle aspira de grandes bouffées d'air pour préparer sa voix.

Il leva les yeux vers elle :

— Ça sonne.

Ce ne serait pas long. S'il y avait le répondeur, il se

déclenchait après deux sonneries. Il écouta quelques secondes, puis lui lança brusquement le combiné.

— Souvenez-vous, dit-il alors qu'elle le lui arrachait des mains, seulement ce qu'on a convenu.

Et il posa sa main juste au-dessus de l'appareil, prêt à couper la communication.

Au loin — Samedi après-midi

Ses mots étaient suspendus entre eux, comme une invitation à l'honnêteté.

Quelquefois c'est dur de savoir ce qui est le plus douloureux, dire la vérité ou mentir. Cela aurait été le moment parfait pour se confesser. Cela ne lui aurait pas trop coûté.

« Tu te rappelles cette première nuit au restaurant, Samuel ? Eh bien, je ne t'ai pas dit toute l'histoire. Je ne suis pas exactement la femme que tu crois... »

Dans la bonne circonstance, un tel acte de confession pouvait être érotique. La pénitence vient avec l'absolution programmée. La sexualité de la soumission. Elle forma les mots dans sa tête. Mais il apparut que ce n'était pas le bon moment. Le cri retentit à travers les stores comme du verre brisé. Dès la première note, elle reconnut la voix d'un enfant qui souffrait.

Le hurlement déchiqueté fut suivi par des sanglots irrépressibles, paniqués et terrifiés. On aurait dit que l'enfant venait d'être frappé sournoisement ou horriblement blessé. Elle réalisa qu'il s'agissait d'une petite fille de l'âge de Lily et sa détresse lui laboura l'estomac. Elle se dégagea des bras de Samuel et s'assit. Les sanglots continuèrent pendant ce qui parut être une éternité. Quelqu'un devait bien l'avoir entendue ? Finalement, elle perçut une voix de femme s'exprimant d'un ton calme au-dessus des pleurs et peu à peu l'hystérie s'atténua, céda place à un bruit de larmes étranglées, plus familier, le signe que l'enfant avait accepté l'apaisement qu'on lui offrait. Anna pouvait presque sentir le poids du corps de la fillette sur ses genoux, toucher les joues rougies et maculées de pleurs. Aucun adulte ne pouvait exprimer un tel chagrin et en être réconforté aussi vite et totalement. Cet incident la ramena à une autre passion loin de celle qui se déroulait dans la chambre. Cette intrusion suffit à briser le charme.

— Quelle heure est-il, Samuel ? demanda-t-elle brusquement.

Il sourit, comprenant à demi-mot ce qui se passait dans la tête d'Anna. Il s'allongea de tout son long sur les draps et ramassa sa montre posée sur le sol, près du lit.

— Je savais bien que j'avais rencontré mon maître, dit-il en la lui agitant sous le nez. Tu vois, pas besoin de paniquer. Elle sera encore debout. Il est une heure plus tôt à Londres.

Il s'extirpa du lit et alla remonter les stores pour laisser entrer les ombres pastel du crépuscule.

— Donne-moi deux minutes pour m'habiller et sortir. Je vais aller commander le premier plat pendant que tu téléphones.

À la maison — Samedi soir

Nous avions un tas d'excuses : la nuit était chaude, le patio attirant, de la musique, troublant le silence, s'échappait d'un jardin voisin et la porte de la cuisine s'était à moitié refermée. Échauffés par l'alcool, nous parlions avec vivacité, nos voix et nos rires montant crescendo. Mais ce n'était pas suffisant. Si le téléphone avait sonné dans la maison, nous aurions dû l'entendre. Mais voilà, nous ne l'avions pas entendu !

Paul s'empara de l'écouteur accroché au mur du fond de la cuisine. Je l'entendis crier « allô » tandis que moi et Mike courions d'un trait dans l'entrée où se trouvait l'appareil principal. Nous arrivâmes presque à temps.

Dans sa longue chemise de nuit, avec ses cheveux décoiffés, elle ressemblait à un petit fantôme pâle qui aurait perdu son chemin. Elle était debout près de la table de l'entrée, le combiné à la main. À travers on entendait la voix de Paul, insistante, presque colérique.

— Allô, allô, Anna, est-ce toi ?

Il avait visiblement effrayé Lily. Lui ou quelqu'un d'autre. Comme je m'approchais d'elle, elle repoussa l'écouteur dans ma direction, à la fois pour se protéger et comme si elle ne voulait plus y toucher.

Je me mis à sa hauteur et le lui ôtai des mains avec

précaution. Paul s'était tu. La ligne était muette. Je l'entendis dégringoler l'escalier. J'ouvris mes bras à Lily mais elle ne s'y réfugia pas.

— Est-ce que la sonnerie t'a réveillée, Lily ? demandai-je doucement, entendant Paul arriver derrière moi dans l'entrée.

Elle eut un petit haussement d'épaules, à moitié oui, à moitié non.

— Je suis désolée. Nous étions dans le jardin. On n'a pas entendu, repris-je.

Je fis signe aux deux autres derrière de ne pas bouger. Je surpris l'œil de Paul. Il avait l'air bizarre. Je me demandai ce que Lily ressentait en nous voyant tous les trois penchés comme ça sur elle.

— Comme tu as bien fait d'arriver ici en premier, lui dis-je en souriant. Qui était-ce, chérie ? On a laissé un message ?

Elle fronça un peu les yeux. Pas étonnant qu'elle eût l'air perdu. Elle était probablement encore à moitié endormie.

— C'était maman. Elle m'a dit qu'elle allait bientôt rentrer.

DEUXIÈME PARTIE

À la maison — Samedi soir

Elle vint vers moi peut-être parce que mon corps avait la forme, la douceur et les courbes aux mêmes endroits que sa mère et que dans les moments difficiles, tout le monde a besoin de réconfort. Paul sembla blessé qu'elle se réfugie dans mes bras. Cependant, il était assez sensible pour ne pas discuter sa décision. Il s'était montré si insistant, si tendu au téléphone.

Nous étions assis dans le jardin, elle sur mes genoux, un verre d'eau pétillante sur la table, un morceau de poulet à la main. Elle nous racontait une histoire. Ce n'était pas la première fois que nous l'entendions mais comme elle se modifiait légèrement à chaque récit, nous avions besoin d'avoir une certitude. Elle était, je n'en doute pas, perturbée par l'incident mais profitait aussi de l'occasion, consciente d'être le centre de l'attention générale.

Nous avions découvert quelques petites choses en l'interrogeant : les mêmes faits vus sous différents angles.

— Elle a dû être surprise que ce soit toi qui décroches le téléphone, lançai-je vivement.

— Oui. Elle m'a demandé si j'étais couchée.

— J'espère que tu lui as dit oui, coupa Paul avec une sévérité feinte.

— Oui, mais j'ai précisé que je ne dormais pas encore.

Je lui fis un petit bisou.

— Tu dormais quand je suis montée voir dans la chambre.

— J'avais les yeux fermés, expliqua-t-elle gravement. Je suis très bonne pour ça.

— Et elle a vraiment dit qu'elle avait appelé plus tôt ?

Elle acquiesça. Elle était visiblement déjà fatiguée de cette question mais Paul insista.

— Lui as-tu dit que nous n'avions pas eu le message ?

Elle haussa les épaules, puis hocha la tête de nouveau. C'était difficile de savoir si elle ne disait pas ça pour nous faire plaisir.

Je pris la parole, tentant de changer de sujet.

— Alors, elle a annoncé qu'elle serait bientôt de retour ?

— Oui.

— Lundi ? lança de nouveau Paul.

Elle fronça les sourcils.

— Je crois. Elle a dit qu'elle allait venir me chercher à l'école.

— Parce que les avions étaient complets jusque-là ?

Elle fit oui de la tête avec impatience, bien que visiblement elle n'en eût pas la moindre idée. Je vis ses mâchoires se serrer, signe qu'elle se sentait acculée.

— Paul, murmurai-je légèrement. Si on parlait d'autre chose en buvant du chocolat. Avec un biscuit peut-être. Qu'en penses-tu, Lily ?

Mike revint pendant que la bouilloire chauffait. Il secoua la tête.

— C'est impossible de savoir si ça vient de l'étranger. Ils n'ont pas une technologie très avancée.

— Pourtant quand on appelle l'étranger, ils enregistrent automatiquement le numéro international, s'étonna Paul. C'est marqué sur les factures.

— Oui. C'est comme ça que ça marche. Mais pas dans l'autre sens.

— Tu es sûr ?

— Écoute, j'ai appelé l'opérateur et les renseignements.

— La police pourrait peut-être le faire, dis-je calmement pendant que Lily s'intéressait à la boîte de biscuits.

— Non, répondit Mike. Apparemment non. Je leur ai aussi posé la question.

— Seigneur, et on est censés nager en plein progrès ! s'énerva Paul en claquant la porte du réfrigérateur. Tu aurais dû demander à parler au directeur.

— Je l'ai fait, Paul, mais on est samedi soir et il est 22 heures. Lui ou elle a aussi une vie. Alors, s'il te plaît, ne t'en prends pas à moi, hein ?

Paul soupira. D'accord. Il s'approcha de Lily et s'accroupit devant elle. Elle continua de regarder fixement son biscuit, l'air têtu. Attention, Paul.

— Écoute, petite crevette. Je sais que tu es fatiguée mais je veux seulement que tu me redises quelque chose. Maman ne t'a pas dit d'où elle appelait ?

Elle secoua la tête, la bouche pleine de bouts de chocolat.

— Et tu lui as expliqué que nous étions tous là à l'attendre, hein ? Stella aussi ?

— Oui. (Un morceau de biscuit s'échappa de sa bouche en même temps que le mot.) Je t'ai déjà dit tout ça.

— Je sais, chérie. Mais peux-tu te rappeler exactement ce que tu lui as raconté sur nous ?

Elle secoua la tête, les mâchoires contractées. Je n'aurais pas voulu être à la place de Paul en cet instant. Silence.

— Lily, souffla-t-il.

Puis, plus fermement :

— C'est important, ma chérie.

Elle avança sa tête vers lui d'un air menaçant et se mit à hurler :

— J'ai dit que vous étiez dans le jardin, ça te va ? cria-t-elle. Tu n'as pas entendu la première fois ?

Puis elle se recula vivement, épaules rentrées, tête baissée, se murant en elle-même, fermée à tout signe venant de l'extérieur.

Lorsqu'elle est déchaînée — ce qui par chance n'arrive pas souvent — la colère de Lily peut arracher le papier peint. Sa fureur est comme incandescente. Alors que les autres enfants hurlent, trépignent, elle s'enferme dans une absence totale, une surdité proche de la désobéissance civile.

Paul posa une main sur son genou. Elle lança sa jambe en avant. Cette stratégie avait réussi à faire fuir les Britanniques des Indes, elle allait nous abattre si nous ne tentions rien rapidement. Je vis Paul serrer les mâchoires. Une fois la bagarre entamée, ça pouvait durer des heures.

Je croisai le regard de Mike. Ce dernier fit une grimace puis éclata de rire.

— Hé ! écoute. Anna n'a pas souhaité nous parler parce qu'elle téléphonait à Lily, dit-il gaiement, en posant une main sur l'épaule de son amant. J'aurais fait la même chose. On dirait que tu es jaloux, Paul.

Paul se renfrogna. Lily le remarqua, lança un rapide coup d'œil à Mike pour vérifier que l'on ne se moquait pas d'elle, sembla réfléchir un instant puis céda. Ses épaules se détendirent. Je jure que je les ai vues s'abaisser. L'air autour de nous recommença à circuler librement.

Je laissai la tension retomber définitivement.

— Je suis sûre qu'elle nous appellera plus tard, dis-je une fois persuadée que le ciel s'était éclairci. Quand tu seras couchée. En parlant de ça, sais-tu l'heure qu'il est ?

Elle soupira — une légère brise, pas un vent d'orage —, mais le temps était redevenu clément.

— Oh, Stella... C'est dimanche, demain.

Elle me cajola. L'ancienne Lily était de retour.

— C'est peut-être vrai mais... Stella a raison, c'est l'heure d'aller au lit, intervint Paul, grand perdant cette fois. Allez ! Avec qui veux-tu monter ? Moi ou elle ?

Elle prit son temps et nous regarda tous les deux.

— Est-ce que je peux avoir un autre biscuit ?

— Non.

La réponse fusa d'une seule voix.

Elle haussa les épaules et montra Mike du doigt.

Il eut un large sourire.

— Très bon choix. Avec plaisir. Tant que tu ne me demandes pas de relire l'histoire de l'ogre géant.

Elle lui prit la main et l'entraîna. Je les regardai partir. L'harmonie était restaurée. Comment peut-on penser que les enfants sont dénués de pouvoir ? Ils savent se battre bien mieux qu'une banale division *Panzer* allemande. Mais leur vraie force, c'est de savoir faire la paix.

Certains pourraient la trouver précoce, mais j'aime la façon dont Lily sait manœuvrer les adultes. Cela dénote une certaine confiance dans l'humanité, chose qui m'a toujours échappé quand j'étais enfant. Il faut dire que les circonstances n'étaient pas de mon côté. À la porte, elle se retourna :

— Si maman rappelle, vous me réveillerez ? J'ai oublié de lui dire quelque chose.

Paul hocha la tête.

— Oui, bien sûr. Allez, en haut maintenant, citrouille. Je viens te dire au revoir dans une minute.

Ils partirent ensemble comme s'ils faisaient ça tous les soirs. Une nouvelle fois, je constatai que Mike s'était révélé d'une grande valeur. Cette crise allait sûrement approfondir leur relation. C'était intéressant de voir Paul avec un homme plus jeune. Face à l'insouciance de Mike, il semblait plus concentré, plus strict. Mike avait peut-être permis à Paul de grandir enfin (il m'a toujours semblé que les beaux homos portaient sur leurs épaules le fardeau des attentes sexuelles des autres), pour devenir davantage lui-même.

Le voir avec Lily avait été une vraie révélation ; les questions franches, l'attachement au foyer, le mélange de discipline et d'amour. Je réalisai que dans le passé, je l'avais considéré davantage comme le parent « de plus », jouant les types sympas. Était-il sévère à cause de ses soucis chroniques ou était-ce son mode d'éducation, il était difficile de le dire.

C'est le moment, je crois, de parler davantage de cette étrange famille non nucléaire dont Lily est le centre et, d'une certaine façon, la clef.

Je sais bien qu'on ne sait rien encore sur ce qui prédomine entre l'inné et l'éducation mais si vous aviez passé un quart d'heure en compagnie de Lily quand elle était bébé vous auriez cru aux vertus de l'inné. Parce que Lily n'est pas simplement née, elle est venue équipée de son propre plan de bataille. L'enfant unique d'une mère célibataire. De quoi avait-elle besoin ? D'une nature joyeuse, d'une capacité à faire ses nuits très jeune, de s'attacher aux adultes quand ils se révélaient dignes de confiance et de la croyance intime que le monde ferait pour vous ce que vous faisiez pour lui. C'était le moyen d'être aimée pour toujours. Lily. Extravertie et réservée en même temps. Si l'on avait pu se servir d'elle comme d'une arme politique, le débat sur les familles monoparentales aurait pris un nouveau visage.

Bien sûr, nous avons joué notre rôle.

Dès le début, nous avons donné tous trois à cette plante peu commune la structure et la sécurité sans laquelle elle ne pouvait fleurir. De mon côté, cela consiste en visites régulières, moi chez elle et elle chez moi, en longues factures de téléphone (je parle à Lily personnellement presque aussi souvent qu'à Anna) et en dépenses exorbitantes, en jouets, livres et vêtements d'enfant extravagants.

Paul a eu un niveau d'engagement similaire, ce qui peut paraître plus étonnant étant donné sa vie d'homosexuel. Peut-être a-t-il toujours eu le secret désir d'avoir un enfant, reconnaissant là que c'était sa seule chance. Je ne le connais pas assez bien pour le lui demander, mais je sais vraiment qu'il a toujours été là pour toutes les deux, financièrement autant qu'affectivement. Depuis sa rencontre avec Anna, il y a treize ans, dans un cours de graphisme informatique, il a créé une affaire de logiciels prospère qui l'a mis à l'abri du besoin. Il les aide financièrement. Anna a mis du temps à l'accepter. Son aide leur a rendu la vie plus facile. Tout comme leur vie a rendu la sienne plus riche.

Depuis de nombreuses années, il a ses habitudes. Il reste le vendredi et parfois le samedi soir, emmène Lily une partie du week-end et s'occupe d'elle lorsque Anna est sortie. Durant toute cette période, il a eu également une succession d'amants — il n'a jamais caché son homosexualité et en parle ouvertement —, mais aucune liaison vraiment sérieuse. En clair, aucun de ses petits amis n'est parvenu à modifier son engagement envers Lily. Ce n'est pas avec l'arrivée de Michael dans la famille que les choses vont changer... C'était parce qu'il en prenait soin ainsi que Paul avait le droit de parler d'elle comme il l'avait fait ce soir.

Visiblement, depuis quelques heures, il était inquiet.

— Je ne comprends pas, lâcha-t-il, presque en colère. Comment Anna a-t-elle pu ne pas demander à nous parler ? Elle devrait savoir que nous sommes fous d'inquiétude.

— Pas nécessairement. Pas si elle croit avoir laissé un message.

— Mais elle ne l'a pas fait, n'est-ce pas ?

— Le problème est que nous n'en sommes pas sûrs, Paul. Et si elle en avait laissé un sur ton portable ?

Il secoua la tête.

— Dans ce cas-là, nous ne le saurons jamais parce que ma putain de secrétaire a tout effacé avant de vérifier. Il n'y en avait pas, de toute façon. Je veux dire, j'ai écouté les messages vendredi matin, avant d'entrer en réunion. Il n'y avait rien. À ce moment-là, elle avait déjà douze heures de retard. Si elle avait dû appeler, elle l'aurait fait plus tôt.

— Peut-être a-t-elle été retenue ? Pourquoi aurait-elle dit à Lily qu'elle avait laissé un message si ce n'était pas vrai ?

Il resta silencieux une seconde, ramassant des miettes de pain sur la table du bout de ses doigts, puis les jetant dans l'herbe.

— Tu ne crois pas que Lily nous a simplement dit ce qu'elle croyait qu'on voulait entendre.

— Que veux-tu dire ?

— Tu as remarqué comment elle s'est fâchée quand on l'a interrogée.

— Arrête, Paul, elle était paumée. Tu as eu de la chance qu'elle tienne aussi longtemps. On n'arrêtait pas de la bousculer.

— Tu veux dire que moi, je la bousculais ?

Je haussai les épaules.

Il poussa un long soupir.

— Tu ne me trouves pas raisonnable ? Tu ne crois pas qu'Anna aurait dû nous parler ?

— Je ne sais pas. Elle a peut-être voulu mais Lily a raccroché avant qu'elle ait eu le temps...

Il secoua la tête.

— Elle n'a pas rappelé.

— C'était occupé, rappelle-toi. Mike parlait avec l'opérateur.

— Ouais, eh bien, ce n'est plus occupé maintenant...

Le silence se fit. En haut, j'entendais un murmure de voix dans la chambre de Lily. Ils devaient être passés au second livre sans que Mike l'ait remarqué. Je me servis un autre verre de vin. Le ciel s'épaississait et s'assombrissait. Un mois après le solstice d'été, la lumière baissait déjà. C'est la marque des pessimistes de chercher l'hiver au plein cœur de l'été.

En dépit de mes récents succès, plus je vieillis plus j'ai besoin de lumière. C'était peut-être pour ça que je résistais à Paul. Je sentais qu'il échafaudait des choses. Je n'avais encore rien dit. J'allais devoir le faire.

— Elle ne téléphonera pas, murmura-t-il alors que j'engloutissais la moitié de mon verre.

— Qu'essaies-tu de dire, Paul ?

— Personne n'a entendu sonner le téléphone, pas vrai ? Nous étions tous dehors ici avec la porte ouverte. La musique n'était pas très forte, pourtant nous n'avons rien entendu. Elle, si. Si elle dormait — et toi et moi on l'a vue endormie —, il aurait fallu plusieurs sonneries avant de la réveiller. Quand j'ai décroché dans la cuisine, la ligne était muette. Il n'y avait absolument personne au bout. C'était comme lorsque le téléphone est décroché depuis très longtemps. Lily parlait-elle quand tu es arrivée dans le hall ?

— Non. Mais c'est parce que tu lui criais dessus dans l'écouteur. Attends une minute. Es-tu en train de me dire que tu crois que Lily a tout inventé ? Que ce n'était pas Anna au téléphone ?

— Écoute, Stella, je ne dis rien de spécial. Ce que je sais, c'est que si Anna avait appelé elle aurait dû nous parler. Ou au moins à toi quand elle a su que tu étais là. Sinon, ça n'a aucun sens. C'est possible. Tu sais comment est Lily, elle veut toujours arranger les choses pour les autres. Elle a peut-être inventé ça parce qu'elle savait que nous étions inquiets, ou parce qu'elle se faisait du souci. Elle a fait semblant de parler à Anna pour se sentir mieux. Elle a toujours été une grande bavarde et adore faire semblant de parler au téléphone.

— Oui. Quand elle était plus petite, mais c'était pour jouer. Elle n'a jamais fait de choses pareilles auparavant.

— Il ne s'est jamais rien passé de semblable, je te signale ! (Il soupira.) Toi et moi, on sait que Lily a une sacrée imagination. Quand elle en a envie, elle est capable de s'accrocher à une histoire même si elle l'a inventée. Anna m'a raconté la semaine dernière qu'elle lui a fait un grand numéro, en rentrant de l'école, en disant que tous les enfants de sa classe avaient attrapé la varicelle. Elle a maintenu ça pendant des heures. Tout ça parce qu'elle ne voulait pas aller en cours de gym le lendemain. Anna a été forcée d'appeler une des autres mamans pour vérifier.

Peut-être ment-elle mieux que toi, pensai-je en mon for intérieur, même si ce n'était pas le moment de dire ça.

— Ce n'est pas la même chose. Ce soir, quand on l'a questionnée, elle n'a jamais changé de version. C'était très cohérent.

— Ce n'était pas compliqué, tu ne crois pas ? Maman a appelé, elle a dit qu'elle a été retardée, on a parlé de ce qu'on avait fait à la fête foraine, puis maman a dit bonne nuit, qu'elle l'aimait et qu'elle allait rentrer bientôt. Rien sur l'endroit où elle se trouvait ni sur les raisons de son silence jusqu'à présent. Je suis désolé. Je ne suis pas vraiment convaincu. En plus, tu as vu comme ça l'a mise en colère.

Je soupirai.

— Je ne sais pas. Je pense qu'à sa place aussi, je serais devenue folle. C'est une enfant intelligente, Paul. Même si on passe un week-end sympa, elle sent que quelque chose, quelque part, est en train de se briser. En fait, je suis même étonnée qu'elle n'ait pas craqué plus tôt.

Nous nous arrêtâmes de parler. Je réalisai que Paul allait certainement me dire qu'il connaissait Lily mieux que moi. D'une certaine façon, c'était vrai. Je savais aussi qu'il avait raison. La version de Lily n'était pas très logique mais je ne voulais pas vraiment réfléchir à tout ça. Parce qu'il fallait répondre à une autre question.

— Je pense que nous devons en parler à la police, dis-je, hésitante.

— On ne peut pas répondre de cette conversation puisqu'on n'a pas parlé directement à Anna.

— Paul ! La police a mis des hommes sur cette affaire, ils la recherchent. Peut-être a-t-elle juste raté son avion, ou bien tu n'as pas eu son message. Si on ne leur dit rien, on leur donne une fausse information.

— Tu as changé d'avis depuis ce matin, n'est-ce pas ? J'avais l'impression que tu trouvais qu'ils n'en faisaient pas assez ?

Je poussai un soupir.

— Oui, c'était quand tu as sous-entendu qu'elle était perturbée.

— Tu es toujours certaine qu'elle ne l'est pas ?

Je le regardai fixement.

— Seigneur, Paul ! Qu'y a-t-il ? À ton avis, que se passe-t-il ?

— C'est le problème, Stella. Je n'en ai pas la moindre idée. Un moment elle a disparu et on est tous flippés ; l'instant d'après, elle est avec un type parce qu'elle a changé de couleur de cheveux et a besoin de s'envoyer en l'air ; la minute suivante, c'est rien de tout ça, elle discute au téléphone avec Lily... En attendant, on ne sait pas où elle est, avec qui, comment et pourquoi. (Il secoua la tête.) Tout ça m'énerve, c'est tout. De plus, je ne supporte pas de voir Lily en difficulté.

Il jeta un coup d'œil vers la fenêtre de la chambre, la veilleuse était allumée, éclairant en tremblotant les silhouettes dansantes. Mike allait redescendre.

S'il avait raison ? Si Lily avait inventé cette histoire de coup de fil pour nous réconforter ? Et si quelque chose était vraiment arrivé à Anna ? Si elle n'avait pas appelé, il ne pouvait y avoir aucune autre explication à ce silence prolongé.

L'espace qui nous séparait était noyé par l'obscurité. Je tendis la main et la posai sur la sienne.

— Et si on faisait un compromis ? Je continue de penser qu'elle a téléphoné, tu persistes à croire que non, et on attend demain pour voir si l'on appelle la police ?

Il soupira.

— D'accord. (Il serra ma main brièvement.) Je suis désolé, Estella. Mais ça me fait tourner en bourrique.

— Oui, je sais. Je ressens la même chose. Écoute, pourquoi ne demandes-tu pas à Mike de rester avec toi ici, cette nuit ? Ça ne gênera pas Lily et on sait qu'Anna serait d'accord.

Il hocha la tête en silence, puis répondit :

— Tu sais, je me suis souvenu de l'endroit où j'ai vu Chris Menzies.

— Où ça ?

— Il faisait un reportage sur un scandale de la Mafia dans le Sud de l'Italie. Il y a deux ou trois mois.

Je fronçai les sourcils.

— Tu ne penses pas...

Il eut un léger haussement d'épaules.

— Je sais simplement que je n'ai pas d'autre explication. Je ne pense vraiment pas qu'il y a un homme là-dessous. Mais je ne pourrais pas le jurer. J'ai été si occupé ces derniers temps. Comme je te l'ai dit, je l'ai trouvée bizarre récemment. Si Mike avait raison...

Il s'interrompit.

Je secouai la tête.

— Attends. On se moquera d'elle quand elle reviendra. Tu verras.

Peu de temps après, nous fermâmes le jardin et allâmes nous coucher. Personne n'avait appelé la police.

Au loin — Samedi soir

— Vous devez manger maintenant. Nous avons passé un accord, vous vous souvenez ?

Parler de nourriture fit bouillonner un jus aigre au creux de son estomac mais la voix de Lily chantait toujours à son oreille et elle avait peur de lui laisser voir à quel point elle était encore bouleversée.

Si Anna ne s'était pas attendue à entendre sa fille répondre au téléphone, elle s'était encore moins préparée à l'impact de sa voix, cueillie au saut d'un lit tiède, gazouillant des histoires de dîners en famille et de samedi d'enfant gâté. Terrifiée à l'idée de s'effondrer si elle en disait trop et de le voir couper la communication, elle avait surveillé ses paroles. Lorsque était venu le temps des questions — elle les attendait —, elle avait prétexté un avion manqué, changé de sujet en parlant de son retour, promis d'aller la chercher à l'école et de manger des pizzas devant la télé. Ce fut seulement à la fin, alors qu'elles se disaient au revoir, qu'elle eut envie de pleurer. Lily avait la voix pleine de sanglots et elle eut du mal à ne pas cacher sa détresse. Réalisant sa peine, il avait brutalement interrompu leur conversation.

Elle ravala ses larmes, la fureur se heurtant au chagrin. Non, nous n'avons aucun accord, pensa-t-elle. Elle se retint de ne pas lui lancer le combiné à la figure. Ça ne lui ferait pas assez de mal. Elle chercha dans la pièce une arme quelconque. La bouteille de vin... Elle n'arrivait pas à en détacher ses yeux. Lancée avec suffisamment de force, elle pouvait briser le crâne d'un homme. Je me fiche de votre chagrin ou de votre peine. Vous êtes un cinglé, un malade, et je vais sortir d'ici à la seconde même où vous ferez l'erreur de me tourner le dos. Et je suis sûre que vous le ferez dès que vous commencerez à vous sentir plus à l'aise avec moi. Dès que....

J'arrive, Lily, pensa-t-elle. J'arrive.

— Vous avez raison. (Elle respira profondément.) J'ai besoin de manger un peu.

Il prit une assiette sur la table et s'agenouilla devant la nappe, prenant bien soin de la garder dans sa ligne de mire. Il était assez proche et elle sentit de nouveau son odeur, effluve chimique mélangé à un après-rasage écœurant, comme si l'on avait abusé de l'un pour masquer le parfum de l'autre. Elle repensa à la senteur de pin dans la voiture, aux plis impeccables de son jean. Monsieur Propre, monsieur sou neuf. Il lui avait donné le frisson dès qu'elle était montée dans la voiture. Pourquoi, oh ! pourquoi n'était-elle pas descendue ? Elle regarda le haut de sa tête et essaya d'imaginer le verre planté dans l'os, le sang et le vin collés dans les cheveux. Une expérience désagréable pour un homme qui n'aimait pas le désordre. Et pour une femme qui n'aimait pas la violence. Arriverait-elle à faire ça — le frapper avec assez de force pour le rendre inconscient —, elle n'en avait aucune idée. Pour l'instant, ce fantasme était assez réconfortant.

Il prit un peu de chaque plat et remplit son assiette ; des anchois, du fromage, des poivrons, des oignons, du salami. La faim prenait le dessus. Elle sentit un filet de salive couler dans sa bouche. Il fit un geste en direction du vin.

— Non, dit-elle à voix haute, ravalant sa bave. Non, je ne veux pas d'alcool.

Il se retourna et la regarda :

— Il n'y a rien de mauvais dedans, dit-il tranquillement. Vous avez accepté de rester. Je n'ai plus besoin de vous droguer.

— Je sais, répondit-elle avec impatience. Ce n'est pas ça. J'ai trop faim pour boire. Ça va me rendre malade.

Il reposa la bouteille sur le sol et lui tendit son assiette.

— Voilà, dit-il, mangez doucement.

Il se rassit sur le sofa et la regarda.

Elle ne pouvait plus attendre. Les anchois explosèrent sur sa langue, ils étaient si salés qu'elle dut avaler un morceau de pain pour éponger sa salive. Il y avait si longtemps qu'elle n'avait pas mâché que ça ressemblait à une activité étrangère. Elle pensa à Lily, avalant toujours trop de nourriture à la fois et grimaçant de l'autre côté de la table, la bouche ouverte. Elle s'obligea à mastiquer lentement jusqu'à ce que ses mâchoires lui fissent mal. Le parfum véritable commença à se faire sentir, aigre, doux, exquis, puissant. Il inonda son cerveau et son palais. Elle ferma les yeux pour ne pas le perdre. Rien n'aura jamais aussi bon goût, pensa-t-elle. Chaque fois que je m'assiérai pour manger, chaque fois que j'ouvrirai le réfrigérateur, je serai ici de nouveau, à revivre ce moment. Si jamais j'arrive à rentrer chez moi !

Elle lui jeta un coup d'œil en biais. Il était assis, sans bouger, et la contemplait. Son regard était si pénétrant que c'était comme tenter de fixer le faisceau d'une lampe. Elle posa son regard ailleurs, laissant ses yeux courir sur le mur, sur les photos au-dessus de la cheminée. Son alter ego était partout, souriante, riant dans des dizaines de poses différentes : animée, occupée, les ongles assortis aux vêtements, en pleine conversation. Tous les clichés étaient soigneusement découpés. On ne voyait qu'elle, jamais la personne qui l'accompagnait. C'était lui qui avait dû encadrer chacune de ces photos avec un soin considérable, presque obsessionnel.

Au fond, il y avait d'autres portraits, plus intimes, des gros plans d'elle souriante, le regard franc, à l'aise. Je ne pourrais jamais être aussi détendue devant un appareil photo, pensa-t-elle. Même si j'étais amoureuse du photographe.

Au repos, le visage de la femme avait une énergie et un pouvoir incroyables. Sa présence devait illuminer une pièce. C'était dur de les imaginer ensemble. Elle si dynamique, lui si mort. Dans la réalité, c'était l'inverse qui s'était produit. Comme c'était étrange !

Est-ce que je lui rappelle vraiment cette femme ? se demanda-t-elle. Est-ce aussi simple et stupide que ça ? Et s'il disait la vérité ? Trois jours de bavardage, un peu de compagnie et hop, il me raccompagne à l'aéroport. Il était assez perturbé pour avoir trouvé cette solution afin d'éviter de vivre seul un anniversaire douloureux. Aucun doute là-dessus. Elle se sentit soudain fatiguée d'avoir peur, fatiguée d'avoir mal. Elle avala une autre bouchée et une vague chaleur se répandit dans son corps rigide.

— Vous aviez raison, dit-elle après un moment. J'avais faim.

— Le goût est puissant, n'est-ce pas ? Je fais ça parfois. Arrêter de manger puis savourer lentement.

— Mettez-vous aussi de la drogue dans vos boissons ? Vous vous enfermez aussi à clef dans votre chambre pendant plusieurs jours ?

— Je suis heureux que vous ayez mis cette robe, déclara-t-il, omettant ou préférant ne pas relever le sarcasme. Je l'ai toujours aimée. Le rouge est votre couleur.

Si je n'étais pas mieux informée, je pourrais penser que vous êtes un homme poli, plutôt ennuyeux. Mais j'en sais davantage. Et vous aussi.

— Il y a du vernis également, vous savez, pour les ongles. Au fond du tiroir.

Ainsi, elle ressemblerait complètement à la photo. Parfaite jusqu'aux moindres détails. Était-ce ce qu'il voulait ? Oh, non, pria-t-elle. Il n'est pas aussi cinglé que ça, s'il vous plaît ! Il est temps de changer de rive. Elle respira un grand coup :

— Au fait, on ne s'est même pas dit nos noms ?

— Non, dit-il sans la quitter des yeux. Je m'appelle Andreas.

Il ne précisa pas de nom de famille.

— Bien. Je m'appelle Anna, Anna Franklin. Mais vous le savez déjà, bien sûr, grâce à mon passeport. Et ma fille s'appelle Lily. Elle a six ans, presque sept.

Elle s'arrêta. Connaissez-vous les enfants, voulut-elle ajouter. À quel point ils ont besoin d'amour et de sécurité ? À quel point on peut les détruire en les privant des personnes qu'ils aiment ? Mais elle ne le fit pas. Marche sur la pointe des pieds, Anna, se dit-elle. Plus il sera à l'aise, plus tu auras tes chances.

— Comment s'appelait votre femme ?

Il ne répondit pas immédiatement, comme s'il ne voulait pas admettre que les deux avaient des identités séparées.

— Paola, lâcha-t-il enfin. Elle s'appelait Paola.

Paola. Était-ce ce nom qu'il avait utilisé il y a deux jours ? Elle ne se le rappelait plus.

— Elle était italienne ? Je me suis dit qu'elle était peut-être anglaise.

Il poussa un grognement.

— Son père était anglais, sa mère italienne.

— Ah ! Alors, elle parlait les deux langues.

— Oui.

— C'est elle qui vous a appris l'anglais ?

Il acquiesça.

— Elle a fait du bon travail.

Il ne répondit pas.

— Est-ce ainsi que vous vous êtes rencontrés ?

Toujours rien.

— Était-ce ici ou en Angleterre ?

Dans le court silence qui suivit, l'office du soir chanté par la chorale s'arrêta brutalement. Dieu parti, la pièce parut plus froide. Elle nota une nouvelle tension chez lui. Son épaisse couche de politesse était en train de céder la place à quelque chose d'autre. Peut-être parce qu'elle faisait les frais de la conversation, prenait le contrôle. Était-ce à cause de leurs attitudes respectives — lui un piquet planté dans l'âme, elle incapable de le dégeler ? Son envie de le fuir à toutes jambes était plus que normale. Six années dans une maison isolée, en plein désert. C'était comme être enterré vivant.

Elle jeta un rapide coup d'œil sur la bouteille posée dans l'âtre. Elle était loin. Prends ton temps, Anna, pensa-t-elle. Tu n'auras peut-être qu'une seule chance.

— Vous savez, Andreas, je vais vous dire la vérité. J'ai peur de vous. Et quand je n'ai pas peur, je suis en colère. Ce que je veux le plus au monde, c'est rentrer chez moi auprès de ma fille. Mais vous affirmez que vous n'allez pas me faire de mal et que si je vous tiens compagnie pendant quelques jours, vous me laisserez partir. Nous allons donc passer du temps ensemble. Mais je ne peux pas prétendre être Paola. Je ne peux être que moi-même, vous comprenez ? Pour que ça marche, il faut qu'on se parle. Sinon, ce n'est pas possible. Je ferais aussi bien de retourner dans la chambre et d'y rester. (Elle s'arrêta.) Pourquoi ne me parlez-vous pas d'elle ?

Il poussa un petit grognement, se pencha et ramassa la bouteille de vin. Elle regarda sa chance disparaître. Ne panique pas, se dit-elle. Il y aura d'autres occasions. Il la déboucha et remplit deux verres. Il lui en offrit un. Elle l'accepta et avala une minuscule gorgée. Il avait dû coûter cher, comme le dîner et les vêtements. Comme c'est pratique d'avoir assez d'argent pour financer ses folies ! Ce serait intéressant de savoir de quel côté de la famille ça venait.

— Quand je vous ai vue dans la boutique, je savais que vous seriez comme ça, dit-il.

— Comme ça quoi ?

Il regardait toujours son verre, comme si la conversation l'intimidait.

— Comme elle. Je l'ai rencontrée dans cette boutique, celle où l'on vendait le cheval.

Il haussa les épaules et poursuivit :

— C'était différent alors, c'était un endroit sérieux

consacré aux livres, à l'étude. Elle venait d'arriver à Florence. Elle avait grandi à Londres, mais son père était mort et elle était rentrée s'installer auprès de sa mère. Nous avons commencé à discuter. Elle parlait un merveilleux anglais. Je l'avais appris à l'école et dans mon travail, mais je voulais me perfectionner. Elle a proposé de me donner des cours. Des leçons de conversation. Je n'étais pas un bon élève. (Il s'arrêta.) J'ai mis du temps à faire des progrès. Assez longtemps pour qu'elle tombe aussi amoureuse de moi.

C'était la première fois qu'il disait quelque chose qui ressemblait, même de loin, à de l'humour. Elle en fut presque choquée. Elle étudia son visage attentivement. Comme elle ne répondait pas, il leva les yeux vers elle, un pâle petit sourire aux lèvres. Était-ce ce qui l'avait charmée ? Le garçonnet timide caché sous le monsieur important ? Ça ne suffisait pas. Elle tenta de les imaginer, leurs deux têtes penchées au-dessus d'un livre, elle corrigeant les mots. Le secret d'une langue est dans la forme des lèvres. L'apprentissage quotidien des petites voyelles anglaises si précises les avaient-ils précipités dans les bras l'un de l'autre ? Pourquoi pas ? Sa personnalité était plus coincée qu'extravagante, plus anglaise que celle de n'importe quel anglais. Peut-être certaines personnes naissent-elles dans la mauvaise culture, s'égarent-elles en tentant de former les mauvaises syllabes ?

— Alors, vous vous êtes mariés et vous êtes venus ici ?

— Oui.

— C'est loin de Florence ?

Il haussa les épaules. S'il perçut la question comme une manière de se renseigner, il n'en manifesta rien.

— C'est très isolé. Elle s'en moquait ? insista Anna.

— Pas du tout. Elle l'avait voulu. Elle l'a choisi. Elle trouvait que la maison respirait le silence des femmes et que ça ferait un bon foyer. Nous l'avons arrangée ensemble.

Je parie que ce n'est pas elle qui a décoré ma chambre, songea-t-elle. Je suis sûre qu'elle a été faite après. « Le silence des femmes. » Si les photos étaient révélatrices, cela ne collait pas avec l'image qu'il en donnait. Une femme possédant ce genre de garde-robe mettant du plâtre sur les murs et nettoyant les sols ? Avec du vernis à ongles écaillé ?

— Et les enfants ? ajouta-t-elle, sachant déjà avec une certitude absolue que cet homme n'avait jamais été père.

— Des enfants ? Non, nous n'avons pas eu d'enfants. (Il s'interrompit.) Elle ne pouvait pas en avoir.

— Je suis désolée.

Il haussa les épaules.

— Ce n'était pas un problème. On s'est toujours sentis assez tous les deux.

Elle se demanda si *Mills & Boon*[1] avaient un équivalent italien. Cette description devenait si sirupeuse que la femme commençait à perdre toute profondeur. Elle les imagina gravissant ensemble l'élégant escalier à la fin d'une longue journée de bricolage habillés de vêtements haute couture, ses mains dégrafant la fermeture Éclair de sa robe tout en marchant ; la mer Rouge s'ouvrant pour dévoiler une terre blanche prête à s'offrir. L'image s'étrangla d'elle-même devant son propre cliché... Il semblait davantage le genre d'homme à plier ses affaires avant de se coucher. Quand elle tenta de pousser les choses plus loin, son imagination perdit pied. C'était ce qui était alarmant chez lui. Il semblait asexué. Avec le chagrin, ça arrive. Le sperme peut se transformer en larmes. Mais là, ce n'était pas le problème. Il faisait penser à quelque chose de gluant, comme la semence d'un homme qui s'est masturbé dans sa propre main. D'après ce qu'elle en voyait, jamais cette femme n'aurait voulu avoir de relation avec lui.

— Et vous avez pris toutes ces photos d'elle ? lança-t-elle pour chasser cette image de sa tête.

Il acquiesça.

— Est-ce votre métier ?

Il haussa les épaules.

1. Éditeur anglais de romans sentimentaux.

— Parfois. La plupart du temps, c'est pour mon plaisir.

— Vous travaillez encore ?

— Oh oui ! s'exclama-t-il. J'ai beaucoup à faire.

Elle prit conscience du malentendu mais ne le releva pas. La femme était assise entre eux dans la pièce.

— Elle était très photogénique. À quel âge est-elle morte ?

— Trente-six ans. Celles-ci ont été prises peu de temps avant sa mort.

— Mais vous en avez d'autres ?

— Oui.

— Combien ?

Il haussa les épaules comme si c'était trop dur de répondre à une telle question.

— Est-ce que vous les gardez ? Je veux dire, comme ça, accrochées dans d'autres pièces ?

Il hocha la tête. C'était donc ça qu'il y avait derrière toutes ces portes fermées ? Une maison transformée en musée. Rien d'étonnant à ce qu'il ait tant de mal à l'oublier.

— Vous êtes un bon photographe. (Elle marqua une pause.) Mais ce doit être douloureux pour vous de la voir partout comme ça.

Il mit du temps à trouver la réponse.

— Ce serait pire si elle n'était pas là.

Il n'y avait rien à ajouter.

— Puis-je en voir d'autres ?

La question resta suspendue dans l'air. Bien qu'il fût en demande, il n'était pas homme à être bousculé.

— Une autre fois peut-être.

Demain et après-demain, pensa-t-elle. C'est ce que tu as obtenu, rappelle-toi. Était-ce ainsi qu'ils allaient occuper leur temps ? Revisiter le passé en parlant anglais et en admirant les photos d'une morte ?

Ils restèrent assis en silence un long moment, étonnamment calmes. À la lueur des candélabres, son visage était détendu, presque serein. Elle but une autre gorgée de vin. Même avec un demi-verre, l'alcool batifolait dans sa tête et son estomac. Au fond de la pièce, une bougie tremblota, en réponse au courant d'air qui s'engouffrait par une fenêtre à demi ouverte.

Était-elle volontairement bloquée comme dans sa chambre ? Ça n'avait pas d'importance. Si elle parvenait à sortir d'ici, elle se retrouverait en plein désert, sans argent ni passeport. Pas ce soir, pensa-t-elle. Ce soir, je suis trop fatiguée. Pour ce soir, laissons-le croire qu'il est en sécurité avec moi, qu'il me laisse dormir seule.

Elle revit la chambre du dessus, sa serrure, et réalisa que la chaise ne lui serait d'aucune protection s'il décidait d'entrer. Pour l'instant, il ne l'avait pas encore fait et il avait eu plein d'occasions... Elle se repassa l'image de lui pliant ses habits. Tous les cinglés ne sont peut-être pas obsédés par le sexe. Peut-être faisait-il ça avec son appareil photo ? Elle réfléchit au nombre de fois où il avait dû photographier cette femme morte appelée Paola. Combien d'heures il avait dû passer à caresser son visage ou son corps dans le bac de développement.

Bien sûr — l'odeur ! Elle comprit d'où venait son odeur. C'était le parfum de la chambre noire, l'odeur collante et douceâtre des produits chimiques servant à développer et à fixer les clichés. Il en était encore là, passant sa vie à transposer les négatifs en positifs. Mais s'il avait la capacité de recréer à l'infini sa propre femme, pourquoi avait-il besoin de la compagnie d'un sosie bien inférieur ? Décidément, il y avait dans tout ça beaucoup de choses incompréhensibles. Une peur diffuse l'envahit. Elle posa son verre par terre.

— Je voudrais retourner dans la chambre maintenant. Je ne me sens pas très bien. Je pense que le vin m'a rendue malade.

Il ne répondit pas immédiatement, soupesant sa demande par rapport aux termes de leur contrat. Était-ce son imagination ? Elle sentit une tension affluer de nouveau, comme si quelqu'un tournait la clef d'un coucou.

— Je pense que c'est à cause de la drogue. Demain, je me sentirai mieux, ajouta-t-elle prudemment.

— Bien sûr. (Il se leva d'un bond.) Je comprends. Je vais vous accompagner en haut. Oh, mais j'oubliais. D'abord, j'ai quelque chose à vous donner.

Il se pencha, glissa sa main sous l'un des larges coussins du sofa et en tira un petit paquet enveloppé dans du papier d'argent.

Elle le prit avec précaution.

— Ouvrez-le. Ça vous aidera à dormir.

Elle eut un instant de panique, imaginant quelque objet compromettant ou intime, souvenir de leur vie passée qu'il voulait lui faire partager. Elle pensa au vernis à ongles et aux tiroirs pleins de vêtements propres. Pitié, Seigneur, faites que ce ne soit pas un sous-vêtement, pensa-t-elle.

— Ouvrez-le, s'il vous plaît.

Elle dénoua soigneusement les rubans et déplia le papier. Ses doigts rencontrèrent une forme longue et anguleuse, sous le tissu. Le souvenir lui revint brutalement. Elle déchira le reste de l'emballage. Le cheval de bois de Lily tomba sur ses genoux, sa patte de devant caracolant dans l'air.

— Vous voyez, dit-il. Vous pouvez me croire, maintenant. Dans quelques jours vous serez de retour chez vous et vous pourrez donner ça à votre fille. Comme si c'était vous qui le lui aviez acheté.

Elle resta muette. Tout en faisant courir ses mains sur les flancs froids, elle se revit dans la boutique, une femme amoureuse de son enfant, cherchant pourtant une certaine excitation pour se prouver qu'elle était encore elle-même. Était-ce ce qui l'avait séduit chez elle, l'odeur de sa nervosité ? Le monde était plein de femmes aux cheveux bruns et à la peau blanche. Il aurait pu en choisir une douzaine d'autres.

Que disaient-elles déjà, elle et Estella, lorsqu'elles étaient plus jeunes et que la vie les malmenait ? Ce qui importe, ce n'est pas les cartes qu'on t'a données, c'est la façon dont tu joues avec.

Pendant de longues années, elle avait cru que Chris, puis Lily, constituait l'essentiel de sa vie, que c'étaient eux qui décidaient de l'équilibre fondamental entre le bonheur et le chagrin. Désormais, elle savait avec une atroce certitude que tout ça n'avait été qu'une course d'entraînement. La vraie partie, celle qui allait tout décider, elle était en train de la jouer.

— Merci, dit-elle, le souffle court.

Elle sourit, non parce qu'elle le croyait, mais parce que en cet instant elle lui était vraiment reconnaissante.

— Vous voyez, fit-il, calmement. J'avais raison à votre sujet. Regardez ! Vous avez le même sourire qu'elle. Vous devriez sourire plus souvent.

Au loin — Samedi soir

Elle était assise jambes croisées sur le lit, le drap enroulé autour de ses épaules. Avec l'arrivée de la nuit, la pièce s'était rafraîchie. Était-ce parce qu'elle n'avait plus son corps pour la réchauffer... Elle regarda sa montre. 21 h 20. Au restaurant, il devait avoir fini son verre et avoir très faim. Pour une fois, elle avait envie de le faire attendre. Elle refit le numéro, mais c'était toujours occupé. Peut-être Lily n'avait-elle pas raccroché correctement. Ce ne serait pas la première fois.

Leur conversation avait été facile, pimentée de cours de natation et de fêtes foraines. Ce n'est qu'à la fin que les choses s'étaient gâtées, lorsque Lily avait perçu une ombre dans la voix de sa mère et lui avait demandé brusquement de rentrer à la maison. Anna avait tenté de l'amadouer mais s'était laissé dépasser par sa propre émotion et avait interrompu la communication un peu brutalement. Maintenant elle voulait vérifier que tout allait bien. Elle recomposa le numéro. Toujours cette tonalité occupée. Oh, Lily, souffla-t-elle, ce n'est pas un jouet, mon cœur. Il faut que tu te souviennes de bien raccrocher...

Elle pensa à sa maison où tout le monde était réuni. La visite d'Estella ce week-end était bien à propos. Elles ne s'étaient pas parlé depuis deux à trois semaines. Était-ce pour ça qu'elle était venue ? Pour vérifier certaines choses sur son compte ?

Peut-être aurait-elle dû leur dire ce qui se passait ? À Stella ou à Paul. Paul aurait difficilement été choqué par sa liaison avec un homme marié. Dans le passé, ils s'étaient fait tous deux beaucoup de confidences, enjolivant leurs récits de fiascos sexuels pour faire rire l'autre, tard dans la nuit, au-dessus d'un verre de brandy. Mais depuis l'arrivée de Mike, leur camaraderie simple — leur intimité sans intimité — s'était quelque peu évanouie. Du coup, elle ne lui avait rien dit à propos de Samuel, et lui, en retour, n'ayant rien deviné, ne lui avait pas posé de questions.

Avec Estella les raisons étaient plus complexes. Comme beaucoup d'amies intimes, elles ne se ressemblaient pas ; l'attitude spontanée, souvent irresponsable d'Anna mettait en valeur le tempérament d'Estella, volontairement sur la défensive. Mais la réussite de leur relation venait exclusivement du bon sens irréfutable d'Anna. Malgré sa trop grande spontanéité, elle était l'élément stable, celle qui était capable de percevoir le détachement douloureux de son amie qui avait perdu sa mère à l'âge de dix ans et s'en était sortie en refusant toute intimité avec les autres. Au fil des années, la profondeur de leur amitié les avait surprises et réjouies. La seule fois où elle avait été menacée, c'était pendant sa liaison avec Chris et la rupture qui avait suivi. Anna, dépourvue soudain de toute force, avait réalisé que son désespoir était contagieux, à tel point que lorsqu'elle avait pris un train en direction du Nord sans le dire à personne, c'était en partie pour fuir l'inquiétude écrasante, presque paniquée, d'Estella. Bien sûr, elle ne le lui avait jamais avoué. Cela l'aurait trop blessée. Mais même lorsqu'elle avait repris le dessus, il en était resté quelque chose. Leur amitié avait mis du temps à cicatriser. Anna était devenue plus avisée, elle ne confiait plus tout à sa meilleure amie, surtout lorsque ce tout représentait un homme marié à qui elle savait déjà qu'elle n'allait pas résister.

De toute façon, tout était arrivé si vite entre elle et

Samuel. Ce qui avait commencé comme une blague — une soirée passée à explorer les colonnes des petites annonces un samedi soir de beuverie — s'était transformé la semaine d'après en une idée d'article. Elle l'avait vendue à son chef de service.

— Et si je décide de coucher avec l'un d'entre eux ? avait demandé Anna avec une gentille cruauté.

— Tu fais ce que tu veux tant que tu changes les noms et que cela ne tourne pas au viol. Plus personne ne se préoccupe de ce genre d'histoires.

Anna savait déjà qu'elle ne le ferait pas. Aucun de ces hommes ne la tentait. Leurs voix, mélange de supplication et d'arrogance, le lui avaient annoncé dès le premier soir. Pourtant, elle s'était prise au jeu et avait laissé quelques messages joyeux et encourageants. Elle avait eu tellement de réponses qu'elle avait dû faire venir Patricia pour s'occuper de Lily deux fois dans la semaine.

Elle les avait rencontrés à deux reprises dans un des restaurants les moins voyants de Soho. C'étaient de gentils garçons mais ennuyeux : l'un était divorcé, fonctionnaire, voulait des enfants mais ne semblait pas préoccupé par la femme qui pourrait lui en donner ; l'autre, consultant en patrimoine à son compte, s'ennuyait devant son écran d'ordinateur dans sa maison de banlieue du sud de Londres et cherchait à retrouver une vie sociale.

En échange, elle était arrivée pleine d'identités différentes. Elle avait vite réalisé que pour écrire son article, elle n'avait pas besoin de mentir, seulement de ressentir quelque chose et de s'exposer en partie. Elle utilisa ce qu'elle put, Lily, la maison et les amis, et transforma son métier de journaliste en celui de professeur d'anglais à mi-temps pour des terminales au lycée local. Une vie bien remplie, mais pas sans failles, avait-elle songé en la déployant soigneusement devant eux. Les soirées s'étaient déroulées avec une remarquable similarité. À chaque fois, ils avaient étalé leurs marchandises à vendre, admiré les fruits de l'autre, mais personne n'avait vraiment envie d'acheter, ne souhaitant pas prendre le risque d'emporter ce qui ressemblait à de la nourriture avariée. La conversation avait commencé à languir vers le dessert et, après avoir sauté le café, ils avaient partagé l'addition en deux et s'étaient dit au revoir encore à table, se permettant ainsi de partir chacun de son côté. Elle avait écrit ses papiers mentalement en rentrant chez elle.

Après, elle s'était retrouvée complètement déprimée, comme si le monde était traversé de minces veines de tristesse ; pas la grosse tragédie mais la petite douleur quotidienne, suffisante pour empoisonner lentement tout au long de sa vie la personne la plus équilibrée. Merci mon Dieu pour Lily, avait-elle pensé férocement, elle rayonne bien plus que n'importe lequel d'entre eux. Cette nuit-là, tandis qu'elles dormaient l'une près de l'autre, elle imagina sa fille adulte, sortant à grands pas de la maison, indépendante, un profond silence s'élevant dans le sillage du claquement de porte. Connerie sentimentale, songea-t-elle, en descendant au rez-de-chaussée se servir un verre de vin. Le lendemain matin, elle appela le numéro des Amis de cœur et laissa un message de son cru, branché, presque colérique, réécrivant les sentiments de Marvell dans son poème *Coy Mistress* pour lancer un défi au sexe opposé. En le réécoutant, elle réalisa, légèrement choquée, que bien qu'il fût simulé, il était réel. Au moins, il contribuerait à faire un meilleur article. Seuls les hommes intéressés poseraient leur candidature. L'autre Anna, celle qui prenait des risques sans craindre les conséquences, était de retour !

Le week-end d'après, elle composa même le numéro pour vérifier que son message s'y trouvait bien. Au milieu de la pagaille du petit déjeuner et de la bousculade pour emmener Lily à sa leçon de natation, ça semblait scandaleux, presque indécent. Le lundi soir, elle avait reçu six réponses : des tranches de vie, de tristes conversations, un éclair de bravoure par-ci, par-là. Le sien était le quatrième. Il ne ressemblait à aucun autre.

« Salut ! Je vais être complètement sincère, d'accord ? Je suis persuadé que ce qu'il y a de plus important dans votre message, c'est la voix, pas son contenu. D'accord, je sais bien que ça ne dévoile pas toujours tout. Vous êtes assez âgée pour vous souvenir de Terence Stamp ? Ou vous êtes plutôt de la génération de Julie Burchill[1] ? Les exceptions confirment les règles. En tout cas, même si vous n'êtes pas ce que vous dites, votre voix vous a trahie. Je suis sûr que vous vous êtes déjà fait une opinion sur la mienne.

Quoi qu'il en soit, je propose que nous nous réservions une porte de sortie. Il y a un restaurant au sommet de la tour Oxo sur la rive sud. C'est pas terrible, rapport qualité-prix, mais la vue y est magnifique. J'y serai mardi de cette semaine à 21 heures. Table 110. Je l'ai déjà réservée. Vous pourriez venir jeter un œil, et si vous aimez ce que vous voyez, vous y asseoir. Sinon, ne vous inquiétez pas. Vous n'aurez pas tout perdu. Vous pourrez boire un verre et apprécier le paysage. Qui sait, vous pourriez même rencontrer quelqu'un d'autre ! Je ne saurai jamais si vous êtes venue ou pas. On ne peut pas rater ce qui n'existe pas, hein ? Quoique, je pense que ça m'est déjà arrivé. Bonne chasse ! »

Voilà de quoi écrire un très grand article, pensa-t-elle en l'écoutant.

Elle s'habilla plus simplement qu'à l'accoutumée et arriva délibérément en retard. Après avoir garé sa voiture sur Waterloo Bridge, elle longea le fleuve et le terre-plein en béton du nouveau Théâtre national. C'était l'un des premiers jours vraiment chauds de l'été et il y avait foule : les gens buvaient un verre, marchaient, feignant de vivre à Paris. Discrète et paresseuse, la Tamise faisait de son mieux pour coller à cette illusion. Cette promenade rappela à Anna à quel point elle aimait cette ville ; son culot, ses changements dans les années 80 où elle avait appris à se donner des airs. Cela faisait longtemps qu'elle ne s'était pas sentie aussi bienveillante à son égard, aussi désireuse de jouer.

Au sommet de la tour, les consommateurs venus

---

1. Jeune journaliste anglaise à la voix ténue qui écrit des articles très agressifs.

prendre un verre après le travail avaient déserté le bar mais le restaurant était bondé. La vue y était de toute beauté — Saint-Paul et la City — tandis qu'au comptoir, on devait se contenter des nouveaux buildings en développement et de quelques lumières. On était loin de *Blade Runner*.

La table 110 se trouvait près de la fenêtre. Refusant l'aide du serveur, elle se faufila dans la salle et s'en approcha pour observer clairement son occupant. N'ayant rien imaginé, elle n'avait pas le droit d'être déçue.

Il était grand, bien habillé, et approchait à peine des vingt-six ans. Il était plus mal fini que véritablement laid. Ses rides et bosses semblaient être de naissance plutôt que résulter des à-coups de la vie. Elle remarqua qu'il avait une pomme d'Adam proéminente. Comment sa voix pouvait-elle sortir d'une gorge aussi étroite ? Il leva la tête. De toute évidence, il attendait quelqu'un. Elle se retourna vivement pour ne pas croiser son regard et se retrancha au bar. On lui servit du vin dans un grand verre portant un petit logo Oxo sympa. Elle se retourna pour le regarder. Était-ce son âge ou son visage qui le rendait sinistre ? Depuis quand fallait-il être beau pour être un bon coup ? Ça n'existait que dans les films. Qui disait qu'elle devait coucher avec lui, de toute manière ? Elle était là pour trouver de la copie, pas pour s'allonger. On lui avait commandé un papier de trois mille mots sur les risques des rencontres par petites annonces. Bon Dieu, pourquoi n'allait-elle pas vers lui alors qu'elle était venue de loin pour le rencontrer ? Elle avait le sentiment de s'être fait piéger sans savoir de quoi il s'agissait...

Elle essaya de voir les choses autrement, transformant sa déception en ironie, se moquant d'elle-même, souhaitant être surprise. Elle glissa de son tabouret et se retourna. Il était debout, lui aussi. Pas pour elle apparemment. Une petite jeune femme, avec une masse de cheveux roux bouclés, avançait vers lui, entre les tables. En la voyant, il eut un large sourire et l'étroitesse de son cou sembla diminuer. À la façon dont ils s'embrassèrent, il était évident qu'ils s'étaient déjà rencontrés. La fille se laissa tomber sur la banquette en face de lui.

Au bar, Anna était restée debout, son verre à la main, complètement interloquée.

— La seule explication, c'est qu'il est plus riche que moi !

C'était la voix. Elle baissa les yeux et remarqua un type assis plus loin au bar, un livre sur les genoux. Elle aperçut un mot ressemblant à « rédemption » sur la couverture, mais elle était trop occupée à déchiffrer l'homme pour s'embarrasser du titre.

— Table 110, pas vrai ?

Il fit une grimace.

— Normalement, oui.

Il n'était pas aussi imposant que sa voix, mais il dégageait quelque chose de trapu et de solide. Il avait des cheveux bruns grisonnants, coupés court, et un visage massif qui avait dû beaucoup rire, entre autres. Rien de vraiment remarquable mais dans son regard, une petite étincelle qui lui donnait l'air de s'en foutre.

Je ne vais pas encore tout réécrire, pensa-t-elle, pas encore.

Malgré elle, elle se drapa davantage dans sa tenue professionnelle. Le déguisement. Le truc le plus drôle là-dedans, c'est que parfois ça vous permet d'être encore plus vous-même.

— Je croyais que vous aviez réservé ?

— Je l'ai fait mais apparemment, il a plus d'influence que moi. Je suppose que c'est un anniversaire.

— De quoi ?

— Qu'en pensez-vous ? De la première fois où il a mis un pantalon long ou de celle où il l'a enlevé ?

Elle jeta un coup d'œil sur les deux personnes. Elles se souriaient.

— Oh, je crois qu'il l'a déjà enlevé, dit-elle. Pas vous ?

Il fronça les sourcils.

— Je suis surpris qu'elle s'intéresse à lui. Vous seriez intéressée, vous ?

Elle haussa les épaules.

— Eh bien, je l'étais un peu. Vous étiez trop pris par votre livre, vous ne l'avez pas remarqué, sans doute ? De toute façon, ce n'est pas le problème, dit-elle calmement. Vous regardez les choses de travers. Ce n'est pas une histoire de sexe, mais d'amour.

— Oh, l'amour !

À la façon dont il déshabilla le mot, elle comprit qu'il n'avait pas beaucoup de temps pour ça.

— Pas étonnant que je n'aie pas eu la table.

Il s'arrêta, son regard planté droit dans le sien.

— Mais on m'en a donné une autre... À moins que vous ne préfériez rester assise ici ?

Elle contempla les deux panoramas. D'un côté, la cathédrale Saint-Paul, lumineuse, presque suspendue dans l'air sur ses projecteurs, de l'autre, des échafaudages et des bureaux construits dans les années 80.

— Vous avez menti sur la vue qu'on a du bar, n'est-ce pas ?

Il poussa un soupir.

— Mentir est un peu fort. Disons que j'ai exagéré. La nourriture va rattraper ça, je vous le promets.

Une fois à table, il sembla se désintéresser d'elle, plus préoccupé par l'examen du menu et la confection d'un repas parfait. Anna, généralement agacée par la cuisine et l'importance qu'on lui attribuait dans notre société moderne, lui décerna son premier mauvais point. Un bon début, mais ça ne suit pas, pensa-t-elle, sachant qu'elle ne se rappellerait pas tous ses commentaires lorsqu'elle rédigerait son article, plus tard dans la nuit. Elle l'examina alors qu'il étudiait la carte. Ils s'appelaient déjà par leurs prénoms. Samuel (diminutif : Sam, sans aucun doute). Pas encore de noms de famille. Au moins, de cette façon, elle n'avait pas eu à mentir. Elle se posait déjà de nombreuses questions sur lui.

Il leva les yeux et rencontra son regard :

— Désolé, ce ne sera pas long.

Elle haussa les épaules. Il retourna à sa carte, visiblement c'était un homme habitué à être servi. D'une confiance monstrueuse.

Le serveur arriva et ils discutèrent ensemble des attraits de l'agneau braisé. Elle était assise, nouant et dénouant ses doigts autour de son verre à pied. Peut-être que ça impressionne certaines femmes, pensa-t-elle.

— Donc, dit-il, la commande prise, nous y voilà. Voix à voix. Par quoi allons-nous commencer ? On pourrait passer en revue le travail, les liaisons d'hier, celles d'aujourd'hui, nos dix meilleurs films. Vous avez une préférence ?

Oui, d'une confiance monstrueuse. Néanmoins, ce n'était pas rasoir. Pas encore. Elle eut un petit rire.

— Combien de fois avez-vous déjà fait ça ?

— Eh bien, plus souvent que vous, visiblement, dit-il en souriant. C'est pour ça que j'ai changé de tactique.

— Comment ça ? La voix plus que le contenu ?

— Non. De la profondeur en plus du bavardage.

— Malgré le temps de cuisson de l'agneau !

Il haussa les épaules.

— Ça coûte la peau des fesses ici. Et ce n'est pas toujours mérité. Je voulais m'assurer qu'on nous servirait ce qu'il y a de meilleur. Voilà, c'est fait maintenant. Alors, était-ce sérieux ou un simple flirt ?

— Quoi ?

— Votre message ?

— Je croyais que vous pouviez deviner, d'après la voix ?

— Je l'ai fait. Sur le répondeur, vous disiez que vous aviez une vie mais aussi le temps d'en avoir une autre, par moments.

— Oui, dit-elle d'un ton égal. C'est plus ou moins ça.

— Cela veut-il dire que vous êtes mariée ?

— Non.

— Des enfants ?

— Oui.

— Combien ?

— Un.

— Vous souhaitez m'en dire plus ?

— Une fille. Six ans et demi. Lily.

— Lily ? Joli nom. Est-ce que son père s'occupe d'elle ?

— Non, dit-elle, irritée pour la première fois. C'est moi qui m'en charge.

— Donc, il ne fait pas partie du paysage ?

— Dites-moi, Samuel, quelle est votre profession ?

— Hum, c'est ennuyeux. Nous avions décidé de ne pas parler de ça.

— Excusez-moi, *vous* avez décidé.

Il s'arrêta.

— Je vends des œuvres d'art aux sociétés.

— Comme c'est intéressant !

— Non, ça ne l'est pas, dit-il abruptement. (Il se renversa dans sa chaise.) Voulez-vous qu'on reprenne tout depuis le début ?

La remarque la prit au dépourvu.

— Je ne sais pas. Jusqu'où peut-on remonter ?

Il haussa les épaules.

— Eh bien, nous avons passé la commande. Nous n'allons pas le refaire puisque visiblement c'est là que ça a commencé à déraper. J'ai raison, n'est-ce pas ? C'est à cet instant que vous avez commencé à vous emmerder ?

Elle eut un rire exaspéré.

— Disons juste qu'après le préambule, c'est devenu un peu morne.

— Je sais. (Il soupira.) La nourriture. Ma grande faiblesse. Je dois dire que j'aime ça presque autant que le sexe.

— Vous mangez régulièrement, n'est-ce pas ? répondit-elle sèchement.

— Oui. Mais j'ai toujours du temps pour plus.

En parlant, il se fendit d'un large sourire qui dévoila toutes ses petites rides d'expression.

Je parie qu'avec ça, elles te mangent dans la main, pensa-t-elle. Peut-être font-elles autre chose avec leurs bouches aussi ?

Même si elle était incapable de déterminer avec précision si c'était d'ordre professionnel ou personnel, elle ne passait pas un mauvais moment.

— Et vous, Samuel ? Êtes-vous marié ?

Il hocha la tête.

— Oui.

— Des enfants ?

— Non, pas d'enfants.

— Depuis combien de temps êtes-vous ensemble ?

— Huit ans.

— C'est long. Ça marche bien ?

— Plus ou moins.

— Vous êtes en période moins, en ce moment ?

— Pas vraiment. (Il fronça les sourcils.) Écoutez, dans votre message, vous indiquiez clairement que vous n'étiez pas à la recherche d'un mari.

— Je ne le suis pas.

— Très bien.

Elle éclata de rire.

— Pourquoi, que cherchez-vous ?

— La même chose que vous, j'espère, dit-il calmement. (Il s'interrompit pour remplir leurs verres.) Je vais vous dire de quoi il est question. Je vis à l'étranger — en France — mais je dois passer deux jours par mois à Londres pour affaires et pendant ce laps de temps, je me sens... disons, loin de chez moi. Un peu comme si j'étais une autre personne. J'aime cette impression. Cela me rend, je ne sais pas... plus complet. (Il s'arrêta pour la laisser ajouter quelque chose mais elle ne dit rien.) L'année dernière, j'ai eu une liaison avec une femme rencontrée dans l'avion en venant ici. Ça a duré deux mois. J'aimais sa compagnie et j'ai été navré quand ça s'est terminé. J'espérais un peu revivre ça.

— Et vous pensiez que les petites annonces étaient un bon moyen pour trouver quelqu'un ?

— Pas pire qu'un autre, oui.

Elle haussa légèrement les épaules.

— Eh bien, au moins vous êtes honnête.

— Je le suis, dit-il en la regardant droit dans les yeux.

Honnête, c'est le mot. Honnêtement. Pour certaines personnes, ça ressemble à un manque de moralité. Visiblement pas pour vous. Je jette le gant. (Il eut un sourire ironique.) Écoutez, en ce qui me concerne, il n'y a aucune règle, d'accord ? Si ça ne correspond pas à ce que vous vouliez, si c'est trop ou pas assez, on peut en rester là, dès que vous en avez envie.

Elle l'observa longuement. Bien que son discours paraisse cynique, son ton ne l'était pas. Au contraire, sa voix était chaleureuse. Et si c'était elle qui se montrait cynique, prenant note de tout mentalement pour s'en resservir plus tard ?

— Merci. Je m'en souviendrai. Qui va payer le dîner, au fait ? Je veux dire si je m'en vais ?

Il sourit de toutes ses dents.

— Puisque j'ai tout organisé, c'est juste que ce soit moi.

Elle hocha la tête.

— Et si c'est vous qui voulez partir, comment ça se passe ?

— Je finirai mon repas. (Il leva les yeux.) Mais je ne le ferai pas. Je veux dire partir. Et, sans paraître trop crâneur, je suis sûr que vous non plus. Pas encore en tout cas.

Elle le regarda et ressentit soudain une minuscule pointe de désir, quelque part dans un coin de son ventre. Biologie, pensa-t-elle, survivance de l'espèce. Ce n'est que ça. Facile à ignorer.

Elle prit sa respiration.

— J'adore ma fille, dit-elle sans en avoir eu aucunement l'intention.

— Je sais ce que vous ressentez. J'aime ma femme.

Elle émit un petit claquement sec avec sa langue. Pas tout à fait de la colère.

— Je ne baise pas ma fille.

Il eut une hésitation, une seule.

— Je ne baise pas ma femme. (Il sourit.) Enfin, pas beaucoup. Plus du tout.

Elle ne lui rendit pas son sourire.

— Mais je dois avouer, Anna, que je vous baiserais bien.

Il était trop malin pour avoir fait une erreur pareille, il avait dû se rendre compte qu'elle serait partante. Tout au moins pas dégoûtée.

Tu peux t'arrêter là, sans problème, pensa-t-elle. Tu tiens un excellent article, tu n'as besoin de rien de plus. À moins que tu aies envie ou besoin d'autre chose ?

— Vous ne croyez pas que c'est un réflexe ? dit-elle. Vous savez, comme avoir faim et manger ?

Il éclata de rire.

— Je vous accorde que ça peut paraître pathologique, mais je vous assure que ça ne l'est pas. Ça ne me gênera pas de repartir seul d'ici. Ça m'est déjà arrivé une fois. (Il s'arrêta.) Je vous avais dit que j'étais honnête.

— Quoi ? À la même table ? lança-t-elle, simulant l'indignation.

Il eut un haussement d'épaules d'excuse.

— La dernière fois, j'avais la table 110.

Elle regarda dans la direction des deux jeunes gens. Ils mangeaient en parlant, un bavardage heureux et fourni ; facile, plus familier que passionné. Un couple, quel qu'en soit le sens.

— Et si ce n'est pas bon ? dit-elle en se retournant vers lui.

— Le sexe, vous voulez dire ? Nous aurons bien mangé, admiré une belle vue. Mais je suis sûr que ce sera très bien. Quand j'ai une bonne partenaire, je me débrouille mieux qu'à table. Faites-moi confiance. Faites-vous confiance.

Elle se renversa sur sa chaise et étendit ses jambes sous la table. Ses pieds rencontrèrent les siens. Il resta immobile un instant puis glissa sa main sous la nappe, attrapa sa cheville nue et lui ôta sa chaussure. Il fit courir lentement et habilement son doigt sous la plante des pieds. Chair contre chair. Il savait ce qu'il faisait. Ce n'était pas désagréable. Un peu tarte peut-être.

— J'ai une meilleure idée, lança-t-elle. Pourquoi ne sautons-nous pas le repas ?

Il leva les yeux et, pour la première fois, eut l'air troublé. Dans son regard, Anna devina la lutte qui se déroulait en lui. Ses caresses perdirent de l'intensité. Avant, dans un passé lointain, elle avait su combiner la passion et l'espièglerie ; probablement parce qu'elle était sûre de ne pas être blessée. Je veux que ça recommence, pensa-t-elle. J'y suis prête. Elle rit si fort que les gens à la table voisine s'arrêtèrent de parler pour les dévisager.

Elle reprit la parole : quelque part, d'une manière ou d'une autre, quelque chose venait de se décider.

— Au moins, vous n'avez pas menti à ce propos, dit-elle en retirant son pied ; puis, prenant pitié de lui : Je n'ai pas envie que nous atteignions les sommets trop vite.

Il éclata d'un rire bruyant. Sortant sa main de dessous la table, il la lui tendit comme pour sceller une association professionnelle.

— Alors, Anna, quel est votre nom de famille ?

— Revell, dit-elle avec une légère hésitation. Anna Revell.

— Très bien, Anna Revell, dit-il. Je m'appelle Samuel Taylor. Je suis enchanté de faire votre connaissance.

La pièce était plongée dans l'obscurité, autour du souvenir. Sur le lit, le téléphone retentit sous ses doigts. La maison, pensa-t-elle en décrochant. Ils ont réussi à localiser mon appel.

Le restaurant était bruyant, comme il faut s'y attendre en Italie.

— Hé ! je suis sur le point de tomber dans les pommes. Dois-je appeler une ambulance ou le serveur ?

Tu pourrais toujours appeler ta femme, pensa-t-elle, surprise de ressentir de l'irritation. Mais elle se reprit :

— Commence à dîner, dit-elle. Je suis presque prête.

Elle bondit du lit et alla s'habiller. Alors qu'elle sortait un haut propre de son nouveau sac, elle réalisa trop tard que c'était celui dans lequel elle avait emballé le cadeau de Lily. Le cheval de bois dégringola par terre, frappant les tommettes de sa patte avant fringante. Elle entendit un craquement. Zut ! Elle le ramassa doucement pour vérifier les dégâts. Autour du genou, le bois était fendu. On pouvait toujours le poser droit mais il aurait besoin de la super glu du vétérinaire. Sa maladresse la mit en colère, comme si c'était le symptôme d'une négligence maternelle. Elle remballa l'animal avec un soin exagéré et le remit au fond du sac.

Alors qu'elle allumait la lumière de la salle de bains, un cafard disparut en trottinant sous le placard du lavabo. De la saleté dans les endroits les plus propres.

— Quel est ton problème ? se dit-elle à voix haute. Tu n'aimes pas ça avec les lumières allumées ?

— Alors, et toi ? murmura-t-elle, le souffle court, contemplant son reflet dans la glace. Que vois-tu ?

Le visage qui la fixait était pâle, la peau presque spongieuse avec de légers cernes bleuissant sous les yeux à cause du manque de sommeil ; une femme sous influence sexuelle. Elle repensa à sa maison. Paul, Stella et Mike dînaient dans le jardin estival sans elle tandis que Lily se glissait subrepticement au rez-de-chaussée pour répondre au téléphone. C'était donc ça le véritable risque ? Être condamnée à se fermer à ses proches pour s'ouvrir à un amant ?

Elle avait un travail, une fille, une maison. Une vie. Elle n'avait pas besoin d'une autre vie. Sinon, qu'est-ce que ça voulait dire ? Elle s'observa longuement. C'est juste une histoire de cul. Si je le décidais, je pourrais sortir d'ici et ne jamais le revoir, pensa-t-elle. Vrai ou faux ? Question stupide. Pourquoi devrait-elle faire ça ? Était-il impossible d'avoir les deux, lui et eux ? Après tout, les hommes faisaient ça tout le temps. Le truc, c'était d'apprendre à tout séparer, à compartimenter.

Elle avait plongé la main dans sa trousse à maquillage et commençait à se farder quand la sonnerie du téléphone retentit de nouveau.

À la maison — Dimanche matin

Le bruit du silence me réveilla au milieu de la nuit. Aucun son, mais le sentiment que quelque chose n'allait pas. Tout d'abord, j'eus l'impression qu'il y avait quelqu'un dans la maison, puis je crus que c'était Anna. Je me levai, enfilai rapidement sa robe de chambre et me dirigeai vers la porte.

Dans la lumière vacillante du palier, j'aperçus sa silhouette assise sur la première marche. On aurait dit un lutin, le corps recroquevillé, les bras autour des genoux. Si la nuit n'avait pas été aussi chaude, j'aurais pensé que c'était pour se protéger du froid. Mais je savais qu'en fait elle s'étreignait.

Par peur de la faire sursauter, je murmurai son nom très doucement. J'étais sûre qu'elle m'avait entendue, pourtant elle ne répondit pas, baissa la tête jusqu'à la poser sur ses bras. Je pris ça pour une invitation et m'assis à côté d'elle.

— Salut ! dis-je calmement.

— Salut !

— Tu ne pouvais pas dormir ?

Un petit geste de la tête.

— Tu t'es trop amusée dans la journée, hein ?

— Tu portes la robe de chambre de maman, dit-elle

tranquillement, la tête penchée, le visage caché derrière une mèche de cheveux.

— Oui, j'ai oublié d'emporter la mienne. Je pense qu'elle serait d'accord, tu ne crois pas ? Tu veux une petite place ? Il y en a pour deux.

Un autre petit signe. Nous restâmes assises un moment en silence. J'aurais voulu la prendre dans mes bras pour la sécuriser et la réconforter, mais je ne savais pas si c'était une bonne idée. Si j'étais Anna, je l'aurais fait sans même y penser. C'est ça être une maman.

— Tu as à nouveau entendu le téléphone ?

Elle secoua la tête une fois encore, un peu plus brusquement. Je sentis une petite onde d'hostilité émaner d'elle, mais sans savoir si c'était dirigé contre le monde en général ou seulement contre moi. Comment allons-nous nous débrouiller si Anna ne revient pas ? pensai-je. Comment allons-nous réussir à passer la nuit ?

— Tu as soif ?

Elle haussa les épaules. J'attendis.

— Crois-tu que tu dormirais mieux dans le lit de ta maman ?

Toujours rien.

Un jour, l'été précédent, à Amsterdam, j'avais joué les baby-sitters pendant qu'Anna était allée assister à un concert nocturne dans le parc. Lily s'était réveillée en proie à un cauchemar, une chose qu'elle n'avait jamais faite auparavant.

Comme j'essayais de la consoler, elle était devenue de plus en plus agitée, vibrant d'une sorte de rage sans limites. Elle m'avait effrayée. Pendant ce qui m'avait paru des heures, elle avait pleuré et sangloté — en fait, ça n'avait duré que trente-cinq minutes. Soudain, elle s'était arrêtée, était venue se rouler en boule sur mes genoux et s'était endormie. Je n'osais tellement pas la déplacer que lorsque Anna rentra, nous n'avions pas bougé.

Anna s'était montrée confiante. D'après elle, pareille crise n'arrivait qu'une fois ou deux par an et n'était effrayante que parce qu'elle modifiait le caractère habituellement jovial de Lily. Elle appelait ça la descente aux enfers. La chute était si profonde qu'on se sentait étourdi et la seule chose qu'on pouvait faire, c'était de rester à côté d'elle jusqu'à ce qu'elle revienne. Nous en avions parlé pendant des heures : comment chacun possède en soi une zone d'ombre et pourquoi on pense généralement qu'un enfant a moins de personnalité qu'un adulte. Anna était vraiment devenue une bonne mère car tout ça ne l'effrayait pas. Une bonne mère et une bonne amie.

Après la mort de ma mère, j'avais pris l'habitude d'aller dans sa chambre au milieu de la nuit ; c'était, je suppose, une sorte de chagrin de somnambule. Mon père se réveillait et me trouvait à ses côtés dans le lit : pas de larmes, rien de rien, j'étais juste assise là, les yeux grands ouverts, sans rien dire, sans répondre à ses questions. Comme Anna, il avait un certain talent pour entendre la douleur des autres. S'il faisait froid, il posait une couverture sur mes épaules ou passait son bras autour de moi, attendant que je sois prête. Il me demandait si je voulais retourner au lit. Finalement je disais oui. Au matin, je ne me souvenais de rien. Tout comme je ne me rappelle rien aujourd'hui.

Peut-être essayais-je de résoudre le problème toute seule. Où était-elle partie ? C'était la même maison, la même pièce, le même lit. Un matin elle était là, le soir d'après, elle n'y était plus. Peut-être avais-je besoin de tester son absence ? Avec le recul, je ne me rends pas compte que j'étais complètement traumatisée. On dit toujours que seul le temps permet d'évacuer les choses. Mon père m'emmena voir quelqu'un. Je croyais pouvoir me souvenir du visage de la femme à laquelle je parlais — ou plutôt qui me parlait — et du papier peint de la pièce, mais aujourd'hui je pense que j'embellissais les détails qu'on m'avait donnés plus tard. Je ne sais absolument pas si la thérapie m'a fait du bien. Je me suis guérie avec mes propres moyens. Mon père ne les aurait pas compris. Au moins il a essayé.

Depuis qu'il m'avait tout raconté — il doit y avoir dix ans maintenant —, j'imaginais les enfants comme des pots de fleurs, des petits semis arrivistes qui nécessitent une surveillance régulière. Oubliez de mettre un tuteur au bon moment, donnez-leur trop peu ou trop d'engrais Baby Bio et vous pouvez affecter leur évolution affective pendant des années. La tyrannie freudienne. Je pense que c'est une des raisons pour lesquelles je n'ai jamais voulu d'enfants. Anna, par chance, s'est toujours montrée plus flegmatique. Sa ligne de conduite est que les pots de fleurs survivent à tous les mauvais traitements, même les plus effroyables, et que les enfants sont plus résistants que les livres de pédiatrie voudraient nous le faire croire. Elle allait s'en rendre compte. Ma mère l'aurait peut-être appris également. Si elle était restée plus longtemps parmi nous, elle me l'aurait sûrement expliqué.

Si seulement je pouvais me rappeler ce sentiment de perte, au lieu des souvenirs plats et mornes de mon quotidien sans elle. C'était sans doute ma façon de me débarrasser de mon chagrin. Et la raison de mes frayeurs d'aujourd'hui. L'absence d'Anna ramenait à la surface quelque chose que j'avais enfoui depuis si longtemps. Était-ce pour ça que j'avais choisi de croire qu'elle avait téléphoné ? Parce que c'était trop atroce d'envisager autre chose ?

— Tu sais, quand j'étais petite, j'allais m'asseoir sur le lit de mon papa et de ma maman au milieu de la nuit, dis-je en regardant le hall au rez-de-chaussée et le téléphone silencieux sur la table.

Cette histoire la passionna. Je savais qu'elle l'aimerait.

— Pourquoi ?

Je haussai les épaules.

— Je ne sais pas. Pour m'assurer qu'ils étaient toujours là, je suppose.

— Ta maman est morte, n'est-ce pas ?

— Oui. Mais elle ne l'était pas à ce moment-là, répondis-je, faisant preuve d'un révisionnisme magique pour nous protéger toutes deux.

Elle resta silencieuse une minute. Peut-être l'avais-je effrayée ?

— Est-ce qu'elle était gentille ?

— Ma maman ? Oh oui, je crois qu'elle l'était.

Pas besoin de mentir trop. Lily s'en rendrait compte de toute façon.

— Pour être franche, je ne me rappelle plus très bien d'elle.

— Pourquoi ?

— Parce qu'elle est morte il y a longtemps.

— Quel âge tu avais ?

— Oh, j'étais grande. Je veux dire beaucoup plus grande que toi : presque dix ans.

— Dix ans ! Et tu ne te souviens pas d'elle ? Tu dois avoir une mauvaise mémoire, Estella.

— Oui, dis-je riant. Tu as sans doute raison.

Elle s'était légèrement rapprochée de moi — maintenant je sentais la chaleur de sa jambe droite contre la mienne. Je glissai mon bras autour d'elle. Elle se blottit contre moi. Nous restâmes assises dans l'obscurité enveloppante de l'escalier. Je pensais à la mort et je souhaitais nous sortir toutes les deux de là.

— Tu ne trouves pas que c'est sinistre de rester assise seule dans le noir ?

Elle secoua la tête.

— Maman dit que le noir nous effraie parce que nous ne sommes pas des chats. D'après elle, le monde est plein d'animaux qui aiment la nuit. Ils ont bien le droit d'avoir du temps à eux pour attraper leur nourriture et manger.

Idée parfaitement raisonnable.

— Elle a absolument raison, tu ne crois pas ?

— Humm. On a vu un porc-épic une fois, tu sais. Sur la route. Quand on rentrait du cinéma. Il est passé sous la voiture. On lui a donné de la nourriture pour chat.

— Il a aimé ?

Elle haussa les épaules.

— J'sais pas. Il ne voulait pas sortir. On a poussé le bol sous la voiture. Le lendemain matin, il était vide.

— Mais c'était peut-être le chat ?

— Ouais.

L'obscurité s'était adoucie autour de nous, des images

à la Beatrix Potter se superposant à celles de Stephen King. Je la regardai. Le moment était bien choisi. Il n'y en aurait pas de meilleur.

— Tu as dû apprécier de parler à maman ce soir ?

Elle ne dit rien, mais opina légèrement du chef.

— Tu ne t'es pas inquiétée pour elle, n'est-ce pas ?

Elle resta silencieuse...

— Non. Mais vous, oui.

Je ris.

— Oh, nous avons été si mauvais que ça ?

Elle haussa légèrement les épaules.

— Tu sais, je crois que Paul voulait juste lui parler. C'est pour ça qu'il t'a disputée, ajoutai-je.

— Elle m'a dit de lui dire qu'elle pensait à lui. Elle ne l'avait pas oublié.

— Non. Et pour moi, elle a dit quelque chose ?

— Elle a dit : « C'est super. »

— Comment ça ?

— Quand je lui ai appris que tu étais là, elle a répondu : « C'est super. »

— C'est tout ? m'écriai-je.

Mon indignation dut être visible car elle me serra le bras.

— Elle l'a dit avec beaucoup de force. Elle était sincère.

Je souris et lui tapotai le bras en retour. Paul avait tort. Lily avait parlé à sa mère. Ça n'avait rien d'un conte inventé par une enfant. Nous restâmes assises un moment, serrées au cœur de la nuit. J'imaginai un feu de camp et une légion de petits animaux en fourrure sortant leurs museaux des ténèbres. Peut-être lisons-nous le soir des histoires aux enfants pour tenir en échec notre propre peur du noir.

— Elle avait l'air drôle, lâcha-t-elle enfin.

— Drôle ? Comment ça, drôle ?

— J'sais pas. (Elle haussa légèrement les épaules.) Quand elle m'a dit au revoir, elle semblait un peu... triste, comme si elle ne voulait pas raccrocher. Ça m'a fait pleurer. J'ai essayé de lui dire quelque chose mais elle n'était plus là. Et puis Paul s'est mis à crier dans mon oreille, vous êtes tous arrivés et j'ai eu peur.

Une envie de vomir me monta à la gorge, comme si un trou noir venait de s'ouvrir et m'aspirait. Pourquoi, la plupart du temps, lorsque le cœur vous fait mal, cela vous arrache-t-il l'estomac ?

— Oh, Lily, dis-je et je lui donnai un gros bisou. Chérie, elle était juste bouleversée d'avoir raté son avion.

Dans l'obscurité, je la vis fermer les yeux très fort pour arrêter les larmes. C'était un geste qu'elle faisait depuis qu'elle avait appris à marcher. Elle tombait si souvent.

— Paul n'aurait pas dû me crier dessus comme ça.

— Oh, il n'en avait pas l'intention. Tu le connais. (Je m'arrêtai.) Est-ce qu'elle l'a entendu crier ? Vous étiez en train de parler quand il a pris le téléphone ?

— Je ne sais pas. Je ne crois pas.

— Mais elle savait que tu étais en forme, n'est-ce pas ? Elle t'a demandé comment tu allais ?

— Oui.

— Que lui as-tu dit ?

— J'ai dit que ça allait bien.

Bien. C'était le mot de Lily pour tout : la journée, sa vie, l'école, tout. Bien. Que de conversations téléphoniques qui s'achevaient sur cette monosyllabe ! J'étais tellement impressionnée par cette technique que je l'avais même essayée une fois sur un collègue de bureau. Ça avait marché très correctement. Bien, en fait. Mais pas aujourd'hui.

— Je lui ai dit que tu m'avais gagné un canard, ajouta-t-elle, pensant visiblement que ça me réconforterait.

— Ce n'est pas moi qui l'ai gagné. C'est toi.

— Oui, mais tu m'as aidée à tenir le filet.

— Tu lui as parlé du panda ?

Elle hocha la tête.

— Eh bien, je pense que c'est pour ça qu'elle était triste. Quand tu lui as raconté, elle s'est dit qu'elle aurait bien voulu s'amuser avec nous, ajoutai-je.

— Oui.

Elle prit le temps de la réflexion.

— Tu as raison. Alors pourquoi est-ce qu'elle ne rentre pas ?

— Elle va rentrer, chérie, elle va rentrer.

Nous restâmes assises un moment sans rien dire. Elle se dégagea de mon étreinte. Je ne savais pas ce qu'elle ressentait et j'eus peur soudain de faire une bêtise.

— Après la mort de ta maman, je veux dire quand tu étais petite, reprit-elle enfin sans me regarder en face, le regard braqué sur l'escalier, est-ce qu'elle t'a manqué ?

M'avait-elle manqué ? Je me tenais, devant le lit, dans la chambre de mes parents, l'œil fixé sur la place de ma mère, l'édredon lisse et brillant comme une eau calme et, pendant une seconde, je ressentis un énorme gouffre au creux du ventre.

— Oui, répondis-je, elle m'a beaucoup manqué. Mais Lily, ta maman ne va pas mourir ; elle a juste un peu de retard.

Nous étions de nouveau silencieuses. Tout ce que je pouvais dire d'autre était faux et inutile. Je sentis ses doigts papillonner dans les miens. Aide-la, Stella. Trouve un moyen.

— Veux-tu dormir avec moi jusqu'à demain matin ? lui demandai-je en la serrant contre moi. Ça t'aiderait ?

À ma grande surprise, elle accepta. Je la pris dans mes bras et la portai en haut.

Au loin — Dimanche matin

Au milieu de la nuit, il déverrouilla la porte de sa chambre. Elle était allongée sur le lit, sa main caressant le corps du cheval de bois. Elle ne dormait pas.

Après qu'il l'eut quittée, elle s'était assise, se repassant les événements de la soirée comme un amoureux impatient essayant de lire entre les lignes après un premier rendez-vous. Plus elle passait de temps en sa compagnie, plus le sol se dérobait sous ses pieds. Moins il en disait, plus elle le suspectait. Plus il se confiait, moins elle le croyait. La femme avait une réalité. Les photos l'attestaient. De toute évidence, il avait eu une relation avec elle, mais sûrement pas celle dont il se vantait. La cour démodée, le mariage heureux, la triste disparition, même les romans-photos actuels n'étaient plus à l'eau de rose à ce point-là.

Alors pourquoi tenait-il tant à la convaincre ? C'était le plus étrange. Tout ça — le kidnapping, la captivité, l'hospitalité — prouvait son obsession, mais pour qui ? Pour elle ou pour la femme morte ? Était-elle destinée à jouer les remplaçantes ou simplement les témoins ? On aurait dit qu'il avait besoin d'être cru avant de pouvoir y croire lui-même. D'une certaine façon, elle ne l'intéressait pas tant que ça. Il regardait à travers elle mais pas elle directement. Cela voulait-il dire qu'il allait honorer sa parole et la laisser partir ? Allait-elle faire de même et rester complaisamment jusqu'à ce qu'il la libère ? La réponse à ces deux questions semblait évidente.

Elle dormirait peu cette nuit. La nourriture avait rempli sa mission, remplaçant la sensation de perte par une énergie indomptable. Elle se leva et se promena dans la pièce, cherchant quelque chose, une issue oubliée jusque-là. Après avoir fouillé à fond la chambre et la salle de bains, elle éteignit la lumière et s'allongea sous les couvertures, fixant le plafond, errant en imagination dans la maison, essayant d'ouvrir les portes et les fenêtres, s'enfuyant par les serrures et recouvrant la liberté tandis qu'elle l'imaginait dormant d'un sommeil perturbé, entouré de bouteilles de révélateur dans une cave obscure.

Elle n'en finissait pas de penser et repenser à cette chambre noire. Puisqu'il y passait autant de temps, y était-il en ce moment ? À en juger par la force de son amour et l'odeur qui se dégageait de ses vêtements, il devait hanter ce lieu. Cependant, il devait bien dormir à un moment ou à un autre. Si ce n'était pas là, se réfugiait-il dans une pièce, près d'elle, pour la surveiller ? Quand elle avait tenté de casser la porte la première nuit, il n'avait pas bougé. Ne l'avait-il pas entendue ou avait-il choisi de ne pas l'écouter ? Elle ne savait pas pourquoi, mais elle devinait que c'était important de savoir où il était, d'être capable de le situer comme lui pouvait la situer.

Quand elle entendit la clef tourner dans la serrure au beau milieu de la nuit, elle fut prise de panique. Elle ne l'avait pas entendu venir. Marchait-il sur la pointe des pieds ou était-il devant sa porte, en attente, guettant son pas ? La serrure émit un léger clic. Elle se redressa, tétanisée, les tempes battantes, l'estomac contracté. Sous les couvertures, ses doigts se refermèrent sur le cou du cheval. Elle l'avait essayé de deux façons, d'abord en le tenant par le corps, les pattes aussi pointues qu'un poignard, ou en se servant de la tête comme d'un manche et du corps comme d'une matraque. Cette façon-là ferait plus de dégâts. Elle tenta de réfréner ses tremblements.

Tout était silencieux. Un autre grincement, comme si on retirait la clef. Elle resta sans bouger, rigide, attendant que la porte s'ouvre. Qu'est-ce qui allait se passer ? S'il avait l'intention de la toucher, il allait avoir du pain sur la planche. Il irait plus vite en prenant son pied tout seul.

Un homme qui drogue du café peut faire ce qu'il veut avec du vin rouge et des anchois. Pourtant, elle se sentait complètement éveillée. Alors était-il prêt à se battre ? Était-ce ça qu'il voulait ? Avec ses beaux discours d'amour, il semblait presque trop sentimental pour être un violeur. Qu'est-ce qu'elle en savait ?

C'était son premier week-end avec un psychopathe.

Elle se coucha et attendit.

Rien ne se passa.

La porte resta fermée.

Ses doigts se mirent à trembler sur le bois. Elle entendit un bruit sourd tandis que ses pieds heurtaient le sol. Il s'éloignait de la chambre, longeait le couloir, descendait l'escalier. Que se passait-il, bon sang ? D'abord, il l'enfermait, puis attendait le milieu de la nuit, déverrouillait sa porte et... quoi ? s'en allait de nouveau ?

Avait-il pris peur au dernier moment ? Attiré en haut par une soudaine raideur de sa bite, s'était-il aperçu que son désir avait disparu ? Ça ne pouvait pas être ça. Ce devait être autre chose. Elle s'amusa avec l'idée de repentance : leur soirée romantique l'avait rendu généreux et poussé à la libérer puis à courir chez le prêtre du village pour se confesser et demander l'absolution. Ça ne marchait pas. Malgré ses discours sur l'amour et le chagrin, sa pathologie n'était pas de celles qui donnent dans le repentir.

Il n'y avait qu'une autre solution. C'était un piège. Voulait-il qu'elle se réveille, trouve la porte ouverte et coure le chercher ? Était-ce pour tester sa complaisance, voir si elle allait tenir sa parole ou tenter de s'enfuir ? Du coup, il pourrait à son tour ne pas tenir sa promesse. Si c'était ça, elle n'allait pas l'obliger. Un noir silence s'abattit de nouveau. Elle s'allongea, sereine, les yeux fermés, la respiration égale. Dehors, par la fenêtre à demi ouverte, un coup de vent monta dans la forêt de pins, un frémissement et un scintillement comme une vague sur les galets, chaque particule de son respirant avec le mouvement. Après les émotions des deux derniers jours, elle s'était mise à aimer le bruit. Soudain, elle entendit autre chose : le bruit caractéristique d'un moteur qu'on allume et qui ronronne dans la nuit, s'emballant à quelques reprises avant que les roues de la voiture n'agrippent le gravier, ne s'engagent sur une surface plus ferme et ne s'éloignent, le son s'évanouissant dans la nuit.

Son cœur commença à battre de façon incontrôlée. Il n'y avait aucune erreur possible : d'abord, quelqu'un avait déverrouillé la porte, puis était parti en voiture. Ce devait être lui. Normalement, aucun de ces bruits n'aurait dû la réveiller. Mais elle ne dormait pas.

Elle était debout, la porte était ouverte et la voiture était partie.

Elle repensa au confessionnal et imagina un homme pleurant un amour qui l'avait rendu fou. Quelle que fût la raison de tout ceci, elle ne pouvait pas rester allongée et attendre qu'il revienne. Elle aurait ressemblé à une victime.

Elle sortit du lit et mit ses chaussures. Elle avait dormi tout habillée et sa robe de soie était froissée, moulant son corps. Pas le temps de se changer. Si elle quittait la maison, elle n'aurait ni passeport, ni billet, ni argent. Cela n'avait pas d'importance. Elle marcherait ou ferait du stop pour regagner sa liberté. Le reste viendrait après. Elle attrapa une veste dans la penderie et, le cheval de bois toujours fermement dans la main, ouvrit tranquillement la porte. Rien. Rien pour l'arrêter. Aucune alarme ne se déclencha, aucune lumière ne s'alluma, aucun coup de feu ne surgit du noir. Elle se dirigea vers le haut de l'escalier. La fenêtre du hall laissait entrer de petites tranches de lumière provenant du jeune croissant de lune. L'obscurité s'adoucit, une ombre furtive passa...

Elle s'immobilisa. Elle n'était pas prise au dépourvu. À vivre seule avec un enfant, elle était devenue experte en paranoïa du noir. Les alarmes rassurent les compagnies d'assurance mais il faut une protection bien plus subtile contre l'imagination. Si Lily était avec elle, elle serait trop occupée à réfréner ses peurs pour s'adonner aux siennes. Elle serra le poing, imaginant les caresses d'une petite main dans la sienne. De quoi avoir peur ? se dit-elle en descendant l'escalier. Elle savait qu'il n'y avait personne.

Arrivée au rez-de-chaussée, elle fonça droit sur la porte d'entrée, fit glisser les verrous en haut et en bas et appuya sur la poignée. C'était fermé. Avait-elle vraiment cru que ce serait ouvert ? Cela aurait été bien trop facile. Elle se retourna vivement, s'attendant presque à le trouver derrière elle, riant de sa naïveté. Après quarante-huit heures de captivité, elle se comportait déjà en prisonnière, effrayée devant la liberté, coupable à l'idée de se déplacer sans chaîne. Elle longea rapidement le couloir, essayant chacune des portes. Elles étaient toutes verrouillées. Elle se jeta contre le panneau de bois de la dernière, utilisant ses épaules comme un bélier. Elle ne réussit qu'à se faire mal. Elle accepta sa défaite et se dirigea vers la salle à manger.

La pièce était plongée dans le noir, aussi épais que de l'encre. Pour créer une telle obscurité, il devait y avoir des volets en plus des stores. Est-ce qu'elle allait oser donner de la lumière ? S'il était dehors à l'observer, attendant un signe quelconque pour revenir ? De sa main libre, elle avança en tâtonnant jusqu'à la table située près de la cheminée. Le téléphone avait disparu. L'homme n'était pas négligent. Elle se dirigea alors vers la fenêtre qu'elle se rappelait avoir vue ouverte au cours du dîner, mais alors qu'elle faisait demi-tour, elle heurta de la hanche le coin de la table qui se renversa. Le bruit fut assourdissant. Effrayée, elle poussa un hurlement et lâcha le cheval qui vint s'écraser sur le sol. Tout va bien, se dit-elle. Tout va bien. Puisque la maison est vide, personne n'a rien entendu.

Un sentiment d'urgence s'empara d'elle. Sans songer à ramasser le jouet de bois, elle s'élança vers la fenêtre. Elle était fermée. Il n'y avait pas de poignée, aucune prise possible. Elle songea à lancer un meuble contre la vitre, mais ça ne réussirait pas à briser les volets. La pièce était complètement close. Il n'y avait aucune issue. Elle se mit à trembler comme si l'air s'était soudain refroidi. Des frissons coururent sur sa peau. Ça n'avait aucun sens. Elle était en train d'errer dans une maison noire et vide dont les portes et les fenêtres étaient verrouillées. Pourquoi l'avait-il laissée sortir si elle ne pouvait aller nulle part ? Était-ce précisément ce qu'il voulait ? Qu'elle se rende compte qu'elle était totalement prisonnière, qu'elle ne pourrait jamais partir sans son consentement ? Si elle retournait maintenant dans sa chambre, saurait-il qu'elle avait tenté de fuir ? Avait-il tendu des fils entre les portes ou semé de la farine pour avoir des preuves contre elle ?

Même absent, il continuait de la terrifier. Pourquoi avait-elle toujours peur de tout ? C'était sans doute pour ça qu'il l'avait choisie. Les hommes de son espèce ont ce genre de critères. À Florence, il devait y avoir des douzaines de touristes parlant anglais avec des cheveux noirs et une peau claire, pourtant, c'est elle qu'il avait élue. Il avait détecté sa vulnérabilité au milieu d'une boutique bondée aussi nettement qu'un animal renifle une odeur.

Elle n'avait pas toujours été ainsi. À une certaine époque, elle était capable de marcher sur l'eau, tout au moins sans craindre de couler. Depuis la naissance de Lily, le monde était devenu infiniment plus effrayant. Elle avait dépensé tant d'énergie à protéger sa fille des écueils de la vie qu'elle avait cessé d'en d'apprécier la beauté et s'était mise à avoir le vertige. Un vertige émotionnel et physique. Jamais elle ne longerait de nouveau un précipice comme celui qu'elle contemplait en ce moment. Si elle ne voulait pas dégringoler, elle devait vite retrouver son équilibre. Elle pouvait toujours faire semblant, pour commencer.

Puisqu'il s'attendait à ce qu'elle s'enfuie, elle allait faire le contraire. S'il espérait la voir paniquer, il allait être déçu. S'il était sorti s'amuser dans le noir, elle allait allumer. Elle retourna vers la porte et appuya sur l'interrupteur.

La pièce reprit vie d'un seul coup, propre, nette. Les restes du dîner avaient disparu et la table, repoussée contre le mur du fond, était déjà prête pour le petit déjeuner : thermos de café et panier de petits pains cachés sous une serviette humide. Elle en prit un et l'émietta entre ses doigts. Il était rassis. Il avait dû sortir acheter des produits frais. Était-il allé faire des courses dans un supermarché ouvert vingt-quatre heures sur vingt-quatre ? Ça semblait peu probable.

Elle n'avait vraiment pas la moindre idée de l'endroit où il pouvait être. Elle remit lentement la pièce en ordre, ramassant le cheval de bois. Une des pattes s'était fendue dans la chute, à la hauteur du genou. Lily devrait la bander. Elle était une bonne vétérinaire. Elle repoussa cette pensée et se dirigea vers la table. À côté, éparpillés sur le sol, une pile de livres. Pas étonnant que ça ait fait autant de bruit. Elle les ramassa. C'étaient des livres de poche anglais aux pages cornées à force d'avoir été ouverts. Leurs couvertures étaient explicites : des femmes séduisantes avec de beaux visages avenants, sur fond de décors exotiques, des personnages romantiques, des romances qui allaient de pair avec la garde-robe conservée au premier étage. Elle en feuilleta un ou deux. Ils avaient été imprimés à la fin des années 90. C'était sûrement les livres de Paola... Donc, les siens désormais. Qu'est-ce qu'il croyait ? Qu'elle allait passer ses journées paresseusement allongée dans l'herbe à lire des histoires d'amour tandis qu'il préparait amoureusement le repas ? La félicité conjugale avec une prisonnière...

Alors qu'elle faisait un mouvement de côté, elle aperçut dans un éclair son image dans la glace suspendue à la droite de la cheminée. Elle ne s'était pas vraiment regardée depuis trois jours et elle eut un choc. Elle avait l'air bizarre, le teint pâle, les traits tirés, les cheveux ébouriffés émergeant au-dessus d'un frou-frou de soie rouge.

Sans réfléchir, elle leva la main pour lisser sa coiffure, serrant les muscles du visage pour les détendre en un demi-sourire automatique. Un truc de femme : la communication involontaire entre soi et le miroir. Même en pleine crise, ça marchait. Son visage se détendit. Elle eut l'impression de se sentir mieux, d'avoir davantage de contrôle.

À droite du miroir, il y avait un portrait de Paola, le regard droit, souriante également. À l'époque de cette photo, ils devaient être amants à en juger par l'intimité que la jeune femme se permettait avec l'objectif, l'ignorant et l'invitant en même temps. Peut-être aimait-elle ça ? C'était clairement le genre de femme qui avait conscience de son pouvoir. Mais pourquoi voulait-elle l'offrir à cet homme, c'était un vrai mystère !

Anna passa de la photo au miroir. Était-ce l'obsession qui déformait sa vision ou étaient-elles vraiment semblables toutes les deux ? Non. Pas quand on y réfléchissait. Pour commencer, la femme sur la photo était plus jolie, avec un front plus large et une bouche plus grande qui lui donnait un sourire enchanteur.

Anna revint à sa propre image, peaufinant le sourire, tentant d'imiter celui de Paola pour comprendre ce qu'il avait vu en elles. Un jour, Lily avait surpris Anna à ce petit jeu de miroir et lui avait demandé pourquoi elle transformait son visage quand elle se regardait. Elle s'était sentie mortifiée comme si elle lui avait révélé une des ruses typiques des femelles, comme si elle était coupable d'avoir, par inadvertance, transmis le péché de vanité féminine à la génération suivante. Depuis, elle avait surpris Lily s'adonnant elle-même à cette petite comédie, cette timide et espiègle complicité avec le miroir, véritable entraînement pour les années à venir. Ah ! avait-elle pensé. Peut-être est-ce plus fort que nous... que nous deux. Nous toutes...

Elle observa de nouveau la photo. Soudain, elle comprit. Bien sûr. Comment avait-elle fait pour ne rien voir ? Leur ressemblance n'était pas une question de traits mais d'attitudes. La photo de la femme avait été prise de l'endroit où elle se tenait : cette façon de tenir la tête légèrement penchée, l'ombre d'un sourire, mi-coquette, mi-confiante. Une femme jouant avec sa propre image. Une femme ignorant la présence d'un appareil photo. Une femme se regardant dans un miroir. Seule.

Elle baissa les yeux pour dissimuler ses pensées. Elle fit semblant de s'intéresser de nouveau à la pièce, jetant des coups d'œil sur les murs, considérant tout à coup cette galerie de portraits de façon différente. Dans la première partie, une jeune femme photographiée dans sa vie quotidienne, dans des endroits publics, riant et bavardant avec des compagnons qui n'étaient plus là. Son visage avait été agrandi, l'art du téléobjectif.

Dans la seconde galerie, elle était seule : se charmant elle-même, vérifiant sa propre séduction dans un miroir. Sujet et objet en même temps.

Pas de photos de mariage ou de portraits formels, aucune photo des deux ensemble, aucune preuve qu'ils aient jamais été intimes.

Paola. Sa femme morte, ou juste une femme au physique intéressant, choisie dans une rue peuplée de Florence et amenée dans une maison, une pièce et devant un miroir ?

Comme elle.

Maintenant.

Au loin — Samedi soir

Ce n'était pas le téléphone près du lit. La sonnerie était différente, plus aigrelette, comme celle d'un portable, un peu assourdie. Alors qu'elle retentissait pour la troisième fois, Anna se dirigea vers la penderie. Ça venait de là.

Dans l'armoire, il n'y avait que la veste en lin de Samuel : trop chaude pour être portée, trop élégante pour être abandonnée, froissée, dans une valise. Dans la poche intérieure elle trouva l'appareil. Il était si petit dans sa paume qu'on aurait dit un accessoire perfectionné utilisé en chirurgie cardiaque. La sonnerie s'était arrêtée. Celui qui appelait devait sans doute être en train de laisser un message. Elle fronça le sourcil. Il ne lui avait pas dit qu'il avait un portable. Sinon, elle le lui aurait emprunté pour appeler chez elle pendant le voyage au lieu d'attendre d'arriver à l'hôtel. Peut-être n'avait-il pas une longue portée. Étant donné sa vie professionnelle, ça semblait improbable. Peut-être que sa femme vérifiait les numéros sur les factures.

« Elle était au courant pour les autres. Elle ne sait rien pour toi... »

Elle examina l'écran. Une petite icône s'était déjà allumée, avertissant de la communication ratée. 21 h 30 un samedi soir. Tu ne veux pas savoir qui c'est, Anna, pensa-t-elle. Ce ne sont pas tes affaires, ce sont les siennes. Néanmoins leur confession mutuelle si intense avait fait son œuvre. Elle agissait comme une lente brûlure dans sa conscience, rendant le besoin de savoir aussi puissant que n'importe quelle intimité. Elle accéda au répondeur à partir du menu et une voix électronique lui expliqua comment écouter le message enregistré. Ses doigts volèrent sur les touches. Peut-être avait-elle simplement besoin de se sentir coupable.

C'était une femme. « Ma femme est française. » Mais elle avait un accent américain : « Salut ! Je t'appelle juste pour te dire que j'ai parlé à notre client cet après-midi. Il est très excité et impatient. Moi aussi, hein ? Je pouvais pas attendre. Je voulais vérifier que tout est O.K. pour toi, que tu as bien fait les choses et que tu pourras la ramener comme prévu. Je lui ai dit vers la fin de la semaine prochaine. Je suppose qu'alors nous serons rentrés et arrivés au bout de nos peines, non ? Je ne sais pas qui j'ai le plus envie de voir, toi ou elle. Oh ! en parlant de gens à qui tu manques, une femme nommée Sophie Wagner a téléphoné au bureau pendant que tu étais absent. De Saint-Pétersbourg, il me semble. Par chance, elle n'avait pas le bon nom et j'ai pris l'appel. Sais-tu comment elle a eu ce numéro ? Ça m'embêterait de penser que tu deviens moins prudent. De toute façon, dis-moi quand tu rentres. Et ne te tue pas trop au travail, d'accord ? Rappelle-toi, chéri, tu as des engagements ailleurs. » La voix émit une cascade de petits rires.

Le message était terminé. L'opérateur lui demanda si elle voulait l'effacer, le conserver ou le réécouter. Elle éteignit l'appareil, puis le ralluma pour vérifier que le message était resté enregistré. Il ne saurait jamais qu'elle l'avait écouté. Elle resta plantée, l'œil fixé sur le portable.

C'est le boulot, pensa-t-elle. Cette femme est une collègue, quelqu'un qui le connaît assez bien pour se montrer rustre, plus rustre même que sa femme. Quand elle essaya de déglutir, elle s'aperçut qu'elle n'avait plus de salive. De qui se moquait-elle ?

« Je n'en peux plus d'attendre... En parlant de gens à qui tu manques... Rappelle-toi, chéri, tu as des engagements ailleurs... »

Inutile de s'attacher aux mots, la voix elle-même la trahissait. La façon dont elle avait mentionné le nom de Sophie, l'insolence allumeuse qui va de pair avec le sexe... Si cette femme était une collègue, elle avait également couché avec lui. À en juger par la manière dont elle l'étalait, ça ne ressemblait pas à une liaison à sens unique.

Elle parcourut la pièce du regard et se vit couchée sur le lit, ses membres emmêlés aux siens, ses doigts entre ses cuisses, son visage l'observant alors qu'elle approchait de l'orgasme. On jouit différemment avec quelqu'un en qui on a confiance. L'atmosphère de la chambre était chargée de ses protestations d'honnêteté, d'images d'une épouse française qu'il ne baisait plus et de la confession mutuelle et tendre.

« Tu sais aussi bien que moi ce qui se passe ici, Anna. Plus nous jouons, plus ça devient dangereux. » Elle se sentit mal tout à coup, comme si un dragueur de mines travaillait dans son estomac, creusant au plus profond dans un sol charnel rempli de souvenirs et d'humiliation. Pourquoi ferait-il une chose pareille ? Pourquoi perdre son temps avec des mensonges alors qu'il avait une autre femme — même pas la sienne — roucoulant et s'affichant dans la poche intérieure de sa veste ?

Elle réécouta l'appel en pensée. Et elle, quel rôle jouait-elle là-dedans ? Était-ce la « elle » à laquelle il était fait référence ; la « elle » qui devait rentrer la semaine prochaine ? Sûrement pas. Alors, elle devait être le travail sur lequel il ne devait pas s'épuiser ? Et cette Sophie Wagner, et Saint-Pétersbourg ? Cela voulait-il dire une autre chambre d'hôtel, quelque part, avec l'empreinte de corps emmêlés sur un lit ?

Elle le revit, debout dans le couloir la première nuit

dans un hôtel de Londres, attendant l'ascenseur en se remémorant, à voix haute, son numéro de téléphone.

— Je t'appelle demain, lui avait-il dit en l'embrassant pour lui dire au revoir, mais sans lui proposer de lui donner son numéro à lui.

Il avait appelé, le lendemain matin comme prévu, chaleureux et impatient d'en avoir davantage.

— Et si j'ai besoin de te joindre en cas d'urgence ? lui avait-elle demandé plus tard.

— J'ai un répondeur, avait-il rétorqué. Je vais te laisser le numéro.

D'une manière ou d'une autre, ils n'avaient jamais trouvé le temps de le faire. Il l'avait toujours appelée, sans laisser de message, lui parlant toujours directement. Y avait-il une raison ?

« Par chance, elle n'avait pas le bon nom », avait dit la femme. Son nom à lui sans doute. Lorsqu'on ne connaît pas le numéro de quelqu'un, on ne sait peut-être pas qui il est en réalité.

Le dragueur de mines reprit son travail, lacérant ses nerfs enfouis dans la boue. Elle tenta de se calmer. Ainsi, le chéri de ces dames avait d'autres maîtresses, d'autres programmes. Et alors ? D'une certaine façon, elle aussi. C'était elle qui avait mis une petite annonce pour chercher une aventure. Cette histoire n'avait rien à voir avec Chris. Pour une fois, elle, Anna possédait une certaine légitimité, un certain pouvoir. Mais elle avait besoin de savoir à qui elle avait affaire. Elle avait besoin de parler à cette Sophie Wagner...

Elle considéra le portable. Un homme en voyage emporte son carnet d'adresses avec lui. Elle regarda sa montre. Presque 21 h 40. Il devait s'impatienter. Elle n'avait pas beaucoup de temps.

Elle ferma la chambre à clef. Assise sur le siège du W.-C., elle examina le téléphone de près. Grâce au menu, elle dénicha les numéros les plus utilisés et les vérifia un par un au moyen des touches. Elle réalisa soudain qu'elle n'avait rien pour les noter. Elle prit du papier hygiénique, et un crayon à lèvres dans sa trousse de maquillage. Il n'y avait aucun nom précisé pour les premiers numéros. C'étaient probablement ceux qu'il utilisait le plus souvent.

Elle les nota quand même. Deux d'entre eux comportaient un code d'accès européen (pas celui de la France) et un autre le code italien. Elle en trouva encore deux autres, dont les noms étaient précisés. L'un d'entre eux avait l'air russe. L'autre était américain. Les deux étaient des hommes. Elle écrivait si vite que la mine du crayon de fortune se cassa sur le papier. Comme elle se dirigeait vers la porte pour aller chercher un stylo plus pratique, elle entendit frapper un coup.

— Anna ?

Sur l'écran du petit téléphone, le prénom Sophie apparut, suivi de l'initiale W. Puis un numéro qu'elle reconnut comme étant américain. Indicatif 212. Centre de Manhattan. Elle le gribouilla frénétiquement. Ce qui restait du rouge s'écrabouilla complètement. Les quatre derniers chiffres étaient à peine lisibles : 87.87.

On frappa plus fort. Elle l'entendit taper sur la porte.

— Anna, Anna. Tu es là ?

— Oui, attends une minute, je suis aux toilettes.

Elle fourra la feuille de papier hygiénique dans sa trousse de toilette posée sur le lavabo et la referma. Puis elle tira la chasse d'eau et hurla par-dessus le bruit :

— J'arrive !

Elle remit le téléphone dans la poche de sa veste et déverrouilla la porte.

— Désolée, dit-elle en le laissant entrer.

— Pourquoi as-tu mis le verrou ? Ça va ?

— Oui, très bien. Je me baladais toute nue et quelqu'un est entré pour faire le lit.

— Qu'est-ce que tu fabriquais ? Je t'attends depuis plus d'une heure.

— Oh... Je... J'essayais d'avoir Londres, mais c'était occupé.

— Je croyais que tu l'avais eu tout à l'heure ?

— J'avais autre chose à lui dire. Enfin, c'est fait maintenant. Tu dois être mort de faim.

— J'ai laissé tomber, il était trop tard. Il faudra trouver quelque chose ailleurs.

— Je suis désolée. On peut partir tout de suite. Je suis prête maintenant.

— Ah bon ? (Il fronça légèrement les sourcils, lui saisit les mains et les retourna paumes vers le ciel.) Qu'as-tu fait ? demanda-t-il en secouant la tête d'un air moqueur et étonné. Tu ressembles à une fiancée hindoue.

Elle baissa les yeux et découvrit sur ses mains et ses doigts de longues traînées brunâtres comme du henné.

— Oh, c'est du rouge à lèvres. Je l'ai cassé.

— Avant d'en mettre, je vois, dit-il.

Il posa son doigt sur sa bouche, le fit courir sur sa lèvre inférieure. Elle le mordilla et fit mine de l'aspirer. Il sourit.

— Tu pourrais presque détourner un homme de son dîner. Mes compliments. Alors, tu viens ? Allons manger.

En sortant, il décrocha sa veste du cintre. Était-ce son imagination ? Elle eut l'impression qu'il glissait sa main dans le vêtement pour vérifier que son téléphone était toujours là.

Ils mirent un certain temps à trouver un restaurant qui veuille bien les servir à une heure aussi tardive. C'était plus facile d'y manger et d'y boire que d'y parler. Il en était à sa deuxième bouteille de vin, elle à sa première. À mi-parcours, il se rendit aux toilettes. Avait-il écouté le message ? Impossible de le dire. Quand il revint, elle décida de tâter le terrain pour voir où ça pouvait la mener.

— Puis-je te demander quelque chose, Samuel ? lâcha-t-elle d'un air désinvolte en prenant la bouteille de vin. Que fait ta femme ce soir ? Tu le sais ?

— Ma femme ? Je n'en ai pas la moindre idée. Elle est probablement sortie avec des amis.

— À quoi ressemble-t-elle ? Est-ce qu'elle me ressemble ?

— Non. Non, elle ne te ressemble pas du tout Anna...

— Je me demandais quelle langue tu parles avec elle. Elle parle aussi bien l'anglais que toi le français ?

Il fronça les sourcils et posa sa fourchette sur le bord de son assiette.

— Qu'est-ce qui se passe, Anna ? Le mal du pays te fait perdre la tête ?

Je préférerais que tu sois plus stupide, pensa-t-elle. Ce serait plus facile de ne pas avoir envie de te baiser.

— Pourquoi cela te rend-il nerveux, Samuel ? C'est simplement de la curiosité.

— Non. Ce n'est pas de la curiosité. Tu retournes le couteau dans la plaie. Je ne veux plus parler d'elle. Je ne veux pas d'elle à table. Je veux être avec toi. Il ne nous reste pas beaucoup de temps.

— Un jour et deux nuits. C'est assez.

Assez pour quoi ? Il ne releva pas.

— Que vas-tu faire à Genève la semaine prochaine ?

Il haussa les épaules.

— Comme d'habitude.

— C'est-à-dire ?

— Voir un type pour des tableaux.

— Quand reviens-tu à Londres ?

— Euh... Je ne sais pas encore. Peut-être la semaine d'après.

— La semaine d'après ? Ce sera pour le travail ou le plaisir ?

Il soutint son regard.

— Ça dépendra si tu me pardonnes pour tout ce que j'ai apparemment fait.

Elle haussa les épaules comme si elle ne comprenait pas l'allusion. Il tendit sa main et la posa sur la sienne.

Ses doigts étaient tout chauds. On aurait pu prendre ça pour du sentiment.

— Je n'aurais pas dû te laisser, dit-il calmement.

— Quand ?

— Dans la chambre, pour téléphoner. Tu as voyagé sans moi. Je n'arrive pas à te rejoindre.

Elle le regarda longuement.

Le regard de Samuel était comme le faisceau d'une lampe, trouant l'obscurité jusque dans les moindres recoins. Elle baissa les yeux.

— Je pense que je suis juste fatiguée.

Il relâcha son étreinte et remplit son verre jusqu'en haut.

— Oui, eh bien, on est deux. Pourquoi est-ce qu'on ne se repose pas ? On est complètement à côté de nos pompes. Trop de baise et pas assez de sommeil. Il y a de quoi devenir fou.

Elle sourit. Quoi qu'il arrive, ça ne servirait à rien de le rendre soupçonneux.

— Tu as raison. (Elle se renversa sur sa chaise et but une gorgée de vin.) Désolée.

Il finit son verre et le remplit aussitôt.

— Tu sais, je n'arrête pas de penser à ce vieil homme aujourd'hui, dit-il au bout d'une minute, fixant la robe rouge du vin. Je revois sans cesse son visage illuminé quand il nous récitait du Dante. C'était génial.

— Mieux que la peinture du tabernacle ?

Il ne répondit pas immédiatement, comme s'il évoquait de nouveau l'image, la vérifiant. Il haussa les épaules.

— Dans mon travail, quand tu as vu une madone, tu les as toutes vues.

Il avala une grande gorgée de vin, le buvant plus comme de l'eau que comme de l'alcool.

— Tu n'en penses pas un mot.

Il eut un large sourire.

— Non, tu as raison. Mais parfois, c'est oppressant, tous ces vieux tableaux. La chair est morte depuis longtemps.

— C'est pour ça que tu aimes tant ce qui est bien vivant ?

La remarque ne sembla ni le surprendre, ni le vexer. Il eut un large sourire, il avait l'air un peu éméché.

— Oui, je suppose que c'est pour ça.

Comme il prononçait ces mots, elle comprit qu'elle

avait envie qu'il lui refasse l'amour. Peu importait la possible déception ou la tromperie ; à ce moment précis ça ne comptait pas.

De retour à l'hôtel, elle se déshabilla pendant qu'il allait dans la salle de bains.

Quand il en sortit, elle était assise sur le lit et étudiait les programmes T.V. italiens en zappant avec la télécommande. Il se jeta près d'elle en grognant.

— Seigneur, je suis éreinté, dit-il, en poussant un long bâillement et en faisant courir une main désinvolte sur son dos.

Elle se retourna : il était étalé de tout son long sur les couvertures, sa bite roulée confortablement en boule, déjà installée pour la nuit, ne montrant aucun intérêt pour elle. Des profondeurs de la penderie, une voix américaine fourbe s'insinua dans son esprit.

« Ne t'épuise pas trop au travail ! Rappelle-toi, chéri, tu as des engagements ailleurs. »

À qui cela pouvait-il bien faire allusion, sinon à elle ? Quel autre travail avait-il ? Il surprit son regard et sourit paresseusement. Elle s'allongea sur le lit à côté de lui. Soudain, leur grande proximité lui sembla étrange. Elle prit conscience de sa propre nudité, comme Ève après avoir croqué la pomme. Elle voulut se lever, s'en aller, s'enrouler dans sa solitude et s'endormir. Mais elle désirait aussi qu'il fasse le premier geste pour lui prouver que leur relation tenait autant du désir que du travail.

Elle éteignit la télévision. Entre eux, le silence se prolongeait. Elle fit courir un doigt insolent sur sa poitrine.

— Humm. C'est bon. (Il ouvrit un œil.) Tu es magnifique, dit-il d'un air absent en l'attirant vers lui.

Il la recueillit dans le creux de son bras comme s'il berçait un bébé. Ils restèrent ainsi collés l'un à l'autre, immobiles. De toute évidence, il était sur le point de s'endormir.

— Veux-tu faire l'amour ? demanda-t-elle, essayant

d'avoir l'air désinvolte, mais ses mots demeurèrent figés dans l'air, nus et crus.

Il rit paresseusement, ignorant visiblement sa peur et sa colère.

— Oh ! Anna. Tu es aussi belle que le jour mais j'ai bien peur d'être hors service pour la nuit. Tu aurais dû t'occuper de moi avant la deuxième bouteille de vin. Voilà où ça mène. Il faut que je dorme.

Il la serra contre lui comme si l'étreinte pouvait la combler. Elle demeura allongée, la tête sur sa poitrine, son cœur battant la chamade, un staccato dans l'âme. Il dut sentir son trouble car il l'étreignit un peu plus fort.

— Demain matin, on prendra le petit déjeuner au lit. D'accord ?

Sa tête tomba d'un côté et presque aussitôt sa respiration devint paisible, son bras autour d'elle retombant inerte, pesant dans le sommeil.

« Ne t'épuise pas, chéri... » Les mots étaient comme du fil barbelé : quand on tentait de l'enlever, il pénétrait de plus en plus profondément dans la chair.

Elle resta écrasée un moment, secouant son ego pour évaluer les dégâts. Telle une odeur, un souvenir s'insinua dans son esprit : la fin de sa liaison avec Chris.

Le pire était déjà arrivé, il avait officialisé la rupture par un minable coup de fil. Sa secrétaire l'avait envoyée promener. Elle pansait ses plaies infectées depuis dix jours. C'est alors qu'elle avait décidé de l'appeler chez lui. Il n'était pas là. Elle avait écouté sa voix sur le répondeur invitant à lui laisser un message ainsi qu'à sa famille. Elle était assise dans un silence vacillant, oubliant de faire quoi que ce soit tandis qu'il demandait de parler après le bip sonore. Ces quarante secondes avaient été les plus longues de sa vie. Elle avait eu l'impression d'être une enfant qui n'a aucune conscience de soi, à qui l'on a pris quelque chose de vital, quelque chose qui, à ce moment précis, l'aurait soutenue. Mais elle était là, l'estomac ouvert, les boyaux dégringolant sur le sol.

Ce coup de téléphone avait provoqué une violente

spirale descendante qui s'était achevée six semaines plus tard au bord d'un lac glacial près de Windermere : accroupie contre le vent, plongeant ses deux mains dans l'eau gelée, elle avait regardé le ciel s'assombrir jusqu'à ce que les galets devinssent noirs. C'était là qu'elle avait réalisé qu'elle devait choisir, dépasser ou non cette situation. C'était aussi simple et apocalyptique que ça. Son choix. Et soudain ce qui était impossible était devenu presque facile. Elle avait retiré ses mains de l'eau, ramené ses doigts à la vie en les suçant et regagné à pied l'hôtel où un message d'Estella l'attendait à la réception. Le monde redémarrait, avec une nouvelle Anna, tel un battement de cœur plus fort.

Hier et aujourd'hui. Son côté gauche s'engourdissait sous le poids de son bras. Elle n'avait pas l'intention de se laisser aller. Elle se déplaça, s'arracha à son étreinte, et comme il ne se réveillait pas, retira sa main et se libéra. Il grogna lourdement comme un animal qu'on pousse, puis se retourna sur le côté et sombra encore plus profondément dans le sommeil. Une fois habillée et en possession du bout de papier hygiénique déchiré qu'elle avait été chercher dans sa trousse de toilette, elle s'aperçut qu'il était endormi aussi calmement et intensément qu'un rocher. Le moment était venu de savoir qui était réellement le chéri de ces dames...

À la maison — Dimanche matin

Je restai avec elle jusqu'à ce qu'elle s'endorme et que sa respiration devienne calme. J'observai son visage dans l'obscurité, la façon exquise dont ses joues, rondes et douces, descendaient en courbe, dont ses cils ressemblaient à de petits éventails bruns. En regardant attentivement, on voyait ses paupières battre par instants, comme un chat rêvant à des oiseaux. Elle était sereine, paisible... Même ses rêves ne semblaient pas connaître le mal.

Si mon père m'avait laissé dormir avec lui après la mort de ma mère, cela aurait-il pu nous aider ? Il avait dû y songer. Il était sûrement trop secoué par sa propre détresse et il devait craindre que ça remue le couteau dans la plaie. Lorsque j'ai eu une vingtaine d'années, j'ai vécu son attitude comme de l'indifférence, un manque d'amour. Mais, ces dernières années, je me suis montrée plus bienveillante à son égard. Dans les moments de stress, on fait ce que l'on peut.

Ce n'est pas notre faute si l'on ne fait pas ce qu'on devrait. Avec Lily à mes côtés, je comprenais ce qu'il avait dû ressentir. Sa douce sérénité me rendait plus agitée, son sommeil plus éveillée. Mon corps était comme envahi par le feu ; de petites flammes de panique qui s'allumaient et m'empêchaient de dormir alors même que j'essayais à de nombreuses reprises de jeter une couverture dessus. La beauté infinie d'un enfant qui dort. En tant qu'adulte, je trouvais ça presque insupportable.

Je la bordai soigneusement et descendis au rez-de-chaussée pour vérifier que le téléphone était bien raccroché. La tonalité était bruyante. Je composai mon propre numéro pour voir si j'avais des messages. René avait appelé de Stockholm pour dire qu'il serait de retour lundi et voir si l'on pouvait se fixer rendez-vous pour la semaine prochaine. Allais-je lui laisser un message ? Sa voix me prit par surprise. Je n'avais pas pensé à lui depuis la nuit dernière, comme si ce qui se passait était ma vraie vie et lui juste un à-côté occasionnel. Je réalisai que je n'étais pas sûre que notre relation traverse cette crise, même s'il n'avait rien à voir dans tout ça. Cela ne me perturba même pas.

Au-dessus de ma tête, j'entendis la porte du grenier s'ouvrir et des pas lourds descendre l'escalier.

— Anna ?

La voix de Paul, un murmure tendu, me parvint du palier.

J'avançai dans la lumière, au fond de l'entrée, pour qu'il puisse se rendre compte lui-même de son erreur.

— Non, désolée, Paul, c'est moi. Stella.

— Stella, répéta-t-il platement.

— Je ne voulais pas te réveiller.

— Ne t'inquiète pas, je pensais... Quelle heure est-il ?

— Trois heures, trois heures et demie ? Je n'arrivais pas à dormir.

Derrière lui, la porte de Lily était ouverte. Je le vis se retourner et la regarder.

— Elle n'est pas là. Elle est dans mon lit. Elle s'est réveillée il y a une heure.

— Que s'est-il passé ? Elle a fait un cauchemar ?

— Non, je ne crois pas. Elle s'est simplement réveillée. Elle avait besoin d'être un petit peu rassurée, c'est tout.

— Tu aurais dû m'appeler.

— Je ne crois pas que ça aurait servi à quelque chose. On a bavardé et je l'ai mise dans le lit d'Anna.

— De quoi ? Qu'est-ce qu'elle a dit ?

— Rien, en fait, répondis-je, consciente que j'aurais dû lui en dire plus, mais ne souhaitant pas raconter une conversation qui contenait tant de mon propre chagrin.

— Avez-vous parlé du coup de téléphone ?

À sa voix, je compris qu'il était inquiet de ne pas lui avoir tenu la main, assis sur les marches, dans le noir.

— Un peu.

— Et... ?

— Elle persiste à dire qu'elle lui a parlé. Je dois avouer que je la crois.

— Oui, bon... J'aurais aimé l'entendre aussi.

Il resta planté un moment, sans vouloir ni se taire, ni parler. J'eus envie de lui dire de ne pas s'inquiéter, que nous étions solidaires, impliqués à cent pour cent. Mais c'était avouer qu'il y avait quelque chose. Une fois lâché, ce ne serait facile ni à oublier, ni à résoudre.

— Tu peux lui parler de ça demain matin, dis-je doucement. Elle sera sûrement debout avant moi. Écoute, je suis désolée de t'avoir réveillé. J'espère que tu vas bien dormir.

— Ouais. (Il poussa un petit grognement.) Toi aussi. Tu as laissé le répondeur branché, hein ?

Je vérifiai la petite lumière sous l'appareil.

— Oui.

Je le regardai grimper l'escalier. Cette fois, il laissa la porte de sa chambre ouverte.

La rencontre ne m'avait pas aidée à dormir, loin de là. Même la maison semblait fourmiller d'anxiété. Je remontai lentement dans le bureau d'Anna et me dirigeai vers le meuble-classeur contre le mur. J'ouvris le tiroir du haut et avançai la main à tâtons jusqu'à ce que je trouve ce dont j'avais besoin, un petit sac de plastique scellé par une bandelette. À l'intérieur, il y avait une petite motte d'herbe et un paquet de papiers. Assez de dope pour deux joints de secours.

Même Anna partie, son hospitalité demeurait. Même si elle ne fumait plus réellement — pas depuis la naissance de Lily (elle avait eu peur de ne pas savoir faire face à une crise si elle était défoncée) —, elle gardait par tradition de la drogue pour les soirs où j'avais besoin de me sentir chez moi. Je n'avais qu'à espérer que cela ferait l'affaire. Je fis de la place sur le bureau et commençai le rituel : séparer les graines des feuilles, les écraser soigneusement en une sorte de longue ligne de poudre au centre de trois feuilles de papier gommé. Ce faisant, je repensai à l'agressivité contenue de Paul dans les escaliers et comment lui et moi, finalement, nous nous en étions sortis au fil des années. Nos liens n'allaient pas se briser aujourd'hui. Le passé était là pour nous soutenir.

Anna et moi étions les meilleures amies du monde depuis de longues années lorsqu'elle avait rencontré Paul aux environs de 1985. Si je me rappelais bien, ils avaient même couché ensemble une fois avant de découvrir qu'ils s'entendaient mieux hors du lit. Un an après, lorsque Paul avait viré subitement sa cuti, ce fut à Anna qu'il en parla en premier. Une fois gay et fier de l'être, il devint pour elle un ami très proche. C'est difficile d'imaginer aujourd'hui qu'ils ont été amants, même si l'écho de leur intimité filtre parfois à travers l'irritation ou l'affection qu'ils éprouvent l'un pour l'autre.

Il avait réellement prouvé sa valeur à l'époque du cataclysme entre Chris et Anna. D'une certaine façon, il lui a été plus utile que moi ; sa compagnie pleine d'énergie a davantage compati à son attendrissement sexuel que mon anxiété ignorante. Après la naissance de Lily, il était là aussi. Il avait le chic d'appeler au moment où les choses devenaient difficiles, comme s'il avait le talent d'entendre ses pleurs à l'autre bout de Londres.

Il fut le premier à découvrir à quel point Lily aimait la voiture, comment elle s'endormait instantanément au deuxième virage près du rond-point de Hogarth et se réveillait pendant la ligne droite de Chiswick High Road. Elle, en retour, se familiarisa avec son large visage souriant tandis qu'il la sortait ou l'installait dans son siège-auto.

Pendant un certain temps, nous fûmes à nous trois un véritable triangle parental. Je fus la première à partir. Les sociétés de droit international n'apprécient guère en général les congés parentaux, même légitimes, alors les autres... Pendant quelque temps, je leur consacrai mes week-ends, mais nous nous lassâmes vite de ces bouleversements — ce n'est pas possible de vivre à deux endroits en même temps — et je revins à un rythme mensuel, puis trimestriel.

En roulant le joint entre mes doigts, je tentai de me souvenir si je m'étais sentie exclue. Sincèrement, je ne l'ai jamais été. Je n'ai jamais été une fana des bébés. J'ai peur de ne pas savoir les porter correctement ni me débrouiller avec les larmes ou les caprices. L'horloge biologique apporte peut-être avec elle l'aptitude à lire l'heure. Heureusement, plus Lily a grandi, plus les choses se sont arrangées.

Ma victoire est venue par les mots. Lily et moi avons toujours été à l'aise pour bavarder, même des choses les plus banales et futiles. Alors que son premier mot — « maman » — fut offert à Anna (« Paul » était plus dur à dire que « papa » et elle mit davantage de temps avant de le prononcer correctement), sa première phrase — « tasse de thé, tasse de thé, tasse de thé » — me fut réservée au cours d'une de mes visites trimestrielles. Plus nous avons parlé, plus nous nous sommes appréciées.

Paul, lui, avait réussi aussi quelque chose d'unique et, au fil des années, je me suis mise à le respecter énormément. Cela dit, si nous devions nous retrouver tous deux sur une île déserte, je ne suis pas sûre que l'un d'entre nous ne choisirait pas de partir à la nage. Rien de personnel, comprenez-moi, simplement nous ne sommes pas des amis de cœur. Étant donné la pression que nous vivions, ce n'était pas surprenant que nous soyons tendus. Mais nous allions en venir à bout. Bien sûr, nous allions y parvenir.

J'eus soudain l'image de nous trois, Paul, Anna et moi, assis sur un banc d'église, regardant avec fierté Lily debout devant l'autel, adulte et magnifique vêtue d'une robe sophistiquée, un homme baraqué à ses côtés. Le père et les mères de la mariée. Scandaleux. Efféminé.

L'image changea. Paul et moi étions ensemble de nouveau mais le service était différent. Près de l'autel, un cercueil chargé de fleurs installé près d'un four discret. Le troisième personnage, c'était Lily, assise entre nous, nous donnant la main. En gros plan, on voyait que Paul et moi essayions de la tirer dans toutes les directions. L'image ne supportait pas qu'on y réfléchisse trop. J'allumai mon joint.

Dans le silence de la nuit, le bruit de l'herbe craquant contre le papier créa des sons familiers. Aspirer la fumée me relaxa, déclenchant un souvenir pavlovien de détente, comme lorsqu'on retire des chaussures trop étroites. La chanson de la fumée s'infiltra de mes poumons à ma tête. Conversation de cerveau. Elle ne serait pas longue à chanter dedans non plus.

J'aime être défoncée. Je n'ai jamais compris pourquoi certaines personnes en ont si peur. J'ai découvert ça à l'adolescence alors que je me débattais toujours contre l'absence fantomatique de ma mère. La dope a accompli plus de miracles que n'importe quelle thérapie. Pour commencer, cela me fit rire. Le monde devenait absurde, non plus pesant et morne, et, merveille des merveilles, en s'égarant, mon esprit devenait plus intéressant. C'est alors qu'elle commença à y faire son chemin. Je ne sais pas comment ou quand c'est arrivé, mais je découvris que je pensais à elle. Au lieu de demeurer un trou noir dans ma mémoire, elle commença à avoir de la consistance, une forme et une personnalité. Je me mis à regarder des photos d'elle, à imaginer son visage en mouvement, à me demander à quoi avait pu ressembler sa voix, ce qu'elle aurait pensé des *Bay City Rollers*, du Watergate, de la jupe longue ou de la fin de la guerre du Viêt-nam. Je discutais de ces sujets avec elle et quand j'eus plus d'assurance, je les essayai sur mon père. Bien sûr, je ne lui ai jamais avoué d'où je sortais tout ça. Cela aurait été cruel puisque le plaisir qu'il éprouvait de me voir changée avait un rapport avec l'inquiétude que lui donnaient mes anciens silences.

Je reconnais que ce n'était pas sans danger. Cela aurait pu tourner mal, devenir une obsession et une psychose, une enfant droguée ressuscitant sa mère morte pour avoir de la compagnie. Mais je n'ai jamais vécu les choses ainsi. Au bout d'un moment, elle a disparu en quelque sorte (j'imagine que ma propre vie a pris le dessus et que j'ai trouvé d'autres personnes à qui parler, d'autres façons de passer le temps), mais grâce à ça, j'ai eu l'impression de la connaître mieux, même si elle avait été créée grâce à des ronds de fumée. Depuis ce temps, la drogue est un refuge où j'ai l'impression qu'on s'occupe de moi... Peut-être ai-je appris à me prendre en charge toute seule.

Désormais même l'odeur me rappelle la solitude, les années d'alors et d'aujourd'hui, ces vendredis soir dans mon appartement d'Amsterdam, assise sur le sol près de la fenêtre ouverte sur une soirée d'été, après mon coup de fil à Anna, BBC 3 diffusant un concert ou un opéra qui s'insinue chez moi comme une forme d'impérialisme culturel subtil. J'allume la stéréo et laisse la musique prendre toute la place dans ma tête et dans la pièce.

J'adore ne rien connaître à la musique classique. J'aime la façon dont elle remonte dans le temps, loin de nous, tel un pays dont je ne connais pas l'histoire. C'est une des choses qui me plaisent dans l'idée de vieillir : me dire que j'aurai beaucoup de temps et de l'espace pour la découvrir.

Quand je peins ce fantasme, j'y suis toujours seule (est-ce étonnant ?), une adolescente devenue adulte, sans besoin de personne pour le partager. Pas d'amant. Même pas d'amis.

Et Lily ? Qu'arrivera-t-il à ma vie si je dois y inclure Lily ? Si Anna ne rentre pas et si nous — moi ou Paul — devons garder le bébé.

« Elle avait l'air drôle... Quand elle m'a dit au revoir, elle semblait un peu... triste, comme si elle ne voulait pas raccrocher. »

Ses mots prononcés dans l'escalier me revinrent soudain comme un tourbillon. Parfois, la drogue peut vous abandonner, transformer le plaisir en paranoïa, la sérénité en palpitations.

J'écrasai le joint et retournai dans la chambre vérifier qu'elle allait bien. Quelque part, au cœur d'une nuit italienne, sa mère avait un problème et il n'y avait rien, rien que je puisse faire pour l'aider.

Au loin — Dimanche soir

D'abord, elle voulut simplement le briser. Attraper la table et la lancer sur le miroir, le voir se fracasser au ralenti dans la pièce derrière, tandis que lui et son appareil photo tomberaient sur le sol couvert de verre ; des bris de verre un peu partout, dans l'objectif et dans ses yeux.

Elle en éprouvait un tel besoin qu'elle dut planter ses ongles dans la paume de sa main pour arrêter d'y penser. Où cela te mènerait-il, Anna ? pensa-t-elle farouchement. Nulle part. Que ferais-tu ensuite ? Tu escaladerais la brèche pour l'achever ? Même si tu le blessais suffisamment, il n'y aurait toujours aucune issue. Ne gâche pas tes chances. Pour une fois, tu as l'avantage. Continue ainsi. Sers-t'en, joues-en.

Elle se dirigea vers la table et se versa une tasse de café. La familiarité de ce geste, le fait de mélanger le lait et le sucre la ramenèrent sur terre.

Elle retourna vers les livres, en choisit un à la couverture ornée d'une blonde glamour à robe rouge, chapeau rouge, le visage baigné d'une lumière rose. Le titre annonçait : *Souvenir et Désir*. Il était lourd. L'histoire devait être bien dense. Elle l'ouvrit et en lut les quelques premières lignes.

Derrière le miroir, il avait d'elle un angle parfait, la

lumière formant un halo derrière sa tête. Cela ferait une bonne photo, chaleureuse, décontractée et convaincante. Elle lui laissa le temps de la mitrailler à sa guise. Puis elle posa le livre et bâilla. Ce n'était pas simulé. Son corps avait faim de l'oxygène qu'il ingérait. Elle se leva et passa avec désinvolture devant le miroir, s'arrêtant comme captivée par son propre reflet.

Puis elle se retourna, surprise, faisant semblant de fouiller la pièce du regard. Elle s'adonna pleinement à la vanité, relevant ses cheveux d'une main, les maintenant sur sa tête, étudiant les changements que ça apportait à son visage. Elle avala ses joues, examina une minuscule tache sur son menton, en faisant attention de ne pas s'approcher trop près. Elle soupira. Qu'est-ce que Stella avait l'habitude de dire ? Qu'elle était très douée pour mentir ? La vérité, mais rien que la vérité...

Elle continua de se contempler. Puis tenta un sourire timide.

— C'est mieux, murmura-t-elle à voix haute à son propre reflet. Regarde. Tu n'as pas à avoir peur tout le temps. Ce n'est pas aussi atroce que tu le crois. Ce n'est pas un monstre. N'a-t-il pas déverrouillé la porte pour te laisser sortir ? Ça doit vouloir dire quelque chose.

Elle hésita. La femme qui la dévisageait n'avait pas l'air convaincue.

Elle fronça les sourcils.

— Et s'il disait la vérité ? S'il ne voulait juste que ta compagnie ? Seulement pour deux jours. Parle-lui, apprends à le connaître, reste avec lui pendant cette période difficile et puis rentre chez toi. Il te laissera partir. Il tiendra sa promesse si tu la tiens aussi. Personne ne devra le savoir. C'est ton secret. Entre vous deux. Tu peux le faire, n'est-ce pas ? Pour le salut de Lily tu peux faire ça ?

Elle s'offrit — à elle comme à lui — un sourire éclatant comme en réponse à sa question. Et puis, enfin, elle l'entendit. Un petit bruit manifeste — moitié clic, moitié raclement — de l'autre côté du mur. Elle eut la sensation d'un scalpel courant sur sa gorge, froid et précis. Allez, continue de prendre des photos, prends-en autant que tu veux, pensa-t-elle. Parce que je vais déguerpir d'ici et quand je partirai, j'emporterai tes pellicules.

Elle baissa les yeux et retourna vers la chaise. C'est alors qu'elle crut entendre un autre bruit, plus assourdi cette fois. Mettait-il un autre film dans son appareil ? Il l'attendait quelque part, tout près, cerné par l'obscurité... Dans la même pièce ou ailleurs ? L'endroit devait rester secret. Il ne pouvait pas prendre le risque qu'elle le découvrît. Pas maintenant. Il devait sans doute attendre qu'elle soit partie avant de bouger.

Elle regarda autour d'elle. Le cheval était toujours sur la table, en équilibre précaire. Elle bâilla une nouvelle fois, ostensiblement mais sincèrement, puis, s'interposant entre le miroir et la table, ramassa l'animal de bois et le livre. Elle se dirigea lentement et bruyamment vers la porte et sortit de la pièce en éteignant la lumière d'un coup sec.

Elle monta les escaliers quatre à quatre, faisant le plus de bruit possible, entra dans sa chambre et claqua la porte. Après s'être déchaussée, elle fit demi-tour, redescendit sur la pointe des pieds, longea le corridor et retourna dans le salon en évitant d'être vue.

La croyant partie, il ne se gênait plus. Elle l'entendit presque distinctement marcher sur le dallage de pierre, pousser ou tirer un lourd objet. Cependant, elle n'arrivait pas à se repérer. Les sons ne venaient pas de la pièce voisine, mais du plancher, juste en dessous d'elle.

À toute allure, elle analysa les informations. Il était quelque part en bas. Même s'il marchait vite, il lui avait fallu un certain temps pour revenir dans la maison après avoir garé la voiture. Il n'avait pas dû, pas voulu, s'aventurer au rez-de-chaussée, sachant qu'elle devait errer à droite et à gauche. Voilà pourquoi la porte d'entrée ne s'ouvrait pas. Elle ne servait jamais. La véritable entrée de cette demeure n'était pas là, mais en dessous. Dans la cave. L'endroit parfait pour cacher toutes sortes de secrets... Et le seul moyen de sortir et d'entrer. Voilà pourquoi il l'avait laissée traîner ses guêtres partout pendant qu'il peaufinait sa glorieuse œuvre artistique.

Il devait y être en ce moment. L'imaginant au lit — il ne perdrait pas de temps à vérifier —, il devait développer son précieux film dans le noir. Elle devait trouver un moyen de descendre jusqu'à lui.

Elle bougea légèrement et le bruit en dessous s'arrêta net. Elle se figea, il ne pouvait pas l'avoir entendue !

Silence. Elle l'imagina, debout dans la cave, le regard fixé sur le plafond, étonné. S'il devinait qu'elle était toujours là, il allait monter pour savoir ce qu'elle faisait. Son silence le rendrait trop nerveux.

Elle avait raison. Quelques secondes plus tard, elle l'entendit bouger de nouveau, sous le hall cette fois, puis arriver à l'étage, non pas comme elle s'y attendait dans la pièce voisine, mais plus loin par un autre escalier.

Elle entendit une porte s'ouvrir quelque part dans l'obscurité. Je t'ai eu, pensa-t-elle. Je t'ai eu... Elle se cacha derrière la porte du salon. Il ne la chercherait pas là, pas avant d'avoir vérifié le reste de la maison.

Dès qu'elle l'entendit grimper les marches, elle se glissa hors du salon, traversa le hall et se dissimula dans le recoin sous l'escalier. Avec ses mains, elle tâtonna frénétiquement sur le mur. La porte devait se trouver là. Elle l'entendit aller et venir au-dessus dans la chambre, allumer les lumières, les éteindre, ouvrir des portes, tirer des meubles d'un côté ou de l'autre, aussi fébrile qu'elle.

De toute évidence, il s'énervait. Vu le nombre de portes fermées, il y avait peu d'endroits où elle pouvait se cacher.

Ses doigts rencontrèrent une bordure de bois. En la suivant à tâtons, elle sentit une poignée. Elle appuya. La porte était verrouillée. Elle se mordit les lèvres pour ravaler un cri de déception. Il l'avait fermée. Il l'avait fermée. Comment avait-il pu faire aussi vite ? Elle avait trouvé la sortie mais ne pouvait pas s'en servir.

Au-dessus de sa tête, elle l'entendit redescendre l'escalier.

Au loin — Tôt dimanche matin

Le bureau de la réception était désert. Anna appuya sur la sonnette. Une minute plus tard, arriva un homme d'environ trente-cinq ans, à l'allure décontractée et vieux jeu avec des pantoufles et un gilet. Selon le guide de Samuel, c'était un hôtel familial, pas vraiment un cinq étoiles mais charmant à sa manière.

— Désolée de vous déranger, dit-elle en italien. Je suis dans la chambre 14.

— Oui, je sais, répondit-il, ignorant nerveusement l'horrible coquard qui s'épanouissait au-dessus de son œil droit. Puis-je vous aider, *Signora* Taylor ?

Mme Taylor. La moitié de M. Taylor. Bien sûr. Il avait noté le nom du passeport de Samuel. De toute façon, les Italiens se moquaient de ce genre de choses. C'était un problème administratif, pas moral.

— Euh... Mon mari dort et je voudrais téléphoner. Je ne veux pas le réveiller.

— Bien sûr. Vous avez un téléphone dans le hall. Vous parlez très bien italien.

— Je me débrouillais mieux avant. Il y a longtemps. C'est un appel pour l'étranger.

— Très bien. Est-ce que je mets ça sur la note de votre chambre ?

— Euh... non... Euh... Je me demandais... Puis-je vous payer en liquide ? C'est juste... euh... disons, c'est un appel personnel. Je ne veux pas que mon mari soit au courant.

Il fit une petite grimace, à mi-chemin entre le désintérêt et le sourire narquois. Son épouse était une jolie femme, ronde et boudeuse, avec des yeux marron foncé et une forte poitrine. Il n'avait probablement jamais voulu appeler quelqu'un d'autre pendant qu'elle était à la maison, mais comme tous les hommes, il se réservait le droit de l'imaginer.

— Bien sûr, pas de problème. Pourquoi n'appelez-vous pas du bureau ? C'est encore plus tranquille. Je suis au fond si vous avez besoin de moi.

Elle s'assit derrière la table et décrocha le combiné. Elle s'aperçut que ses doigts tremblaient. Deux heures du matin. Il était cinq heures, non six heures de moins à New York. La personne était peut-être sur le point de sortir. Elle déplia le morceau de papier froissé : 87. 87. Les quatre derniers chiffres.

Elle obtint la communication. Un répondeur se déclencha, quelques jolies notes insolentes d'Ella Fitzgerald suivies d'une voix de femme tonitruante.

« Salut ! Je suis Sophie Wagner. Mais pas en chair et en os, disait le disque avec cet optimisme étincelant qui, chez beaucoup d'Américains, abrite une forme de dépression. Pourquoi ne... » L'appareil s'arrêta. Une autre voix se fit entendre. Le même timbre sans toutefois le même entrain.

— Bonjour, c'est moi !

— Sophie Wagner ?

— Ouais. Qui est-ce ?

— Euh. Vous ne me connaissez pas mais j'ai eu votre numéro par un ami. Je vous appelle d'Italie en fait.

— D'Italie. C'est super. C'est qui cet ami ?

Elle prit sa respiration.

— Samuel Taylor.

Il y eut un silence.

— Je suis désolée. Je ne connais personne de ce nom.

La voix était toujours « euphorique », plus perplexe que blessée.

— Oh... oh, mon Dieu. Il a dit... je veux dire, eh bien c'est possible que vous le connaissiez sous un autre nom. Il est anglais. Grand, environ 1,85 mètre, peut-être 88. Environ trente-neuf, quarante ans. Bien bâti, légèrement grisonnant. Visage plein. Séduisant. Œil souriant, grand sens de l'humour. (Elle s'arrêta un instant. Que pouvait-elle ajouter d'autre ?) Un bon coup au lit.

— Hé ! Je n'ai pas besoin de ce genre de détails, s'écria Sophie Wagner avant de raccrocher.

Anna resta sans bouger, le téléphone en main. Elle refit le numéro, son cœur reprenant son rythme normal. C'était occupé. Elle compta jusqu'à vingt et recommença. Le répondeur se mit en marche, laissant défiler tout le message. Quand elle entendit le bip, elle l'imagina assise devant une table, se tordant nerveusement les mains devant un verre de vin, essayant de ne pas s'en faire.

— Écoutez, Sophie, je suis vraiment désolée de vous ennuyer. Je m'appelle Anna Franklin. J'ai besoin de vous parler au sujet de ce type. Parce que... eh bien, parce que je suis certaine que vous le connaissez ou que vous l'avez connu et que j'ai besoin d'un conseil. Je suis une femme indépendante, épanouie, pas une hystérique, mais je crois que j'ai des ennuis. J'ai besoin de votre aide. Alors, s'il vous plaît, si vous êtes là, décrochez.

Elle attendit. Elle imagina l'appartement, petit, bien conçu, fonctionnel. Avec un peu de chance, il était situé tout en haut, avec une superbe vue sur la ville : un assemblage abstrait de toits, un quadrillage de rues, un tunnel de lumière et de verre. C'était peut-être agréable à l'œil mais ça ne remplissait pas une vie. Elle faisait peut-être partie de ces femmes qui ont besoin d'un homme pour ça. Elle entendit un clic à l'autre bout de la ligne. Le répondeur s'arrêta.

— D'accord. Je connais ce type, répondit Sophie Wagner, la voix aussi dure que celle d'une vieille peau californienne. Il est très doué pour la tchatche et les mondanités et sait quand récolter la note. Au lit, au début, il aime que les femmes mènent la danse, puis à la fin, il jouit comme un ouragan. Fait de bonnes pipes s'il lui reste assez d'énergie.

Elle pensa à l'ouragan éteint et essoufflé qui dormait là-haut. Malgré elle, ça la fit sourire.

— Oui. Je crois que nous parlons du même homme.

— Seulement il ne s'appelait pas Taylor, mais Irving. Marcus Irving. Le seul conseil que je peux vous donner, c'est de les lui couper avec un sécateur si vous vous baladez encore avec lui. Jetez-les dans un endroit où personne ne pourra les trouver car il est capable de se les recoudre.

Si la vie avait maltraité Sophie Wagner, au moins, elle n'avait pas perdu son sens de l'humour. Tout le monde ne peut pas en dire autant, pensa Anna.

— Puis-je vous demander ce qui s'est passé entre vous ?

— Vous en êtes où avec lui ?

Elle réfléchit à la façon d'avouer les choses.

— Je commence à douter de sa sincérité.

À l'autre bout du fil, elle entendit un hululement de délice.

— Wouaouh ! Vous avez le chic pour les euphémismes. Alors ? Quoi ? Il a bu, dîné et vous a baisée, c'est ça ?

— C'est ça.

— Est-ce qu'il a commencé à vous balancer des trucs sérieux ?

— Oui... Si on veut...

— D'accord. Donc, vous êtes presque sur la ligne d'arrivée...

Quelque chose se retourna calmement dans son estomac.

— Que voulez-vous dire ?

— Je veux dire qu'il va vous laisser tomber.

— Mais pourquoi... Je veux dire... Je suis désolée, mais pouvez-vous me dire ce qui vous est arrivé ?

— D'où m'appelez-vous ?

— D'Italie.

— Est-il avec vous ?

De l'autre côté de l'océan, elle entendit la gorge de la femme se serrer.

— Non, non, répondit-elle vivement. Mais je dois le retrouver demain. Demain matin.

— Il vous a invitée en voyage, hein ?

— Euh... oui, oui, c'est ça.

— Comment avez-vous eu mon numéro de téléphone ?

— Je l'ai trouvé dans son carnet d'adresses.

— Mon Dieu. Vous devez avoir de bons yeux. Il était au milieu de plein d'autres ?

— Euh... Je n'ai pas remarqué. Vous étiez sur la première page.

— Oh, vraiment ! susurra-t-elle d'un ton acide.

— Écoutez, s'il vous plaît... Je sais que tout ceci doit être difficile pour vous, mais... Pourriez-vous me dire ce qui s'est passé ?

Elle renifla.

— C'est vous qui payez la note.

Elle eut une hésitation. À l'autre bout de la ligne, Anna crut entendre quelqu'un gratter une allumette puis prendre une inspiration. Une New-Yorkaise qui fume encore. Il aurait aimé ça. Enfin quelque chose qui n'était pas politiquement correct !

— J'ai... j'ai mis une annonce dans un magazine. Un magazine sérieux, littéraire, respectable, avec un lectorat international et universitaire. Il y a répondu et nous avons dîné ensemble.

— C'était à Manhattan ? demanda-t-elle vivement, le téléphone dans une main et un stylo dans l'autre, prenant des notes d'une écriture rapide et hystérique.

— Oui. Il m'a dit qu'il venait souvent ici. Pour son travail. On s'est rencontrés deux fois puis il m'a emmenée au pieu et au bout d'un mois, honnêtement époustouflant, il m'a invitée à Saint-Pétersbourg.

Saint-Pétersbourg, bien sûr. La femme avait mentionné ce nom au téléphone.

— Saint-Pétersbourg ?

— Oui, malin, hein ? Il m'a baratinée avec la neige sur les boulevards qui ont vu la révolution, le musée de l'Ermitage, la vodka au poivre qui ressemble à une épice gelée, enfin ce genre de choses. Pour moi, c'était comme un putain de film, ceux qu'on passe dans les avions. J'étais partante.

— Qui a payé ? demanda calmement Anna.

— Bonne question. Nous étions deux adultes consentants, dit-elle en martelant les syllabes avec un soin exagéré. J'ai acheté mon billet et il s'est occupé des hôtels et du reste. Ça vous rappelle quelque chose ?

— Oui, murmura-t-elle d'une petite voix à peine simulée. Un peu. Et alors que s'est-il passé ?

— Rien. On a passé des moments merveilleux. Comme dans un film.

L'espace d'un instant, le souvenir du bonheur effaça le chagrin. Puis la jeune femme ajouta :

— Il était l'amant parfait. Il m'a acheté des cadeaux, m'a dit à quel point j'étais importante pour lui, comment on allait faire pour que notre histoire dure, et puis il m'a renvoyée à New York en avion, étincelante comme une pauvre romantique radioactive.

Elle s'arrêta. Peut-être se voyait-elle rentrer chez elle, arrivant de l'aéroport, l'estomac comme un sèche-linge rempli d'émotions. Elle était probablement venue à bout du décalage horaire en triant ses vêtements dans la penderie...

— Et alors ?

— Et puis... boum, ça s'est arrêté. Comme ça. Rien. Le grand néant. Pas un mot. Ni un coup de fil, ni une lettre ou une carte postale. Je n'ai plus jamais entendu parler de lui. Il m'a larguée.

Le crayon d'Anna se figea dans l'air.

— Mais pourquoi ? Je veux dire... Pourquoi aurait-il

perdu son temps à vous dire que c'était sérieux si ce n'était pas vrai ?

— Vous croyez que je ne me suis pas posé la question ? Je n'en ai aucune idée. Tout ce que je sais, c'est qu'à un moment il avait sa tête entre mes cuisses, parlant de mariage, et l'instant d'après il avait disparu de la surface de la terre.

— Mariage ?

— Oui. Quelle blague, hein ? Mariage ! Avant, j'avais un excellent détecteur de conneries pour ce genre de trucs et pourtant je m'y suis laissé prendre.

— Il ne vous a pas parlé de sa femme ?

Elle renifla.

— Non, non. J'ai eu droit à l'histoire du divorce. Comment il était tout seul depuis deux ans et était maintenant prêt à s'engager. Dans ce genre de discours, il est très fort. Très clair sur le plan émotionnel pour un Anglais. Alors il est marié, c'est ça ?

— Je ne sais pas. Enfin, c'est ce qu'il m'a dit.

— Et ça ne vous gênait pas ?

— Euh... non... euh... pas vraiment, euh... ça... ça me convenait.

— Vous parlez d'une coïncidence. Dites-moi, comment l'avez-vous rencontré ?

— Par les petites annonces. (Anna s'arrêta.) Dans un journal de qualité.

— Hourra ! s'écria-t-elle triomphalement. Et vous voilà partie ! Ça vous « convient » toujours qu'il soit marié ?

— Eh bien... oui et non. De toute façon, je veux dire récemment il a... euh...

— Ne me dites rien, il pense à la quitter, c'est ça ?

— Oh, mon Dieu ! murmura Anna doucement dans l'appareil, plus en signe de solidarité avec la peine de Sophie Wagner que pour exprimer la sienne.

Parce qu'à ce moment précis, Anna n'en ressentait aucune. Elle était partie, avalée et roulée en boule au fond de son estomac, pauvre petite chose sur laquelle s'acharnaient les sucs gastriques. L'horizon était dégagé, elle apercevait devant elle, à des kilomètres de là, la silhouette de la vengeance. Elle avait si peu de chagrin qu'elle en était presque effrayée. En haut, il dormait toujours profondément.

— Hé ! fit gentiment sa cousine américaine. Ne vous laissez pas abattre. Vous devriez être reconnaissante d'avoir tout découvert à temps.

— Oui. Merci. Dites-moi, ça s'est passé il y a combien de temps ?

— Voyons... Saint-Pétersbourg, c'était en février. « L'époque la plus magnifique de l'année », ricana-t-elle, imitant un mauvais accent anglais. Ça fait quoi ? Cinq mois.

Cinq mois. Cinq mois d'attente devant un téléphone qui ne sonne pas. Même les âmes les plus endurcies auraient du mal à ne pas avoir peur.

Il y eut un silence, le premier entre elles.

Dans son appartement de New York, devant un cendrier plein, Sophie Wagner commençait sans doute à trouver qu'elle s'était trop dévoilée, attendant qu'elle en fasse autant.

— Je suppose que ce voyage en Italie est comme le vôtre à Saint-Pétersbourg, expliqua Anna tranquillement. J'ai peut-être intérêt à rentrer chez moi tout de suite. Mais... écoutez... si je reste... si je le vois, voulez-vous que je lui dise quelque chose pour vous ?

Elle eut un éclat de rire tonitruant à la Bette Midler.

— Oui, bien sûr. Pourquoi ne pas lui donner mon meilleur souvenir juste avant de faire l'amour. J'adorerais voir sa tête. Peut-être qu'il aura une crise cardiaque !

Entre les mots, malgré la distance, on devinait un gémissement de douleur.

— Non, poursuivit-elle. Je veux qu'il ne sache rien sur moi. Vous comprenez ? Rien. Je ne veux pas que vous mentionniez mon nom ou que vous lui disiez que vous m'avez parlé. Si vous avez encore son carnet noir entre les mains, déchirez la page avec mon numéro dessus.

— D'accord. Je ferai de mon mieux.

— Oh, une chose encore, reprit-elle d'une voix faussement gaie. Lorsque vous rentrerez chez vous, prenez soin de changer les serrures de votre appartement, sinon votre assurance va devoir payer pour vos orgasmes.

— Que voulez-vous dire ?

— Écoutez... je n'ai aucune preuve. Mais deux jours après mon retour de Russie, je suis partie travailler un matin et quand je suis rentrée, j'ai trouvé mon appartement dévalisé. Vidéo, ordinateur, chaîne stéréo, deux tapis anciens venant de ma grand-mère, tous mes bijoux de famille, ma collection de C.D., tout, tout avait disparu.

— Et vous pensez qu'il a quelque chose à voir là-dedans ?

— Tout ce que je sais c'est que je ne crie pas mon adresse sur tous les toits. En plus, si on ne veut pas ameuter tout l'immeuble, il faut désactiver le système d'alarme. Pour ça, il faut connaître l'emplacement.

— Vous pensez qu'il a fait ça ?

— Tu parles qu'il l'a fait. Un jour, il m'a baisée juste à côté. Il gardait un œil sur son boulot.

— Mais... pourquoi... pourquoi vous aurait-il volée ? Il semble avoir beaucoup d'argent.

— Oui... et vous croyez qu'il le sort d'où ? Toutes ces conneries de discours sur des achats d'œuvres d'art. J'ai téléphoné à toutes les galeries de cette fichue Suisse. Aucun signe. Oh, je parie qu'il vend très bien les trucs. Mais il ne les achète pas. Vous imaginez le nombre de « femmes indépendantes » comme nous qui cherchent un bon amant et un peu de respect ?

Ses derniers mots faisaient penser à du Aretha Franklin :

— Il y en a suffisamment pour qu'il s'habille chez les grands tailleurs... enfin, tant qu'il est capable de jouir.

Dans le bureau terne de l'hôtel, Anna pensa à la décoration de sa maison : dix ans d'Habitat et d'Ikea mélangés à des objets glanés dans de bonnes brocantes et quelques bibelots chics achetés chez Conran ou Heals quand elle était en veine. S'il cherchait des œufs en or, il avait certainement choisi la mauvaise poule. De l'autre côté de l'Atlantique, Sophie Wagner attendait.

— Avez-vous parlé de ça à quelqu'un ? Je veux dire, êtes-vous allée voir la police ?

— Oh, s'il vous plaît... Vous regardez trop de séries télé. Les flics new-yorkais n'attrapent pas les criminels, ils se contentent de contrôler les polices d'assurance. Cette ville préfère filer des claques aux dealers de crack. Comme ça, ils deviennent tellement tarés qu'ils sont incapables de continuer à jouer les criminels. Vous croyez que quelqu'un va s'intéresser à un Anglais taré qui parvient à localiser les systèmes d'alarme en baisant ? De toute façon, quel nom dois-je donner ? Marcus Irving ou... comment avez-vous dit ?

— Taylor. Samuel Taylor... Il a un passeport.

— Désolé. Marcus Irving également. Je l'ai vu.

— Mon Dieu. Je ne sais pas quoi dire. Si vous saviez à quel point je vous suis reconnaissante...

Elle rit.

— Non, vous ne l'êtes pas. Vous souhaiteriez n'avoir jamais entendu parler de ça. À votre place, je serais comme vous. Ce n'est pas une consolation. Ça fait un bout de temps que je suis dans le circuit, j'ai vu beaucoup d'animaux en action, mais je n'ai jamais croisé de type pareil. Le mieux à faire pour vous consoler, c'est de vous dire que vous vous êtes fait avoir par un sacré bon comédien, lui prendre son portefeuille demain soir sur la table de nuit et vous tirer de là. Dans ce cas, vous n'avez qu'à écrire mon nom avec du rouge à lèvres sur le miroir. Ah ! au fait, vérifiez que vous avez toutes vos cartes de crédit, dit-elle, pataugeant dans les eaux cicatrisantes du fantasme. Bonne chance.

Et elle raccrocha.

Anna reposa le téléphone et resta assise un long moment, le visage entre les mains, essayant de comprendre.

Lorsqu'elle releva la tête, le propriétaire de l'hôtel était debout dans l'embrasure de la porte et la regardait. Elle se demanda combien d'argent liquide elle avait en haut. Peut-être allait-elle devoir lui piquer son portefeuille, finalement.

— Tout va bien, *Signora* Taylor ?

Elle se leva.

— Merveilleusement, merci. Combien vous dois-je ?

Il avait un bloc-notes à la main. Il la considéra presque tristement.

— J'ai peur que ça fasse cent neuf mille lires, dit-il avec un sourire forcé.

Quatre cents balles, calcula-t-elle. Mon Dieu. Au moins ça allait faire un bon papier. Elle fouilla dans son sac.

— Pourriez-vous me donner un reçu ?

À la maison

Je me glissai à quatre pattes dans le lit et me pelotonnai contre elle. Elle était tiède et calme, mais ça ne m'apaisa pas. Étendue, j'écoutai les bruits de la nuit, ou le peu qu'il en restait. Quelque part dans le platane, de l'autre côté de la rue, un oiseau surexcité célébrait déjà l'aurore. Je fermai les yeux, mais j'étais trop défoncée pour dormir. Trop défoncée aussi pour penser correctement. La drogue m'avait donné le vertige. La phrase de Lily dans l'escalier tournait et retournait dans ma tête. « Quand elle m'a dit au revoir, elle semblait un peu... triste, comme si elle ne voulait pas raccrocher... »

Qu'allait-il se passer si Anna ne rentrait pas ? Je cédai à la paranoïa et me laissai dériver. Il faudrait qu'on y réfléchisse un jour ou l'autre. C'était mieux d'y être préparé. Sans Anna, bon sang, qu'allions-nous faire ?

Dans le testament rédigé peu de temps après la naissance de Lily, Paul et moi avions été nommés tuteurs conjoints. Bien sûr, nous n'avions jamais parlé de ce que ça signifiait. Le simple fait d'apposer nos signatures en bas de ce document semblait nous protéger de ce genre de catastrophe.

Mais si ça se produisait ? Si c'était déjà fait ? Un enfant ne peut vivre à deux endroits en même temps. Paul aimait

Lily et s'occupait d'elle comme un bon père tous les vendredis et samedis. Personne ne pouvait le contester. Mais le reste du temps, il avait sa vie, son travail et maintenant son amant. Père à mi-temps, voudrait-il le devenir à plein temps ? Lui donnerait-on même cette chance ? Ce serait à la justice de décider puisqu'il n'y avait ni parents, ni frères et sœurs. À qui confierait-on Lily ? À lui ou à moi ? Il y avait de grandes chances que ce soit à lui. Elle le voyait plus souvent, le connaissait plus intimement. Ça me paraissait normal. Mais un homosexuel avec un travail prenant, sortant occasionnellement avec un éclairagiste de treize ans son cadet ? Ce serait un sujet pour la presse à scandale. Si Paul avait réfléchi à ça durant les dernières vingt-quatre heures (il l'avait sûrement fait), il avait dû s'en rendre compte.

Mon curriculum vitae était-il meilleur ? Une jeune femme célibataire exerçant une activité libérale mariée à son travail et vivant dans une ville étrangère. Je pensai à mon appartement d'Amsterdam rempli d'œuvres d'art attrayantes et à ses immenses portes-fenêtres donnant sur le ciel et l'eau. Pendant des années, quand Lily venait chez moi, je les fermais à clef, paralysée par une histoire qu'on m'avait racontée : celle du fils d'une star du rock qui, en dansant, s'était tué en passant par la fenêtre de leur appartement du quatre-vingt-sixième étage à New York. Lily serait-elle assez vieille, à sept ans, pour se débrouiller toute seule ou devrais-je faire poser des barreaux ? Ou déménager ? Si Lily venait vivre avec moi...

La liste des questions était longue. Foyer ? École ? Vacances ? Amis ? Éducation ? Sans travail, je ne pourrais pas l'élever. À l'inverse, ma vie était tellement bouffée par mon boulot qu'il me faudrait une femme à temps complet pour m'occuper d'un enfant. Hé, René ! N'as-tu jamais pensé à transformer une liaison occasionnelle en famille ? Si peu. La réussite de notre relation était basée sur l'absence. De plus, après deux jours au loin, je ne me souvenais presque pas de lui. On ne peut pas former une famille seulement pour accueillir une petite fille. De toute façon, comment l'arracher à une maison dans laquelle elle avait grandi ? Même mon père avait découvert qu'il valait mieux vivre avec sa peine pour parvenir à la dépasser. Alors me faudrait-il venir ici ? En serais-je capable ? Abandonner ma liberté et les vastes espaces de ma maison pour devenir une mère célibataire suppléante dans une ville que j'avais reniée depuis longtemps ? Non. La vérité est que nous aimions Lily mais en tant que fille d'Anna. Anna était le pivot de ce fabuleux triangle affectif que nous avions créé. Sans elle, ça allait se désintégrer et tomber en morceaux, nous laissant ramasser les débris.

Je revis le visage de mon père se tenant près de la table de la cuisine ce matin-là, essayant de trouver les mots justes. Bienvenue dans le vide.

Au loin — Dimanche matin

Si elle avait pu le frapper, elle lui aurait sûrement fait mal. Hélas, elle était mal placée. Dans l'obscurité elle le voyait à peine, devinant seulement son crâne et un bout d'omoplate. Elle ne pouvait pas gâcher sa chance.

Il fut surpris de la voir se dresser comme un spectre au pied des escaliers.

— Bonsoir Andreas, dit-elle, étonnée elle-même par la vivacité de sa voix. Vous me cherchiez ?

C'était à son tour d'avoir peur. Elle fut ravie de le voir sursauter. Quand il se retourna, elle crut un instant qu'il allait l'attaquer mais au lieu de ça, il s'arrêta brusquement, figé, et plongea ses mains dans ses poches comme pour éviter de se laisser aller à la violence.

— Je vous ai effrayé. J'en suis désolée, ajouta-t-elle, lui riant nerveusement au visage. Ma porte était ouverte. Vous avez dû la déverrouiller quand j'étais au lit. Je m'en suis aperçue lorsque je me suis réveillée. Comme je ne pouvais plus dormir je suis descendue. J'ai pris une tasse de café. J'espère que je n'ai pas mal fait ?

Elle bredouillait, lâchant des mots sans suite, volontairement naïfs, comme la femme qui tout à l'heure devant le miroir s'efforçait de croire à sa gentillesse, grâce à son baratin.

— Que faisiez-vous en dessous ? demanda-t-il enfin dans un murmure.

Elle haussa les épaules.

— Je vous cherchais et puis j'ai trouvé cette porte. J'ai pensé qu'il s'agissait peut-être de votre chambre noire. (Il arrive que la vérité et le mensonge se ressemblent.) Mais c'était fermé. Est-ce là que vous travaillez ?

Elle prit une grande inspiration.

Elle ne voyait toujours pas son visage, mais devinait sa nervosité. Il avait l'air différent. Elle continua de parler. Plus elle semblerait nerveuse, moins elle serait une menace. Elle resserra son étreinte autour du cou du cheval.

— J'ai trouvé quelques livres. Dans le salon. J'imagine qu'ils appartenaient à Paola. J'en ai pris un au cas où je ne pourrais pas dormir. J'espère que je n'ai pas mal fait ? dit-elle en bougeant légèrement son bras droit caché derrière son dos. Où êtes-vous allé ? J'ai cru entendre une voiture partir. Vous avez dû rentrer très doucement. Je n'ai pas entendu la porte s'ouvrir, ajouta-t-elle. On s'est fait peur mutuellement.

Mon Dieu, Anna, qu'attends-tu pour le frapper ? pensa-t-elle. Balance-lui un coup de poing sur le haut du crâne et finis-en. Pourquoi les femmes essaient-elles toujours de comprendre les choses, de les résoudre par la parole au lieu d'exploser ? C'est ta meilleure chance jusqu'à maintenant. Pourtant, elle garda sa main derrière le dos. Elle ne pouvait pas... ou ne voulait pas le faire. En fait, elle ne le savait pas. Elle le saurait assez vite. Je ne retournerai pas dans cette chambre, se dit-elle. Tu ne m'accrocheras pas sur tes murs.

Il se tenait au milieu de l'escalier, les mains toujours dans les poches. Elle avala une grande goulée d'air comme si elle avait beaucoup de choses à dire et qu'elle devait se préparer pour parler, mais aucun son ne sortit. Son cerveau semblait déconnecté et elle n'y pouvait rien.

Elle inspira bruyamment.

Le silence s'épaissit, serpentant dans l'escalier, longeant le couloir. Que se passait-il ? Il l'avait à peine écoutée. Il semblait s'être éloigné d'elle comme si la conversation lui demandait trop d'effort. C'était peut-être pour ça qu'elle continuait de bavarder. Pour qu'il reprenne sa place dans le jeu, redevienne anormalement poli. Bref, pour que cette relation de fous recommence comme avant.

Mais quelque chose avait changé. Quoi ? Elle réfléchit à toute allure. Elle n'avait même pas vraiment essayé de s'échapper. Au contraire, elle lui avait donné ce qu'il voulait, en restant debout devant son appareil photo, le laissant la mitrailler dans le miroir, lui offrant des sourires, une intimité, des larmes. Tout ce qu'il désirait. Comme Paola. Désormais, il les possédait toutes deux gravées sur pellicule. Que pouvait-il vouloir de plus ?

Quoi encore ?

Quoi, à part le sexe ? pensa-t-elle, le jaugeant de l'autre côté de ce gouffre de silence. Non, ce n'est pas ça. Je te connais. Elle repensa à leur rencontre dans la boutique de souvenirs, puis à leur conversation dans la gare, dans la voiture, devant la bouteille de vin. À aucun instant il ne s'était approché d'elle, il n'avait même pas levé un doigt dans sa direction. Il avait juste dû la toucher quand elle était inconsciente.

S'il ne bougeait pas, elle, elle allait être obligée de le toucher. Il était sur son chemin et il n'avait pas l'intention de se pousser.

Soit !

— Je dois remonter dans ma chambre maintenant, dit-elle doucement, vidée de sa folle énergie. Je suis fatiguée, j'ai envie de dormir.

Elle voulait qu'il s'écarte pour la laisser passer. Comme il ne faisait aucun mouvement, elle s'approcha d'un pas. Elle le sentit se raidir et vit un des muscles de son visage tressauter. Peur ou fureur ?

Un pas encore. Elle était tout près maintenant. À partir de maintenant, il n'y aurait plus de cadeaux, ni promesses de liberté, ni repas intimes devant le feu. Plus de discussions sur les amours perdues. Malgré sa confession dans le miroir et ses paroles d'apaisement, il ne la laisserait pas partir. Elle en était absolument persuadée. Et lui aussi. Elle sentait de nouveau son odeur, mélange de produits chimiques et de sueur, aigreur contre aigreur, comme une lente pourriture. Il devait porter sur lui la clef menant à la pièce du bas dans laquelle se trouvait son passeport, son billet et la porte de sortie. Finis-en, pensa-t-elle. D'une façon ou d'une autre, finis-en.

— Écoutez, dit-elle, plaquant un sourire sur son visage. Je sais à quel point elle vous manque, Andreas. Et j'en suis sincèrement désolée pour vous. Mais...

Ses mots restèrent suspendus dans l'air, volontairement tendres, presque cajoleurs. Dans le même temps, son bras droit jaillit de l'obscurité, brandissant le lourd cheval de Lily. Elle méritait mieux... Stella avait raison. Anna mentait bien et elle joua le coup du mieux qu'elle put ; la conversation dans le miroir, son petit discours, la caresse de sa voix. Elle n'était plus écœurée à l'idée de faire violence. Non. Une fois sa décision prise, elle le frappa aussi fort qu'elle pût. Enfin elle l'aurait fait... s'il ne l'avait pas frappée en premier.

Qui aurait jamais pu penser qu'un homme aussi guindé pût se comporter comme ça ? C'était comme s'il savait ce qu'elle allait faire avant même qu'elle lève le bras. Sa main jaillit de sa poche comme un oiseau dans une brusque envolée. Il frappa un seul coup : efficace, rapide. Il visa à la perfection, son poing s'écrasa sur sa tête, juste au-dessus de son œil droit.

Au loin — Dimanche matin

La *piazza* centrale semblait sortie tout droit d'un film de science-fiction : spectrale, désertée par les voitures et par la vie. À la lueur de lampes halogènes mal placées, les pavés ondulaient comme des galets sous une petite étendue d'eau, la place penchant d'un côté comme pour défier les lois de la gravité. Bibbiena après l'atterrissage des extraterrestres... Même pas de corps à kidnapper.

Sauf le sien. Elle était assise sur un banc sous un vieux et majestueux marronnier, contemplant la place. Elle essayait de réfléchir, mais ça n'allait pas bien loin. L'illusion de l'eau sur les pavés la distrayait, lui rappelant le plancher patinoire dans l'appartement de Fiesole la première nuit. Ça semblait si loin. Dans cette histoire il y avait tellement de zones d'ombre, de chemins sinueux. C'était difficile de s'y cramponner. Elle aurait aimé dormir mais son cerveau baignait dans l'adrénaline. Elle avait très mal aux yeux à force de les garder ouverts, pourtant elle savait qu'elle ne pourrait pas s'endormir si elle était couchée à côté de lui.

Au début l'air frais l'avait aidée, la nuit était si douce, la température si tiède, parfaite. Les peaux anglaises ressentent toujours un choc délicieux en ayant chaud dans l'obscurité, en sentant le soleil dans l'air nocturne. Les climats exubérants favorisent les tempéraments expansifs. C'est ce qui rend les Américains si flamboyants, pensa-t-elle. Ils passent leur vie à s'ouvrir et à se refermer selon les variations du mercure. Une Espagnole ou une Norvégienne n'aurait peut-être pas eu la même réaction devant les talents de séduction d'un escroc. S'il en était bien un ?

Elle erra dans les rues, butant dans des tas d'informations emmêlées, cherchant à saisir un bout de fil pour pouvoir détricoter correctement toute la pelote. Par où commencer ? Par un homme qui dévalisait les femmes ? Qui les courtisait, les piégeait et les baisait — dans tous les sens du terme — et qui s'en allait avec quoi ? un ego renforcé, une bite fatiguée et des biens de valeur ?

Ça n'avait aucun sens. C'était se donner du mal pour pas grand-chose. La grand-mère de Sophie Wagner lui avait laissé des tapis anciens et des bijoux coûteux ? Ce n'était pas suffisant pour la courtiser pendant un mois à New York et passer cinq jours de jambes en l'air dans les hôtels de Saint-Pétersbourg ! Et si le cambriolage n'avait rien à voir avec tout ça ? C'était peut-être juste l'accusation d'une femme vexée cherchant désespérément une explication à la blessure qui lui avait été infligée ? Le problème, c'est que sans ça, c'était encore plus incompréhensible. Les gigolos, même les plus sadiques, ont besoin de manger. Ils ne se contentent pas de vanité et d'humiliation. Ça devait donc avoir un rapport avec l'argent.

Il y avait d'autres choses qu'elle n'avait pas comprises. Son travail, par exemple. A priori, Marcus Samuel Irving Taylor vendait réellement des œuvres d'art. Tout du moins il travaillait dans une des galeries suisses que Sophie avait appelées. Elle devait se procurer ce numéro. Il n'avait pas dû le noter, il le connaissait sûrement par cœur. En revanche, comme il le composait souvent, il était forcément enregistré dans son portable. La technologie nous rend paresseux. Merci mon Dieu.

Elle était arrivée sur la place principale. Elle s'assit sur un banc et sortit le papier froissé de la poche de sa veste. Les deux premiers numéros avaient un code d'accès européen. Lequel correspondait à la Suisse ? Il n'y avait pas assez de lumière pour le déchiffrer correctement.

Elle revint à Sophie Wagner et à sa fichue liaison. Tout partait de là. De toute évidence, il était arrivé à ses fins. Comment ? Elle se repassa toute l'histoire une nouvelle fois, plus lentement.

Premier acte : il l'avait rencontrée par les petites annonces. Donc, elle avait laissé des traces, lui non.

Deuxième acte : il l'avait courtisée et séduite. Elle l'avait emmené chez elle. Pas lui. Il ne lui avait donné ni son numéro de téléphone ni son vrai nom.

Troisième acte : il l'avait invitée à Saint-Pétersbourg où il s'était comporté — quels étaient ses mots ? — en « parfait amant », déroulant la ville sous ses pieds comme un tapis rouge, et l'avait renvoyée chez elle réchauffée par des promesses d'amour éternel. Arrêtons-nous là-dessus. Pourquoi Saint-Pétersbourg ? La Floride aurait été moins chère et plus chaude. Les Caraïbes plus sexy. Mais non. Il l'avait séduite grâce à une vision volontairement romantique, mélange de neige et de culture.

« La neige sur les boulevards qui ont vu la révolution, le musée de l'Ermitage, la vodka au poivre ressemblant à une épice gelée. » Malin en vérité. Selon elle, le film idéal. Propre à éblouir le genre de femme mettant une annonce dans *The New York Review of Books.*

Saint-Pétersbourg et *The New York Review of Books. The Guardian* et un week-end en Toscane. Ces petits jeux amoureux ressemblaient à des clichés. Quel était le jardin de délices qu'il avait déroulé devant elle dans le restaurant de Fiesole le matin où elle avait hésité entre rester et partir ?

Le monastère de Saint-François et une superbe collection de peintures de Della Robbia... Le musée de l'Ermitage et la vodka au poivre... Bien sûr ! Voilà le lien entre les deux. L'art ! C'était donc ça ! Après tout il travaillait dans ce domaine. L'achat et la vente. Utilisait-il des voyages touristiques ou amoureux comme couverture pour des transactions douteuses ? Mais de quel genre et comment ? Il n'avait pas eu le temps de réaliser d'affaire.

Ils n'avaient vu, à proprement parler, aucune œuvre d'art de valeur (à part les églises, la chose la plus excitante c'était la fameuse peinture de l'autel qui n'était même pas réellement intéressante), et le week-end était presque fini puisqu'ils reprenaient l'avion lundi de bonne heure à Florence. À moins qu'il ne prolonge son séjour, attendant qu'elle soit partie. Dans ce cas, pourquoi aurait-il besoin de l'inviter ?

Non, il y avait quelque chose qu'elle ne comprenait pas. Sa tête lui faisait mal à force d'essayer d'élucider cette énigme.

Deux... Trois... Le clocher sonna dans le silence. De l'autre côté de la place, elle distingua un léger vrombissement, comme une tronçonneuse démarrant dans la nuit. D'une ruelle latérale, un scooter jaillit dans l'obscurité, se déplaçant à la façon d'un jouet d'enfant téléguidé. Le conducteur était un jeune type aux cheveux longs, sa passagère, minijupe et cuisses nues dans l'air de la nuit, avait passé ses bras autour de sa taille. Ils traversèrent la place à toute allure, le moteur grondant de colère sur les pavés inégaux, passèrent devant elle en flèche et descendirent la rue à sa gauche. Le bruit mourut lentement derrière eux. Deux petits amis italiens rentrant chez eux après une soirée tardive.

Espérons que la maisonnée n'était pas debout à les attendre. Elle les imagina se disant au revoir sur le perron de la fille, un bisou rapide avant que les lumières ne s'allument dans une chambre au-dessus. Cette image la ramena à son propre amant étalé de tout son long sur un lit dans le meilleur hôtel de la ville. Elle peaufina la vision.

D'après ce qu'elle en savait, il aimait dormir sur le ventre, la tête tournée sur le côté, le visage à moitié enfoui dans l'oreiller, respirant bruyamment. Au repos, ses épaules et sa poitrine étaient trapues, mais si l'on regardait attentivement, c'était davantage un début de graisse que du muscle. Il était encore très séduisant et elle avait toujours envie de le toucher. Elle sentait la texture de sa peau sous ses doigts, forte et souple en même temps, humide de sueur, telles des perles d'eau.

Elle laissa ses yeux et ses mains courir plus bas vers ses fesses. Son examen avait quelque chose de froid et de cruel. Au-dessus des hanches, il avait un début de poignées d'amour, conséquence de tous ses repas copieux. En fait, elle avait déjà vu de plus beaux culs... avant. Elle imagina quelqu'un (elle ?) lui tapant sur la fesse.

« Allez, mon garçon, lève-toi. Commence ton boulot. Il y a une dame qui attend tes services. » Alors qu'il se retournait, émergeant du sommeil à tâtons, elle remarqua que sa mâchoire était devenue molle, ses yeux mornes.

Elle arrêta cette image et l'étudia, se délectant de sa grossièreté. Je n'aime pas ton corps, pensa-t-elle. Il est trop mûr et riche de succès. Je ne sais pas pourquoi je ne m'en suis pas rendu compte avant. Je ne soupire plus après tes caresses. Je ne suis même pas sûre de pouvoir encore te faire l'amour.

Elle ouvrit les yeux et la place réapparut devant elle, calme et silencieuse, sûre de sa beauté et de son âge. Elle éprouva un sentiment presque palpable de soulagement. Qu'y a-t-il entre toi et les hommes, Anna ? se dit-elle. Pourquoi as-tu un goût aussi minable ? Elle se revit devant la table de la cuisine, Paul et Michael assis de chaque côté, une bouteille de vin à moitié vide entre eux, jouant au Cluedo. En face, Lily, à genoux sur sa chaise, serrant le dé dans ses petites mains potelées, la concentration gravée sur le visage.

Sur le plateau du jeu, Mme Rose poursuivait M. Olive dans la maison avec une clef anglaise et les deux gays s'amusaient comme des petits fous. Non, ce n'était pas vrai. Elle n'avait pas un goût minable pour choisir les hommes. Ses choix n'étaient pas les mêmes pour la baise et la paternité. D'une certaine façon, cela me convient probablement, pensa-t-elle : être aimée et abandonnée dans le même temps. Avec le recul, elle réalisa qu'elle avait dit la vérité sur elle le premier soir au restaurant de la tour Oxo. Elle ne voulait pas de mari, elle ne souhaitait qu'un amant occasionnel. La plus grosse faute qu'elle avait commise, c'était d'avoir attendu trop longtemps avant d'en prendre un, de ne pas avoir reconnu l'intensité de sa faim. Lorsqu'elle s'était mise à table enfin, elle avait mangé trop vite et s'était rendue malade. C'était une pathologie typiquement féminine de ne pas savoir contrôler son appétit. Mais si on lui en donnait la possibilité, elle pourrait guérir. On obtient ce qu'on veut quand on le veut assez fort. Quand on le veut assez fort...

Lui, que voulait-il ? Si ce n'était ni le cul, ni l'adoration, de quoi s'agissait-il ? Elle l'ignorait. Mais elle allait le découvrir. Lorsque le clocher sonna la demie, elle se leva et repartit lentement à pied vers l'hôtel.

À la maison — Dimanche matin

Comme si elle avait surpris mes pensées, Lily remua à côté de moi et se retourna, son bras frappant ma poitrine. Sa main était toute froide. Je la gardai un moment dans la mienne avant de la reglisser sous les draps. J'entendis à l'étage au-dessus les grincements des ressorts du lit de la chambre d'amis. Immobile, j'écoutai : peut-être les avais-je réveillés avec mes errances. Le bruit cessa. J'imaginai Mike se serrant contre Paul, comme deux cuillères dans un tiroir. Je regardai ma montre dans l'obscurité. Presque trois heures du matin. Je fermai les yeux, laissant la came m'entraîner où elle le voulait. Elle m'emmena en Italie. Je l'imaginai dans une chambre d'hôtel, un homme à ses côtés, oubliant de téléphoner dans sa quête de l'orgasme. C'est si bon que ça le cul, Anna ? Si bon que tu en oublies ta maison, ta fidélité. Dis-moi. Je me concentrai encore et la retrouvai dans un aéroport, adossée confortablement à un siège-baquet sous une lumière crue. Devant elle, un panneau d'affichage nu et silencieux. Ça arrive à tout le monde de rater l'avion. Ça fait partie de la vie des nantis. Mais on s'arrange toujours pour joindre les gens, les rassurer.

Finalement, je la découvris dans un champ de tournesols resplendissants au cœur de l'été, son corps étendu entre les tiges grasses comme une poupée de chiffon, la terre autour noire de sang séché.

« Elle semblait un peu... triste, comme si elle ne voulait pas raccrocher. » Tant d'histoires, tant de possibilités. Je suis très douée pour faire semblant. Je l'ai toujours été. Quand ma mère a disparu, j'ai longtemps pensé qu'elle avait été renversée par un bus. Comment annonce-t-on à une petite fille de dix ans que le corps de sa mère a été retrouvé coupée en deux sur des rails de chemin de fer dans le Hampshire, un aller simple dans la poche ? Aucun mot, aucune explication, rien, même pas une légère ecchymose dans le dos pour donner à penser que quelqu'un l'avait poussée du train. Ça n'avait aucun sens. Quand elle ne travaillait pas, elle s'absentait parfois pour la journée ; des visites de jardins majestueux au cours desquelles elle glanait des idées de plantations, se baladant le long de la ligne de chemin de fer. Aucune trace de *Brève rencontre* au buffet de la gare. Mais le saurions-nous jamais ? Il faut être deux pour une rencontre : l'autre pouvait ne pas oser parler, apprenant le décès de sa compagne. Papa avait dû y réfléchir : c'était la seule façon qu'il avait de savoir si la mort de son mariage était liée à une histoire de sexe ou à la destinée.

Les années suivantes, je m'étais demandé s'il n'aurait pas préféré qu'on ne retrouve pas le corps. Ainsi, il n'aurait pas eu à affronter l'horreur. On aurait pu prétendre qu'elle avait vraiment disparu. Atteinte d'amnésie, elle était partie pour Hollywood, s'était enfuie avec un marin hongrois exilé. La fin des années 60 était après tout assez débridée. Mais coupée en deux sur des rails ? C'était si macabre, si définitif. Quand ai-je appris la vérité ? Dans la cour de récréation sans doute. Je ne voudrais pas que la même chose arrive à une enfant que j'aime.

Pour équilibrer les choses, je lançai une pincée de poudre magique dans l'obscurité et, ouvrant les yeux, ramenai Anna dans la chambre, la faisant asseoir sur le bord du lit, les yeux rieurs.

— Souviens-toi du moment où tu as disparu, dis-je. (Comme j'étais toujours camée, je crois que je parlais à voix haute.) Seigneur, tu ne te rends pas compte à quel point on était tous inquiets.

Elle éclata de rire.

— Oui, je sais. Désolée. Un malentendu stupide, hein ?

Je hochai la tête.

— C'est sûr. Enfin, tu es là maintenant !

Seulement ce n'était pas vrai.

— Bon sang, où es-tu Anna ? dis-je dans la pénombre. Que fais-tu en ce moment ?

Au loin — Dimanche matin

Elle regardait dehors par la fenêtre, le soleil de fin d'après-midi découpant une ombre immense sur son visage. Elle avait remonté ses lunettes noires sur le sommet de son crâne, relevant une mèche de cheveux rebelle. De fines ridules couraient de son nez aux coins de sa bouche, lui donnant un air fatigué, presque triste. La tasse de café posée devant elle était déjà à moitié vide. Son regard était perdu dans le vide. Elle pensait à quelqu'un ou à quelque chose. Puis son humeur changea. Elle traversait une *piazza* après la pluie, les pavés ruisselants de lumière, l'église Santa Croce dans le fond. Elle semblait occupée, vivante, presque heureuse.

À droite, il y avait d'autres séries de portraits, elle un verre de vin à la main, parlant à quelqu'un — un serveur probablement — ou déjeunant dans un restaurant. Elle reconnut les nappes à revers bleu ; c'était près des jardins Boboli. Au cours du repas, elle avait trop bu et dû rentrer à l'hôtel pour dormir. Le même jour, elle avait traversé la ville à pied avant la tombée de la nuit et s'était assise sur les marches du baptistère. Elle était très belle sur cette photo, le soleil couchant couleur miel se reflétant dans ses cheveux noirs. Dans un album, elle serait légendée : Anna à Florence. On pourrait peut-être ajouter un autre mot : seule.

C'était la différence entre elle et l'autre femme, Paola — était-ce son vrai nom ? Si les photos de Paola étaient plus saisissantes, c'est parce qu'elles avaient été prises au cours d'une vie riche, animée, alors qu'elle, Anna avait tout d'une femme coincée, en transit, attendant quelque chose. Ce n'était pas juste. Il aurait dû la voir chez elle, dans son univers rempli d'amis, de bavardages. Et de Lily. Comment pouvait-on faire le portrait de sa vie sans Lily ?

Elle ferma les yeux et retomba sur le matelas. Dans la pénombre, tout se mit à tourner, l'odeur nauséabonde et pénétrante des produits chimiques la prit à la gorge. Elle se souleva et essaya encore.

La pièce était petite, le plafond bas. Il n'y avait aucune fenêtre, seulement une porte fermée. Malgré l'air conditionné, il faisait très chaud. Un monde souterrain. Son monde. Où était-il ? Elle avait mal à la tête mais la douleur lui paraissait lointaine. Il avait pansé grossièrement sa blessure. Sous le bandage, elle sentait une bosse souple. Ça la brûlait. Combien de sang avait-elle perdu ? Cela expliquait-il sa faiblesse et son envie de vomir ? Lui avait-il encore donné une drogue ?

Lève-toi, pensa-t-elle. Lève-toi et sors d'ici.

Je ne peux pas. Je ne peux pas.

Comme elle ne voulait pas pleurer, elle regarda les photos attentivement. C'était étrange d'être entourée d'images de soi, différentes, vues par les yeux de quelqu'un d'autre. Comme si son âme avait été dérobée par un appareil photo. C'était ça, la vraie Anna ? Si pensive, si triste ?

Depuis le début, il l'avait suivie. En tout cas, depuis le deuxième jour. Était-il dans ce café le premier ou le deuxième après-midi ? Avant ou après sa visite à Santa Croce ? Elle ne se rappelait plus. Peu importe. C'était étrange qu'elle ne l'ait pas remarqué ! Elle devait être trop absorbée, trop repliée sur elle-même sans doute, peu consciente de l'électricité qu'il y avait dans l'air.

Elle passa à la série de clichés suivante. Alors qu'elle s'attendait à trouver des miroirs, elle découvrit des lits. Elle reconnut la couverture verte avant de s'apercevoir pelotonnée en dessous. Toutes les photos avaient été prise du même endroit, d'un trou dans le plafond, dans la fixation du plafonnier probablement. Elles racontaient ses nuits agitées : un bras pendant ici, une jambe là ; de courtes séquences juxtaposées comme les animaux qu'on fait bouger en feuilletant les pages dans un livre pour enfants, ou les pubs télé vantant un somnifère ou un remède contre le rhume.

Elle semblait paisible, profondément endormie, rien d'érotique ou de salace dans sa posture, juste une intimité rendue effrayante par le voyeurisme et le clignement des yeux de l'appareil photo. Avait-il pris ces clichés la première nuit, quand elle était droguée, ou la deuxième, quand elle s'était réveillée, étonnée de trouver la lumière allumée ? Elle comprit soudain les différents bruits entendus la nuit dernière. Il avait déverrouillé la porte et éloigné la voiture parce qu'il savait depuis le début qu'elle était réveillée et l'entendait. Pendant tout ce temps, il l'observait...

Venaient ensuite les photos prises dans le miroir : en les regardant maintenant, elles semblaient prophétiques. Une folle échevelée et anxieuse faisant semblant de ne pas l'être. Même quand, poussée par la vanité, elle souriait, rentrait les joues et ouvrait les yeux, l'effet était plus dérangeant que séduisant. Sur certaines, elle se trahissait. Alors qu'elle avait cru dissimuler ses doutes, l'appareil les avait traqués dans un battement de cils, l'ouverture des lèvres. La peur transpirait par tous les pores de sa peau. Pour saisir ça avec autant d'acuité, il fallait du talent et de la sensibilité. Il avait aussi sans doute perçu son émotion soudaine, la fureur et la détermination rusée qui avaient succédé à la peur. Mais il n'y avait pas trace de ce changement. Cette galerie ne présentait qu'une sélection de clichés. Leur choix avait une signification.

Les photos restantes prenaient la moitié du dernier mur. De toute évidence, il avait travaillé dur mais le temps avait joué contre lui. Il n'avait pu ni les encadrer ni les classer correctement. Il s'était contenté d'une série d'agrandissements hâtifs punaisés sur le mur. Il ne les avait pas triées. Certaines, prises dans la cave, étaient simples et bâclées, un corps affaissé, une tête posée sur la poitrine, une blessure à peine visible. D'autres — elle sur sa chaise — étaient presque baroques dans leur élégance, l'entaille sanglante faisant écho au rouge profond de la robe, sa peau aussi blanche qu'un lavabo en émail.

Une femme ordinaire à la vie paisible jusqu'à la proie traquée conduite vers une lente destruction. Il restait un demi-pan de mur. Quelques photos supplémentaires. Elle regarda fixement l'espace vierge. Une douleur lancinante lui vrillait les tempes. Elle aspirait au repos. Elle ferma les yeux et s'allongea sur le matelas.

Son corps poussa un soupir de soulagement. Elle savait qu'elle devait agir : ce qu'elle regardait était la chronique de sa propre mort. Mais elle se sentait loin, déconnectée, comme si la drogue qui détendait son corps amollissait aussi son cerveau. C'était extraordinaire : elle contemplait sa disparition et n'en était pas alarmée ! Elle s'efforça de continuer à penser. Elle songea à Lily et ressentit aussitôt une immense tendresse. Elle aurait souhaité lui parler une dernière fois durant quelques instants. Elle savait ce qu'elle avait à lui dire : des mots à garder pour le reste de sa vie. L'amour sans amertume.

Elle avait toujours eu peur que Lily meure avant elle. D'ouvrir la porte sur un ultime cauchemar, une femme en uniforme sur le perron prononçant ces mots : « Désolée, mademoiselle Franklin, j'ai de mauvaises nouvelles pour vous. »

Au moins, maintenant, ça n'arriverait pas. Au contraire, sa disparition assurerait la longévité de Lily. Car même un univers sans dieu n'aurait pas la cruauté d'infliger un tel chagrin à deux générations.

Cette pensée la réconforta. Stella prendrait soin d'elle. Experte dans ce genre de douleur, elle saurait trouver les mots justes pour consoler, offrir un peu de solitude. Lily survivrait. C'était tout ce qui importait.

Qu'avait ressenti Paola au moment fatidique ? Avait-elle abandonné ou continué de lutter ? Avait-elle été trompée par les mêmes ruses : une série de photos et le récit d'un amour perdu ? Avait-elle été la première ?

Tout avait dû être très facile. Elle s'en apercevait soudain. L'essentiel c'était de le vouloir assez fort. Le reste était une question d'organisation et de chance : trouver une étrangère éloignée de son domicile avec laquelle on n'a aucun lien et dont personne ne remarquera l'absence avant que l'on ne soit très loin.

Elle avait tout pour tomber entre ses mains : elle était seule, sans mari ou petit ami, dans un hôtel bon marché avec pour bagage un guide de voyage et un italien rouillé. Les voyageuses faisaient d'excellentes cibles. Il lui suffisait d'aller dans n'importe quelle grande ville, pas forcément à Florence.

Peut-être les laissait-il toutes téléphoner chez elles ? Si ça se trouve, c'était son truc ! Ou alors, il s'était montré trop confiant avec elle...

C'est sûr, un jour, il serait pris. C'était inévitable. Il ferait une erreur et on l'arrêterait. Tout serait découvert : la maison, les corps, les photographies.

Les photographies... Sur les murs, il n'y avait que celles qu'il avait choisies. Il devait y en avoir d'autres : planches-contacts, négatifs, cliché après cliché du lever du soleil à la tombée de la nuit. Est-ce qu'on les montrerait à leurs familles ? Elle n'y tenait pas vraiment. Pas plus qu'elle ne tenait à ce qu'on les présente au tribunal. Ce n'était pas le genre de photos qu'on voulait garder en souvenir.

La mort était une affaire privée. Juste entre deux personnes. Comme le sexe ou la terreur. Un élancement aigu lui laboura l'estomac, réclamant son attention au même titre que la fatigue ou la douleur lancinante qui lui martelait le crâne.

Elle regarda le mur. Sa propre peur lui sauta au visage. Elle comprit soudain que l'effet de la drogue commençait à se dissiper. Non, il valait mieux qu'ils ne voient jamais ça. Elle ferma les yeux et se rendormit.

Au loin — Dimanche matin

Elle se déshabilla et se glissa sous les draps à côté de lui, faisant attention de ne pas trop s'approcher de son visage. Il ne bougea pas. Elle écouta sa respiration : bruyante, profonde, celle d'un homme au repos. Même à distance, elle sentait sa chaleur. Elle ferma les yeux et essaya de dormir. Elle était si lasse qu'elle n'arrivait plus ni à réfléchir correctement, ni à calmer le tourbillon de ses pensées. Les minutes s'égrenèrent doucement. Elle cherchait toujours le sommeil lorsqu'il poussa un léger grognement. En se retournant, il buta contre elle au milieu du lit et l'enlaça d'un bras paresseux. Pendant un instant, il resta ainsi, pesant, indifférent, puis il resserra son étreinte et l'attira vers lui comme s'il réalisait ce qu'il tenait.

— Hummm... Tu es toute froide, marmonna-t-il au bout d'un moment d'une voix confuse, à moitié enfouie entre ses omoplates.

Il dormait bien depuis le début, n'est-ce pas ?

Elle fit comme si elle n'avait pas entendu, comme si elle était la seule à être réveillée. De sa main, il lui caressa la jambe.

— C'est gelé ! (Son ton parut plus alerte soudain.) Où es-tu allée ?

— Oh, je me suis levée une minute, murmura-t-elle. Je n'arrivais pas à dormir.

Silence. Il continua de l'effleurer, doucement, méthodiquement, et une douce chaleur s'infiltra en elle.

— Où es-tu allée ?

Quelque chose dans sa voix la poussa à dire la vérité.

— Me promener. Je ne voulais pas te déranger.

— Idiote !

Il se blottit contre elle, comme un animal creusant la terre.

Lorsqu'il frotta son menton contre son dos, elle sentit sa barbe de plusieurs jours ; on aurait dit du papier de verre, une sensation à mi-chemin entre la caresse et l'irritation. Quelques heures plus tôt, allongée près de cet homme, elle aurait tout fait pour qu'il la touche, maintenant, elle se retenait de le fuir. Sa main se glissa habilement entre ses cuisses.

— Tu aurais dû me réveiller. (Elle écarta légèrement les jambes, plus par politesse que par réelle envie.) Je t'aurais aidée à dormir, dit-il, la voix ensommeillée mais soudain malicieuse, presque pétulante comme celle d'un enfant.

Tandis qu'il parlait, elle sentit sa queue se durcir contre ses fesses. Elle eut un frisson. Où se trouvait la frontière entre le désir et la tension ? Inconsciente de ses hésitations, sa main s'insinua un peu plus haut, s'égarant dans sa toison jusqu'à pénétrer la douce moiteur.

— Mmmm, c'est bon.

Ils restèrent ainsi un moment, sans faire un geste. Elle songea au portrait qu'elle avait fait de lui dans le square, cette chair farcie d'égoïsme et de complaisance, puis le chassa.

Elle pouvait l'embellir ou le faire disparaître. Du calme, se dit-elle. Les nuits de baise sont les avantages des histoires de cul, souviens-t'en ; les corps qui prennent des libertés avant que l'esprit ait eu le temps de se réveiller. Elle écarta davantage les jambes. Même les sales types sont capables de bonnes choses si on les laisse faire.

— Enfin ! murmura-t-il.

Ces mots se perdirent presque dans sa chair.

Il accentua sa pression et, ayant trouvé l'entrée, l'écarta d'un doigt scrutateur. Elle appuya sur sa main pour mieux sentir sa force. Après avoir joué un moment, il ressortit son doigt et, la renversant sur le dos, la redressa afin de la pénétrer. Leurs mouvements étaient si langoureux, presque irréfléchis, qu'on aurait pu les croire encore à moitié endormis.

La nuit était totale, épaisse. Tout en bougeant en elle, il laissa échapper un long hoquet. Dans le bref silence qui suivit, elle entendit le clocher de la ville sonner la demie de quatre heures. L'aube serait bientôt là. Elle le sentit aller et venir avec une lenteur calculée, longuement, comme pour savourer le moment. Elle aurait presque pu croire qu'il se livrait à un travail artistique, en plus du plaisir. Mais comme un homme en « mission », il tirait visiblement satisfaction de sa propre compétence.

— Allez, Anna, dit-il calmement dans son oreille. (Ses doigts n'en finissaient pas de la fouiller, cherchant l'endroit exact, le bon rythme pour l'entraîner dans le cercle enchanté.) Tu ne pensais pas pouvoir partir, hein ? Il est temps de rentrer chez toi.

Il sait, pensa-t-elle soudain, et cette évidence lui fit l'effet d'un électrochoc. Il est réveillé depuis le début et il sait que je sais. Mais comment ? Ce n'est pas possible. Elle lâcha un petit rire et, à sa grande satisfaction, y perçut une ombre gutturale, comme si le son sortait de son corps au lieu de son cerveau.

— Si tu veux que je revienne, chéri, tu dois me trouver d'abord, dit-elle à moitié pour elle, à moitié à voix haute.

Ce nouveau défi l'embrasa.

Il s'en aperçut. Il s'enfonça davantage en elle. Instinctivement, elle avala une grande goulée d'air.

— Là. C'est mieux, dit-il d'une voix plus ferme.

Il se concentra sur elle, jouant de son corps avec plus d'assurance, perfectionnant chaque mouvement, attentif aux vagues de désir qui enflaient, les unes après les autres...

Elle le laissa faire. Combien de fois avaient-ils fait l'amour, elle et lui ? Quinze, vingt fois ? Assez pour qu'ils sachent tous deux qu'elle était près du but. Dans un instant, elle n'aurait plus besoin de lui. Portée par la dynamique de son plaisir, elle se sentirait soulevée irrésistiblement hors de son corps jusqu'à tournoyer et exploser dans l'espace, triomphante, solitaire, oublieuse, de lui, de son travail, de sa vanité et même de son plaisir.

Il attendait le moment de la rejoindre, un signe afin de faire comme tous les bons amants, pour se donner la parfaite illusion d'être réunis, tous deux sur la même orbite. Mais elle ne s'intéressait plus à lui. Elle ne pensait qu'à elle. Alors qu'elle lui arrachait son orgasme, il s'aperçut de sa fuite en avant et tenta, trop tard, de rattraper les choses en quelques poussées. Elle avait déjà joui. Lorsque ce fut fini, au lieu de se retourner et de le rejoindre comme l'exige l'amour — ou tout au moins l'étiquette —, elle se tint délibérément éloignée, le corps et l'esprit à des lieux de ses gesticulations frénétiques et croissantes. C'était à son tour d'être trop loin pour revenir. Les hommes peuvent faire semblant pour tout, sauf pour ça, pensa-t-elle. Même cet homme-là. Même quand il ne donne rien de lui. Alors qu'elle attendait en silence la fin du combat, son plaisir mêlé de cruauté la surprit et la réjouit en même temps.

Lorsqu'il se retira après avoir joui — un truc rapide et plutôt bâclé —, il se laissa aller sur le dos pour reprendre sa respiration. Étendue à ses côtés, elle songea à Chris et à ce jour déjà ancien où ils avaient conçu Lily. Que lui avait dit Samuel Marcus Taylor Irving alors qu'ils échangeaient des confidences sur le lit, baignant dans le liquide amniotique de la confiance mutuelle, moins de douze heures auparavant ?

— On dirait que tu as remporté la victoire.

Elle se demanda si l'on pouvait dire la même chose aujourd'hui. Et si ce qui venait de se passer n'était qu'un succès temporaire dans une bataille bien plus grande ?

Ils restèrent un long moment allongés l'un près de l'autre, sans parler. Soudain, il se souleva sur une épaule et se pencha vers elle. En ouvrant les yeux, elle rencontra son regard.

— Que s'est-il passé ? demanda-t-il calmement.

Elle sourit :

— Rien.

— Alors où étais-tu ? dit-il d'un ton léger. (Tous deux savaient très bien de quoi il parlait.)

— Je... je ne suis pas revenue à temps. Désolée.

— Tu es vraiment descendue ?

— Pourquoi ne m'as-tu rien dit ?

Il haussa les épaules.

— Je ne sais pas. Tu étais là et l'instant d'après, tu étais partie. Je me suis senti seul.

Elle hésita, impressionnée malgré elle par son honnêteté.

— Je suis allée en ville, sur la place.

Si cet aveu subit le déconcerta, il ne le montra pas.

Son visage s'allongea.

— La place ? C'est drôlement loin.

— Oui.

— Pourquoi ne m'as-tu pas réveillé ?

— Tu étais fatigué. J'avais envie d'être seule. J'avais besoin de réfléchir un peu.

— Je vois. Sur ton retour à la maison ?

— Oui, en quelque sorte.

Il fit courir un doigt sur son visage.

— C'est pour ça que tu as fait ça ? Tu t'es entraînée à jouir de nouveau toute seule ?

Elle soutint son regard.

— Ne te flatte pas, dit-elle, sans malice particulière.

Il éclata de rire.

— Tu vas me manquer, tu sais, Anna, dit-il doucement avant d'ajouter : Tu t'en rends compte, n'est-ce pas ?

— Tu te débrouilleras bien, dit-elle.

Il sembla peiné. C'était presque convaincant.

— Que dirais-tu si je t'annonçais que... que je suis en train de réfléchir à ouvrir un bureau à Londres. (Il s'arrêta.)

Si ça se fait, il va falloir que je m'y installe au moins six mois de l'année.

Elle haussa les épaules.

— Je pense que je me demanderais où vous allez vivre, ta femme et toi.

Il sourit.

— Elle n'est pas anglophile, j'en ai peur. Elle resterait à la maison.

Elle hocha la tête. Elle imagina Sophie Wagner assise près du téléphone dans son appartement de Manhattan, tentant d'aménager sa vie entre deux faux numéros.

— Pourquoi Londres ? interrogea-t-elle. Pourquoi pas New York ?

Il fronça les sourcils.

— New York ? Qu'est-ce qui te fait penser à New York ?

Elle haussa les épaules.

— Je ne sais pas. Je pensais que le marché de l'art y était plus développé.

Il hésita.

— Pas pour moi. Alors qu'en penserais-tu ? Je veux dire, si ça se faisait. Cela serait-il une bonne excuse pour que je rencontre ta fille ?

— Je ne sais pas, Samuel. Il faut que j'y réfléchisse.

— Je vois. (Il hocha la tête doucement.) De toute façon, si ça se trouve, ça ne va pas se faire. Pour l'instant, ce n'est encore qu'une idée.

Dehors, par la fenêtre, un couple d'oiseaux se mit à chanter, créatures téméraires dans un pays d'épicuriens où, depuis des siècles, on avait décidé que plus les oiseaux étaient petits, plus ils constituaient un mets délicat. Mais peut-être qu'ils savaient lire l'heure et sentaient qu'ils avaient quelques heures devant eux avant que les braves chasseurs italiens ne se lèvent et ne se dépêchent de faire exploser leurs cervelles et rôtir leurs petits corps sur des broches de supermarché. On doit ressentir une confiance particulière et inhabituelle quand on est à l'abri du prédateur.

— Je dois dormir maintenant, dit-elle en levant la tête pour l'embrasser doucement sur les lèvres. Juste quelques heures.

Il hocha la tête, sans bouger, continuant à la regarder fixement. Elle ferma les yeux. Quand elle les rouvrit un moment plus tard, il l'observait toujours. Elle sourit.

— Tu vas bien ?

— Oui, ça va. J'essaie de mémoriser quelque chose. Dors, maintenant. Je te réveillerai quand il sera l'heure de partir.

— Tu te lèves ?

Il était difficile de savoir si elle en était perturbée ou soulagée.

— Je suis réveillé. Je ne pense pas pouvoir me rendormir. Mais toi tu peux. Nous avons toute la journée devant nous. On n'est pas pressés.

— Que vas-tu faire ? demanda-t-elle.

Elle le regarda enfiler un pantalon et un pull-over et ressentit soudain une douleur aiguë comme lorsque les effets d'une anesthésie disparaissent. Que se passe-t-il ? pensa-t-elle frénétiquement. Où est parti mon engourdissement ?

— Oh, je vais aller m'asseoir un moment au salon et voir si je peux commander un petit déjeuner matinal. J'irai peut-être visiter l'église — d'après le guide, elle est extraordinaire — et trouver un endroit pour déjeuner.

C'est parce que c'est fini, pensa-t-elle. Tout : le plaisir, la douleur, le sexe, la séduction, l'intimité, tout est parti quand il s'est rhabillé. Il ne reste que la trahison, la tromperie — peu importe le nom et le jour où ça se produira —, mais ça ne suffira pas à effacer ce qui s'est passé entre nous, même si je le souhaite. L'espace d'un instant, elle eut envie de croire à ses mensonges plutôt que de le laisser partir.

Il enfila sa veste et, s'approchant du lit, se pencha pour l'embrasser légèrement sur la bouche.

— Dors bien. À plus tard.

Puis, attrapant sa mallette, il se redressa et quitta la pièce.

Elle se tourna sur le côté et resta à contempler la chambre, essayant de lutter contre le chagrin, de s'y tailler un chemin. On lui avait dit une fois que pour absorber et contenir une douleur physique, il fallait respirer à travers elle. Elle concentra son attention sur la fenêtre et sur le jour naissant, une aurore presque effrayante. Soudain, les choses s'accélérèrent, une lueur blanchâtre couleur barbe à papa s'infiltra, éliminant progressivement le gris du ciel. Les teintes, tendres et extravagantes, semblaient sortir tout droit du pinceau d'un peintre. Elle se rappela soudain la madone restaurée tenant le Christ mort sur ses genoux sur le tabernacle dans l'église, sa robe d'un bleu brillant sur l'ombre jaunâtre de la chair morte. Le peintre l'avait si bien rendue qu'on sentait presque le poids de son corps avant qu'il ne ressuscite et monte au paradis. Les corps des hommes... On demandait aux femmes de s'en occuper de tant et tant de manières. Ce n'était pas la fin de l'histoire.

À la maison — Dimanche

Je me réveillai dans un lit vide, alertée par le rire bruyant de Lily et l'écho de voix de dessins animés haut perchées. Arrivée en haut de l'escalier, je m'arrêtai pour écouter. Pourquoi les adultes ne rient-ils pas comme ça ? Est-ce à cause de la taille de leur larynx ou de leurs états d'âme ? J'avais l'impression d'avoir passé la nuit debout, c'était d'ailleurs la vérité.

Dans le salon, je trouvai Lily pelotonnée sous un duvet, un bol de corn-flakes perché dangereusement sur ses genoux, regardant d'un œil brillant les *Razmockets* à la télévision. Angelica (notre préférée à toutes les deux) piquait une nouvelle colère. Je refermai la porte sur son mauvais caractère drolatique.

Dans la cuisine, Paul fumait une cigarette, seul, appuyé contre la porte ouverte menant au jardin. Depuis combien de temps avait-il arrêté de fumer ? Ce n'était pas le moment de poser la question. Comme j'entrai, il lança le mégot dans les buissons. À une époque, ce geste en aurait séduit plus d'un. Mais désormais, Paul était un homme marié. Et inquiet.

— Salut ! Tu as bien dormi ?

— Très mal, répondis-je en réchauffant mes mains au-dessus de la bouilloire comme au-dessus d'un feu de camp, jusqu'à ce qu'elles commencent à brûler.

— Moi aussi. (Il marqua un temps.) La police a appelé.

Je relevai la tête brusquement :

— Quand ?

— Ce matin, vers 9 h 30.

— Et alors... ?

— Rien. Ils ont vérifié tous les vols en provenance de Pise et de Florence d'aujourd'hui et de demain. Elle n'est enregistrée nulle part.

Je ne répondis rien. Il n'y avait rien à dire.

— Ils ont trouvé l'endroit où elle était descendue. Grâce à l'ordinateur qui gère les passeports. C'était l'hôtel Corri. Dans la via Fiasolani ? Près du Duomo apparemment.

— Jamais entendu parler. Et sinon, qu'est-ce qu'ils ont dit ?

— Qu'elle avait quitté l'hôtel jeudi après-midi, comme prévu.

— Est-ce qu'elle a dit où elle allait ?

— Non. Ils supposent que c'est à l'aéroport. D'après la fille de la réception, elle a demandé qu'on lui appelle un taxi. Elle ne se souvient plus de la destination. Elle ne sait même pas si Anna le lui a dit.

— Mais elle l'a vue partir ?

Il acquiesça. Je me sentis soudain incroyablement excitée. Comme si la réponse à toutes nos questions résidait dans cette minuscule information concrète.

— Donc, il faut juste qu'ils retrouvent la piste du taxi ?

Il soupira.

— Ce n'est pas facile. Quand Anna a appelé la compagnie, on l'a prévenue qu'il y avait beaucoup d'attente. Elle a préféré aller en chercher un dans la rue.

— Oh !

Nous restâmes silencieux un instant. Florence en pleine saison touristique. Combien de taxis ? Combien de chauffeurs ? Combien de destinations en une journée ? Accroche-toi à tes certitudes, Estella ! C'est mieux que rien.

— Enfin, s'il s'est passé quelque chose, c'est entre l'hôtel et l'aéroport ?

— Oui. Ça, on en est sûr.

— Leur as-tu parlé du coup de téléphone ? demandai-je d'un ton désinvolte en ouvrant la porte du frigo pour y prendre le lait.

Il eut la décence d'hésiter.

— Non. (Un temps.) Le lait est sur la table, regarde !

Je grognai un remerciement mais ne le laissai pas se tirer d'affaire.

— S'ils avaient trouvé son nom sur un des vols, je l'aurais fait.

— Et la pub pour les Amis de cœur ? Tu leur en as parlé ?

Il secoua la tête.

— Ça n'a aucun rapport avec un homme.

— On n'en sait rien, Paul, répliquai-je patiemment.

— Si, on le sait, rétorqua-t-il, une flamme d'indignation dans le regard. J'ai téléphoné au journal ce matin. J'ai trouvé le numéro de la rédactrice en chef qui lui a commandé ce papier. Elle m'a dit qu'Anna lui avait rendu un article il y a deux semaines sur les rencontres par petites annonces — le nombre de gens qui font ça, leur style, etc. Dedans, elle parlait de cette pub du *Guardian*. Elle n'avait pas encore eu le temps de le publier. Je lui ai demandé de le garder sous le coude jusqu'à ce qu'on en sache plus.

Mon Dieu. Ainsi, il s'agissait d'un article. Les photos, les sélections de petites annonces, les factures de téléphone, tout ça. Tout ?

Je mélangeai le lait dans ma tasse et bus une gorgée. Le premier thé du matin : une véritable drogue pour le sang. Ce n'est pas la drogue qui compte, c'est l'intensité de vos besoins. La dope de la nuit dernière errait toujours sur les berges de mon cerveau, m'ôtant tout soulagement.

— Donc, tu ne crois pas qu'elle a rencontré quelqu'un de sérieux et choisi de ne pas en parler ?

— Pourquoi dis-tu ça ?

Je haussai les épaules.

— Parce que c'était toi qui pensais qu'elle était perturbée. En plus, Mike nous a dit qu'elle avait changé de style. Apparemment, elle a l'air différente. Il doit y avoir une explication.

On entendit, venant du hall, un rire préenregistré de plus en plus fort, puis un générique énergique et alerte. Je fis signe à Paul de se taire. Dix secondes plus tard, la tête de Lily surgit dans l'embrasure de la porte de la cuisine.

— J'ai encore faim, dit-elle à la ronde. Puis-je avoir un autre toast ?

— Bonjour, lançai-je. Angelica a fini sa colère ?

Elle fit oui de la tête ; rien n'est plus vite oublié chez un enfant qu'un dessin animé.

Paul se leva de table.

— Blanc ou complet ?

— Blanc, bien sûr.

— Beurre ou margarine ?

— Margarine, bien sûr.

— Marmelade ou miel ?

Il y eut un silence.

— Nutella, bien sûr, dirent-ils d'une seule voix.

J'étais spectatrice d'une représentation de cabaret. Dans quel but ?

— Rapporte-moi d'abord ton bol de corn-flakes, dit Paul.

— Oh, non, pas maintenant ! C'est l'heure de *Spiderman*.

— Si ! Maintenant.

— Pauuul !

— Hé ! Pas de bol, pas de toast.

Elle poussa un soupir théâtral et sortit brusquement.

Je réalisai qu'il aurait probablement cédé si je n'avais pas été là. C'est dur parfois de faire comme d'habitude, de se comporter normalement. La porte du salon claqua derrière elle.

Il se leva et prépara quand même le toast.

— Tu en veux ?

Je secouai la tête.

— Mike est-il parti ?

— Oui, il a reçu un appel de bonne heure.

Je m'arrêtai.

— Paul ? (Il me regarda.) Je l'aime bien, vraiment. Je pense qu'il est solide. C'est un homme bien.

Il eut un large sourire.

— Oui. C'est dur à trouver, n'est-ce pas ?

La plaisanterie tomba à plat comme un pétard mouillé. Ce n'était pas un jour à badiner.

— Alors, vous allez vous installer tous les deux ?

Il se retourna et se concentra sur le toast.

— Nous devions.

— Devions ?

Son dos eut un soupir de colère.

— Eh bien, ça va dépendre de ce qui va se passer maintenant, hein ?

— Ah bon ? (Je finis mon thé.) Je ne vois pas pourquoi.

— Oh, allez, Stella ! dit-il, agressif, en se tournant vers moi. Tu as dû y penser, non ?

Je pris ma respiration.

— Non, répondis-je en mentant effrontément.

Je reposai ma tasse et en regardai fixement le fond. Avant, il y a longtemps (je ne me rappelle même plus quand), les femmes savaient lire l'avenir dans les feuilles de thé. Avec l'arrivée du sachet, nous avons perdu cette capacité. Triste.

— Non, je n'y ai pas réfléchi, repris-je.

Il me dévisagea en fronçant les sourcils puis vint s'asseoir en face de moi, laissant le toast sans beurre ou sans margarine.

Il secoua la tête :

— Désolé.

« Hé ! pas besoin de t'excuser », lui fis-je comprendre d'un geste.

— Je n'ai pas bien dormi non plus.

— Non.

Nous restâmes silencieux un moment.

— Tu es vraiment très bon avec elle, Paul.

Il se contenta de hausser les épaules.

— On se débrouillera, dis-je enfin. Entre nous on se débrouillera. Tout ira bien pour elle. Mais je suis sûre qu'on n'en arrivera pas là. Je sais que non.

Il me jeta un coup d'œil et me sourit. Je lui rendis son sourire.

— Non. Tu as raison. (Il hésita.) Tu peux rester quelques jours, c'est vrai ?

— Tu sais bien que oui. Je resterai aussi longtemps qu'il le faudra.

Il s'arrêta. De toute évidence, il échafaudait quelque chose.

— Je suis attendu en Écosse demain pour une réunion. À la première heure. C'est une affaire à régler avec un distributeur écossais. C'est très important. J'ai essayé de le joindre pour annuler le rendez-vous mais je n'ai pas trouvé son numéro personnel.

Je hochai la tête :

— Oui, bien sûr, il faut que tu y ailles.

Il fit signe que oui de la tête. Il ne me regardait plus.

— Je pourrais prendre le premier avion à 6 heures. Ou un train de nuit... il y a sûrement de la place.

J'hésitai. C'était difficile de comprendre ce qu'il essayait exactement de me dire.

— Qu'avais-tu prévu de faire — je veux dire avant qu'il arrive ça ?

Il soupira.

— J'avais prévu de faire la grasse matinée et d'aller voir quelques collègues ce soir.

Je haussai les épaules.

— Alors pourquoi ne le fais-tu pas ?

— Et toi et Lily ?

Quoi, moi et Lily ? De quoi parlions-nous ? Je m'aperçus que je n'en avais aucune idée. Et que je ne voulais pas le savoir.

— Tout ira très bien pour nous, dis-je. Aucun problème.

— Tu es sûre ?

Et cette fois, il leva les yeux pour me regarder. Il voulait agir en toute honnêteté, ne pas commettre d'erreur, mais avait besoin d'un peu d'espace avant de comprendre les choses. J'étais vraiment très mal placée pour le blâmer. Je souris.

— Oui, j'en suis absolument sûre.

Il me rendit mon sourire.

— Merci, Stella.

À l'autre bout de la cuisine, la tartine sauta du grille-pain. Pendant un instant, aucun de nous deux ne bougea. Puis je me levai.

— Je prends le toast alors.

Au loin — Dimanche

Cette fois, elle ne vit rien. Elle ne perçut que des odeurs, des sons. Les produits chimiques semblaient tout frais, âcres, actifs comme des sels servant à ranimer des esprits évanouis. Elle entendait du vacarme, des plateaux et des bouteilles qu'on déplaçait, de l'eau qui coulait par un robinet sur un évier en métal telle une fontaine déchaînée. Le bruit lui donna envie d'uriner. Elle se rappela qu'un peu plus tôt, avant de se réveiller, elle avait eu une envie désespérée d'aller aux toilettes. Combien de temps était-elle restée inconsciente ? Sept, huit heures ? Même drogue, même sommeil. Une captivité d'un genre différent. Sa tête lui faisait mal, battant douloureusement au même rythme que son pouls maintenant. Plus aucun narcotique pour adoucir sa souffrance. Rien pour apaiser les sentiments. Une chose était certaine. Elle ne voulait plus mourir.

Elle ouvrit les yeux pour voir ce qui l'attendait.

Elle était calée dans un fauteuil, une couverture autour d'elle, sa tête soigneusement maintenue droite par une pile d'oreillers. Mis à part son mal de tête, elle se sentait bien, presque choyée. Devant elle, la cave s'étendait comme une peinture : Joseph Wright of Derby, voilà un homme qui connaissait pas mal de choses aux ombres et à la lumière.

Sur le mur d'en face se trouvaient le matériel photographique, les bains de rinçage, la table de développement et une table lumineuse. Un agrandisseur pendait du plafond. Au-dessus, il y avait un fil à linge sur lequel étaient accrochés des tirages encore mouillés du corps d'une femme, dont les bordures blanches luisantes tiraient vaguement sur le mauve sous la lueur des lampes rouges. Hors de leur portée, la pièce était d'un noir pourpre, peuplée d'ombres et de silhouettes fantomatiques. La seule qui bougeait était la sienne. Il était dos à elle, penché sur un bac de fixateur. Un par un il remuait les clichés dans le liquide, les brandissait sous la lumière avant de les accrocher sur le fil, sans prendre garde aux gouttelettes de produits chimiques tombant autour de lui. Elle l'observa attentivement. Ses mouvements semblaient différents, empreints d'une grâce et d'une fluidité qu'elle n'avait jamais remarquées auparavant, comme si la concentration avait assoupli ses articulations, éliminant tension et timidité. Il se livrait à sa passion, donnant libre cours à son talent. Après tout, tout le monde a un don pour quelque chose : lui, c'était la photographie et le voyeurisme. Auxquels elle pouvait aussi ajouter la violence et la mort.

Elle regarda de nouveau les photos, s'armant de courage pour contempler les images de sa propre terreur. La beauté la frappa au visage : Paola, amoureuse d'un appareil photo si ce n'était du photographe, debout, élancée dans une robe blanche si près du corps qu'elle ressemblait à une peau de serpent. L'éclairage jouait avec la lumière du tissu, la poitrine lourde, l'estomac moulé contre la soie, la riche courbe scandaleuse des fesses. À distance, elle faisait davantage penser à un paysage qu'à un corps, des dunes de neige érotiques, une nature femelle de la dernière indécence. Sur une femme moins stylée, cela aurait été outrancier. Mais cette femme avait assez d'assurance pour faire accepter une telle robe. Elle ressemblait à la comédienne qui jouait l'actrice dans la *Dolce Vita*, un corps mûr, presque trop épanoui. Une femme trop pleine pour qu'aucun homme parvienne à la posséder. Surtout celui-là.

Paola. La femme avant elle, paradant devant l'objectif.

Elle tenta d'avaler sa salive mais sa gorge semblait remplie de sable. Elle avait besoin de boire. Ses lèvres gercées avaient dû faire du bruit car il se retourna, les mains humides en l'air, avant qu'elle ait eu le temps de fermer les yeux. Elle le vit se raidir immédiatement, comme s'il avait peur d'elle. Ridicule. Elle jeta un nouveau coup d'œil sur la femme. La *Dolce Vita*. Italienne. Une façon d'être détendue, que ce soit au niveau du corps ou de la langue.

— *Ciao* Andreas, dit-elle doucement, prenant son temps pour que ses pensées se connectent avec ses lèvres.

Comment disait-on « tête » ? Et le mot pour dire « mal » ? Elle essaya doucement :

— Ma tête me fait mal.

Il la dévisagea longuement, comme s'il ne savait que faire exactement.

— Qu'avez-vous dit ?

Les mots parurent plus clairs dans sa bouche, plus doux, moins fabriqués.

Cette fois, elle parvint à articuler plus nettement.

— J'ai dit : j'ai mal à la tête. Je voudrais un peu d'eau.

— Il y a de l'eau sur la table. Mais il faut boire doucement. Votre organisme est toujours sous l'effet de la drogue.

Elle prit le verre et le sirota lentement comme il le lui avait conseillé. Cela lui fit du bien. Voilà des années qu'elle n'avait pas parlé italien, à part pour réserver une chambre d'hôtel ou papoter dans les trains. Un été, lorsqu'elle était jeune, elle était venue assouvir sa passion pour cette langue, s'enivrant de sa musique et de son aptitude à la parler. Elle avait vécu une histoire d'amour avec un jeune Toscan, qu'elle avait cru aimer pour toujours, mais qu'elle avait oublié en quelques années.

Elle était revenue à Florence — elle le savait maintenant — pour tenter de redécouvrir cette langue, savourer le présent, ressentir l'attrait du futur et le poids du passé. Quel dommage que tout ça conduise à la mort !

— Qui était-ce ? demanda-t-elle en indiquant la femme sur le fil à linge.

Il fronça les sourcils.

— Je vous l'ai dit. C'est Paola. C'est ma femme.

Comme il s'exprimait dans sa propre langue, il n'avait aucune excuse pour se tromper de temps. Elle ne répondit pas.

— Vous ne me croyez pas parce que vous ne pouvez pas imaginer qu'elle ait voulu épouser un homme comme moi. Je m'en rends compte. Mais vous vous trompez. Elle est ma femme.

Elle inspira lentement.

— Et les autres ?

— Les autres ?

— Les autres, oui. Comme moi.

Il la considéra longuement puis secoua la tête.

— Je vois que vous ne comprenez pas. Il n'y a personne d'autre. Vous êtes... Vous êtes...

— La première ? supplia-t-elle doucement.

Le mot n'ayant pas pu le troubler, elle comprit que ce devait être le sentiment qu'il impliquait.

— Oui (il parla d'une voix si basse qu'elle l'entendit à peine), la première.

— Oh, mon Dieu ! La première.

Il ne savait probablement pas quoi faire, comment le faire. Ce serait horrible et sale.

— Vous avez raison. Je ne comprends pas, poursuivit-elle. Pourquoi moi ? Je ne lui ressemble même pas.

— Pas vraiment, c'est vrai. Mais vous avez un point commun.

— Lequel ?

— Votre voix. Je l'ai entendue un matin dans un café sur la via Guelfa. Vous parliez italien au serveur. « Puis-je avoir un verre d'eau et un espresso, s'il vous plaît ? »

Il l'imita, prononçant l'italien différemment, les mots rendus plus durs par l'imitation de son accent. C'était si parfait. L'anglais et l'italien ensemble.

— En fermant les yeux, je l'entendais à nouveau. Vous étiez Paola.

Elle prit une autre gorgée d'eau. Apparemment, il aime le son de ta voix en italien. Alors continue de parler, pensa-t-elle.

— Que s'est-il passé entre vous ?

— Vous voulez dire : pourquoi m'a-t-elle épousé ?

Anna haussa les épaules.

— Je ne...

— Non, vous avez raison, bien sûr. Pourquoi l'aurait-elle fait ? Elle aurait pu avoir tous les hommes qu'elle voulait. Ils étaient tous autour d'elle comme des mouches. Mais j'avais quelque chose qu'ils n'avaient pas. J'avais de l'argent. Beaucoup d'argent. Et j'étais très heureux de le lui donner. Elle aimait ça. Ça ne m'intéressait pas de savoir ce qu'elle en faisait. Je voulais qu'elle le dépense pour son plaisir. C'était un bon mariage. Bien meilleur que beaucoup d'autres.

— Et les photos ?

— C'était ma passion. Elle cédait à mon caprice. Elle le supportait bien.

Oui, apparemment. Les photos prises dans les miroirs le prouvaient. Les gens s'aiment parfois pour les raisons les plus étranges. Sept ans plus tôt, elle avait été obsédée par un homme simplement parce qu'elle ne pouvait pas l'avoir. Elle aussi avait eu du mal à guérir. Elle remarqua qu'il avait changé de place : les bras croisés, il se tenait à nouveau appuyé contre le plan de travail. On aurait presque pu croire qu'il était détendu. Le pouvoir décapant de la confession.

— Mais ça n'a pas duré, poursuivit-elle calmement. Comment cela aurait-il été possible ?

Il haussa légèrement les épaules.

— On se lasse de tout, même de l'argent, quand on en a trop. Je le savais depuis longtemps, bien avant elle.

— Elle vous a quitté ?

Sa tête bougea très légèrement. Cela ressemblait à un oui.

— Elle vous a quitté et vous l'avez suivie. Ce sont les photos qui sont dans le salon, n'est-ce pas ? Celles que vous avez découpées, où elle était avec d'autres personnes ?

— C'était pour son bien. À cause de son argent et de son physique. Les hommes sentent ce genre de choses. Elle ne s'en apercevait pas. Elle ne se rendait pas compte à quel point elle était attirante. Elle pensait qu'on l'aimait bien. Elle n'avait aucun discernement. Elle risquait de souffrir.

— Alors vous l'avez ramenée à la maison ? (Elle se tut, pesant ses mots.) Comme vous l'avez fait avec moi ?

Il ne répondit pas. Il ne fit aucun geste. Mais il ne nia pas non plus.

— Et puis elle est... morte.

Il continua de se taire. Cela n'avait aucune importance. Tous deux connaissaient la vérité. C'était pour ça qu'ils étaient là, ensemble, dans cette cave, aujourd'hui.

— Est-ce que vous l'avez tuée, Andreas ?

— Non (le mot, le même dans les deux langues, claqua comme un coup de fouet, résonnant à travers la pièce), non, je ne l'ai pas tuée. Je ne l'aurais jamais tuée. C'est elle qui s'en est chargée. Si elle n'était pas devenue hystérique dans la voiture...

Elle attendit mais il garda le silence. La voiture.

— Était-ce à cause de la drogue ? demanda-t-elle, se rappelant la nuit où elle avait eu l'impression horrible de voler et de tomber dans un gouffre. La drogue que vous lui aviez donnée ?

Il ferma les yeux et serra ses bras contre lui, comme pour s'offrir le réconfort que personne ne pouvait lui donner.

— Je me suis trompé dans la dose. Je ne lui en ai pas donné assez. Elle s'est réveillée trop tôt dans la voiture. On était sur la route en lacet de Casentino, au sommet de la colline. Elle est devenue hystérique. Elle allait nous faire avoir un accident. Alors je lui en ai redonné une dose — la seringue entière, que j'avais mise dans la boîte à gants. Comme elle me frappait, j'ai eu du mal à évaluer la quantité... (Il hésita.) Puis elle a cessé de se débattre et s'est endormie. Quand nous sommes rentrés, je l'ai portée dans la chambre. Je me suis assis près d'elle tout le temps. Mais elle ne s'est pas réveillée.

Mon Dieu, comme il a dû être heureux de me voir debout le premier matin, pensa-t-elle.

— Comment agit-elle, cette drogue ? dit-elle calmement.

Il poussa un soupir.

— Ça empêche les muscles de fonctionner. Ça provoque une sorte de paralysie. On ne sent plus rien. Jusqu'à ce que les effets disparaissent.

Elle but une autre gorgée d'eau. Combien lui en avait-il donné ? Quelle dose fallait-il pour la tuer ? Qu'est-ce que ça allait lui apporter ?

— Je ne voulais pas vous blesser, dit-il, les yeux fixés sur le sol. J'avais seulement envie de vous garder un peu avec moi. Je pensais qu'avec vous, ça irait mieux. Je savais bien que ce ne pouvait pas être pareil. Mais ces deux derniers jours, quand je vous regardais, vous donniez l'impression d'être comme... eh bien, j'avais le sentiment que vous cherchiez quelque chose... quelque chose de différent, de nouveau. Je ne sais pas. (Il se tut.) Je ne savais pas que vous aviez un enfant.

La façon dont il lança ces mots attira son attention. Elle se souvint de sa surprise le premier soir dans la voiture quand elle lui avait parlé de Lily. Cela l'avait déconcerté. Aujourd'hui encore, ça le perturbait. Elle but une nouvelle gorgée d'eau et se remit debout. Son œil lui paraissait immense, la peau autour distendue. Elle allait sûrement avoir une cicatrice, mais ce n'est pas ça qui la tuerait. Lily. Son absence emplissait la pièce. Lily. C'était à cause d'elle qu'elle ne pouvait pas abandonner et accepter de mourir. Même si elle était épuisée.

— Oui, j'ai un enfant, expliqua-t-elle lentement en anglais pour qu'il n'y ait aucune possibilité d'erreur et parce qu'elle voulait qu'il puisse faire la différence entre une épouse morte et une étrangère bien vivante. Je ne sais pas si je vais arriver à vous expliquer ce que ça signifie. On n'aime pas les enfants de la même manière que les adultes. C'est une passion, certes, une obsession parfois, mais c'est sans danger. Ça conduit plus souvent au meilleur qu'au pire.

Elle hésita. Le fossé entre eux semblait si grand, trop grand pour que les mots le traversent. Mais elle n'avait que ça.

— Ma fille est plus belle que tous les amants que je n'ai jamais eus. Elle est plus innocente, plus intelligente, plus spirituelle, plus physique, plus gourmande, plus généreuse, plus aimante, plus manipulatrice que ceux que j'ai connus. Elle ne peut pas s'en empêcher. C'est sa nature. C'est comme s'il y avait en elle une lumière qu'elle ne sait pas éteindre, une énergie étincelante qui attire tout dans son orbite. Elle n'a peur de rien ni de personne et je l'adore pour ça. D'une certaine façon, je l'ai aidée à devenir ainsi. Par mon esprit, mon courage. Je pense qu'elle m'a un peu pillée à sa naissance. Cela ne me gênait pas. Je pensais que c'était normal, que ce soit bien ou mal. Mais ces derniers temps j'ai commencé à me demander s'il restait quelque chose de moi. Quelque chose qui ne soit pas lié à elle.

Elle s'interrompit. Il ne la regardait pas. Elle ne savait même pas s'il l'écoutait. Ça n'avait pas d'importance.

— Je crois que c'est la raison pour laquelle je suis venue à Florence. Pour découvrir qui j'étais sans elle. Si j'existais sans elle. Pour savoir si je pouvais vivre seule. Peut-être est-ce cela que vous avez senti en moi ce jour-là dans le café : une femme usée par l'adoration. Tout comme vous, vous vous êtes épuisé à force de l'adorer.

Derrière sa tête, sur le fil, un des clichés glissa de la pince à linge et tomba à ses pieds. Il le regarda fixement, tendant instinctivement la main pour le ramasser. Cette femme morte continuait de lui dicter le moindre de ses mouvements. Non. Il ne l'écoutait plus. Elle allait le dire malgré tout. Pour elle-même, si ce n'était pour lui.

— C'est pour ça que je dois rentrer chez moi, vous comprenez. Parce que j'ai saisi un certain nombre de choses. Je me suis rendu compte que je l'aime mais que j'ai besoin de penser à moi. Je ne peux pas vivre ma vie à travers quelqu'un d'autre, aussi magnifique et irrésistible soit-il. Aujourd'hui, j'ai découvert tout ça.

Elle soupira.

— Vous pouvez faire de même, recommencer votre vie sans elle, en me laissant commencer la mienne. C'est pour ça aussi que vous devez me laisser partir.

Tandis qu'elle parlait, il avait ramassé la photo et la dévorait du regard. Il n'y arrive pas, se dit-elle. Il ne peut pas la laisser partir. Car il ne lui restera rien. Pauvre type. Elle remarqua soudain que de sa main libre, il cherchait à attraper quelque chose sur le bureau. À la lueur de la lampe rouge, elle saisit l'éclair sur la pointe de l'aiguille. Il reposa la photo soigneusement et s'avança vers elle, la seringue cachée dans son dos comme si elle le gênait.

Elle ne fit aucun geste. Il n'y avait aucune issue.

Il s'arrêta devant elle.

— Je ne vais pas vous faire de mal, dit-il en italien. Je n'ai jamais voulu ça.

— Non, souffla-t-elle. Je le sais.

Alors qu'il levait la seringue, elle constata qu'elle était pleine.

Au loin — Dimanche

Elle ne se réveilla pas et il ne la réveilla pas. Lorsqu'elle ouvrit enfin les yeux, les stores étaient tirés et sa montre indiquait 15 h 40. La chambre paraissait différente ; plus propre, mieux rangée. Elle tituba jusqu'à la salle de bains. Près du lavabo il n'y avait plus que sa trousse de toilette et sa brosse à dents. Dans la penderie, ses pantalons côtoyaient une rangée de cintres vides, près de la porte il ne restait que son nouveau sac de voyage. Elle se tint immobile devant un long moment, incapable de comprendre ce que cela signifiait.

Quand elle appela la réception, on lui annonça qu'il avait quitté l'hôtel à la première heure, non sans avoir payé la chambre jusqu'au lendemain. Elle ne trouva l'enveloppe qu'en raccrochant le téléphone. Elle était adossée à la lampe de chevet et portait son nom en lettres majuscules.

Le billet était rédigé avec un stylo plume à l'encre noire. Elle ne se souvenait pas avoir jamais vu son écriture, mais dès qu'elle déplia la lettre, elle sut que ça venait de lui : de grandes boucles nerveuses, penchées comme des italiques. Cela lui rappela l'écriture d'un de ses anciens amants, un architecte pour qui la construction visuelle des mots était presque aussi importante que leur signification.

Tous deux aspiraient à la beauté dans l'art, si ce n'était

dans la vie. Je n'ai absolument aucune idée de ce que tu vas me dire, pensa-t-elle, en commençant à lire. Bien joué, Samuel Marcus. Tu demeures une énigme jusqu'au bout.

Dimanche 9 h 35

Chère Anna,

Pendant une demi-heure, j'ai erré dans les rues en me demandant que faire. J'ai appelé chez moi ce matin (je devais vérifier quelque chose) et une voisine a répondu au téléphone. Elle m'a appris que ma femme avait été emmenée à l'hôpital. C'est arrivé la nuit dernière. Elle a fait une overdose. D'après les médecins, son état est stationnaire et elle est hors de danger mais bien évidemment, je dois aller la retrouver. Il y a un avion qui part de l'aéroport de Florence à 12 h 30. Je peux l'avoir si je pars maintenant.

Je ne sais pas quoi te dire. Je n'ai pas envie de te mentir et je ne sais pas comment t'annoncer la vérité. Il y a des choses que je ne t'ai pas dites ; à son sujet, sur notre relation, parce que c'était trop difficile et que si je l'avais fait... enfin, ce n'est pas le moment de commencer. Je suis désolé. Tu vas me prendre pour un parfait salaud et tu n'auras pas vraiment tort bien que j'aie des circonstances atténuantes. Mais bon... encore une fois, ce n'est pas le moment. J'ai pensé te réveiller pour te dire tout ça mais je crois que je n'ai pas eu le courage d'affronter ta réaction. Quand je pense que tu m'as dit un jour que j'avais une confiance en moi monstrueuse, hein ?

J'ai pris la voiture parce qu'elle est à mon nom et que je dois la rendre. C'est aussi le moyen le plus rapide pour aller à l'aéroport. Le directeur de l'hôtel m'a dit qu'à la gare voisine, il y a un train pour Florence qui passe par Arezzo. De là, tu pourras aller à Pise. Il m'a promis de s'occuper de tout pour que tu puisses le prendre. Ton billet d'avion t'attendra au bureau de la British Airways sous le nom d'Anna Revell. Le vol part à 7 h 45 demain matin. BA 145.

Je t'appellerai à Londres dès que tu seras rentrée, mais pour l'instant, je ne peux rien te promettre puisque je ne sais pas ce qui m'attend à mon retour. Vu ce que tu sais sur moi maintenant, j'imagine que tu ne le souhaites pas vraiment. Je ne comprends pas bien ce qui s'est passé entre nous la nuit dernière et ce n'est certainement pas le moment de te le demander. Je vais peut-être laisser passer du temps avant de te téléphoner pour que tu puisses réfléchir. Tu peux toujours me raccrocher au nez. Je ne serai pas surpris.

Pardonne-moi, Anna. Je tiens à te dire que je ne t'ai pas menti sur tout, seulement sur les choses qui ne dépendaient pas de moi. Tu me manqueras bien plus que je ne peux le dire. Si j'en dis davantage, je prends le risque que tu ne me croies pas et je me sens déjà trop coupable à propos de trop de choses... Oui, moi, je me sens coupable. Qui l'aurait cru ?

À toi, avec tout mon amour.

Samuel

C'était une excellente lettre écrite avec une apparente spontanéité. Il y avait plein de mots raturés ou superposés comme s'il avait dû se dépêcher ou hésiter. C'était une parfaite lettre de rupture, elle contenait tous les ingrédients romantiques : la culpabilité, la passion, la confession et le sentiment d'être dépassé par les événements, bref, un vrai mélodrame. Néanmoins, après l'avoir lue, les mots qui résonnaient à son oreille n'étaient pas les siens mais ceux de Sophie Wagner : « Très clair affectivement pour un Anglais. »

Clair, mais absolument pas enclin à lui ouvrir les tripes volontairement comme il l'avait fait avec Mlle Wagner. Avait-il une méthode différente pour chaque femme suivant ce qu'il avait à y gagner ? Le prix du chagrin ? Ou son mordant de la nuit dernière l'avait-il poussé à réviser ses plans, à décider de prendre ses jambes à son cou plus rapidement afin de ne pas perdre l'initiative ? Avait-il réussi son mauvais coup ou avait-il manqué de temps ? Elle réalisa qu'elle n'en avait toujours aucune idée. Mais elle avait des éléments pour le découvrir.

Les deux numéros les plus utilisés sur son portable possédaient l'indicatif de Genève. L'opérateur le lui confirma. Elle composa le premier et attendit. Au bout d'un moment, un répondeur se mit en marche. Le message était en anglais, puis en français, une voix de femme avec un accent américain, lisse. Un ton professionnel sans aucune connotation sexuelle cette fois.

« Vous êtes bien à la galerie Matterman. Il n'y a personne pour vous répondre. S'il vous plaît, laissez votre nom et votre numéro de téléphone et nous vous rappellerons. »

Au second numéro (la maison ?) il y avait un autre répondeur. Message différent, même voix.

« Anthony et Jacqueline sont absents pour le moment. Laissez un message après le signal sonore. Si c'est urgent appelez le portable au... » Elle articulait les mots avec une efficacité singulière. Ce n'était pas le genre de voix à perdre son temps à faire des overdoses.

Elle avait eu le temps de noter deux numéros supplémentaires, mais le crayon s'était cassé et elle n'était pas certaine qu'ils soient justes. Le premier se trouvait en Russie, dans un quartier des faubourgs de Saint-Pétersbourg. Elle laissa sonner six coups avant qu'un homme ne réponde. Comme il décrochait elle réalisa qu'elle n'avait aucune idée de ce qu'elle allait lui dire. La voix s'exprima en Russe.

— Bonjour. Parlez-vous anglais ?

— Oui. (Vu son peu d'accent, il le parlait bien.)

— Je vous appelle de la galerie Matterman à Genève. On m'a posé des questions sur une peinture sur laquelle, je crois, vous avez travaillé avec nous au début de l'année. Je pense que c'était en janvier.

Il y eut un silence. Soit il avait soudain perdu son don pour les langues, soit il n'avait pas aimé ce qu'elle avait dit.

— Qui êtes-vous ?

— Euh... La galerie Matterman. À Genève, en Suisse.

— Tony est-il là ?

— Non, non. Tony et Jacqueline sont absents. Mais...

— Je suis désolé. Vous devez avoir fait un faux numéro. Je ne peux pas vous aider.

Il raccrocha. Elle reposa le combiné. La sonnerie du téléphone retentit aussitôt.

Et si c'était lui, se surprit-elle à penser en tendant la main vers l'appareil, qui appelle pour savoir comment je vais ? Mais avant même d'entendre la voix, efficace, impatiente du directeur de l'hôtel, elle savait que ce n'était pas possible.

— M. Taylor m'a prévenu que vous vouliez prendre un train dans la soirée pour Arezzo afin d'être à Florence cette nuit. Le dernier part à 19 h 20 et la gare se trouve à environ trente kilomètres. L'été, il y a beaucoup de circulation le soir.

Il avait eu la prudence de réserver un taxi. Ce dernier venait d'arriver mais si elle avait changé d'avis, il pouvait l'annuler et...

Elle réalisa soudain qu'elle devait appeler l'aéroport pour réserver une autre place. L'ironie du sort voulait que le billet qu'il avait acheté ne fût, bien sûr, pas à son vrai nom... Il lui faudrait payer elle-même son retour. Quand elle voulut le faire, le numéro était occupé et elle laissa tomber, de peur de rater le train. Elle préféra changer le reste de son argent anglais auprès du directeur de l'hôtel. Tandis que ce dernier la saluait du bord du perron, elle constata qu'il avait l'air soulagé de la voir partir. À la fin de la saison, il aurait tout enjolivé : ils seraient probablement devenus les héros d'une histoire exotique faite de violence et d'abandon conjugal. Mais même ça, c'était loin de la vérité...

Le voyage jusqu'à Arezzo prit presque une heure. Assise, elle contempla le paysage, passant de la forêt à la garrigue couverte de champs d'oliviers tandis que le train redescendait vers la vallée, direction le Sud. Quitter Casentino. Elle se rappela le matin où ils avaient quitté Florence en voiture (était-ce réellement hier ?), le soleil dans les yeux et des récits romantiques plein la tête. Elle ne se rendait pas compte alors à quel point elle était au bord de perdre son âme. Aujourd'hui, étrangement, elle se sentait bien, comme une femme naviguant sur un baril de poudre rempli de curiosité et d'insultes.

Elle quitta la campagne des yeux. Le sac était posé sur le siège en face, comme un vieux compagnon de voyage. Il était si élégant et parfait que c'était difficile de le considérer comme un cadeau. Ça ressemblait plus à une marque d'autocongratulation. À ajouter à la liste des choses qui n'avaient aucun sens. Si son but était d'escroquer ses maîtresses, pourquoi dépenser de l'argent en leur achetant de riches présents ? Ça devait forcément faire partie du trafic. Baise-les ces imbéciles et quitte-les en leur laissant un souvenir de toi. Mais le mystère demeurait : pourquoi dépenser autant pour quelqu'un que tu as l'intention de cambrioler ?

À moins d'être sûr de récupérer le cadeau... Évidemment, si tu as l'intention de les dépouiller, le prix n'a aucune importance. Les cadeaux qu'il avait achetés en Russie à Sophie Wagner avaient-ils déserté l'appartement en même temps que ses tapis anciens et ses bijoux ? Était-ce ce qui allait lui arriver ? Allait-elle rentrer chez elle pour trouver la valise envolée ainsi que la stéréo et l'ordinateur ? Dieu seul savait qu'elle valait plus que la plupart des bibelots qui se trouvaient dans sa maison.

Elle eut comme un déclic. Bien sûr. L'objet qui l'intéressait c'était le cadeau. C'était ça qu'il voulait récupérer. Voilà pourquoi il avait attendu que Sophie Wagner rentrât chez elle. S'il avait voulu cambrioler son appartement, il aurait pu envoyer quelqu'un pendant qu'il couchait avec elle à l'étranger. Mais il avait attendu. Sûrement parce que ce qu'il lui avait offert à Saint-Pétersbourg — peu importe de quoi il s'agissait — était de première importance.

Elle prit le sac et le posa sur ses genoux. Elle fut frappée une fois de plus par l'extraordinaire qualité du travail, la souplesse du cuir, la perfection des coutures. Elle en caressa les bords du bout des doigts. C'était comme toucher une peau douce. Le nœud de l'affaire se trouvait là. Réfléchis, Anna. Encore et encore...

Elle et Sophie Wagner avaient rencontré par les petites annonces un inconnu qui se disait consultant d'art mais qui, en réalité, gagnait sa vie grâce à des trafics. Elle ouvrit légèrement le sac et y glissa la main. Même les coutures cachées étaient une pure merveille, un véritable miracle artisanal à une époque où l'on produisait surtout des bagages jetables bon marché.

Escroqueries. L'art du vol. Prendre ce qui ne vous appartenait pas et en tirer profit. Elle plongea ses doigts au fond du sac, touchant au passage le cheval de bois soigneusement enveloppé. La base en cuir était solide et assez épaisse pour un bagage à main. L'art du vol. Ou, pour être plus précis, le vol de l'art. Deux liaisons amoureuses, deux endroits différents. Saint-Pétersbourg et la Toscane : le premier, une ville vouée à l'art et contrôlée par une nouvelle génération de mauvais garçons prêts à fourguer le patrimoine de la Mère Russie au plus offrant ; le second, une région tellement truffée de trésors historiques qu'il était virtuellement impossible de tous les répertorier et de les protéger. Il faisait juste l'intermédiaire : après avoir trouvé le bon collectionneur au meilleur prix, il se débrouillait pour récupérer les œuvres d'art et les faire sortir en toute sécurité du pays.

Elle sentit le poids du sac sur ses genoux. Elle se remémora sa course en taxi, de Florence à Fiesole, ce premier après-midi, avec son vieux fourre-tout en Nylon, la sueur collant ses vêtements à la banquette. Il faisait plus frais maintenant mais ce bagage semblait plus lourd que l'autre. Pourtant, depuis, elle n'avait rien mis dedans. La seule chose en plus, c'était le sac lui-même. C'était si simple que cela en était presque insultant. Comme offrir un cadeau pour le reprendre.

Le train avait commencé à ralentir et une voix dans le haut-parleur annonça qu'on approchait d'Arezzo. Elle se leva, le sac serré contre sa poitrine, et se mêla à la foule sur le quai. Elle eut un vertige. Elle avait moins de quarante minutes pour attraper sa correspondance pour Florence. Combien de temps lui fallait-il pour découper ce cuir une seconde fois ?

Finalement, elle se rendit dans un hôtel car les toilettes de la gare étaient trop petites et la salle d'attente trop fréquentée. C'était le seul endroit où elle ne serait pas dérangée. Elle prit une chambre pour la nuit et expliqua qu'on lui avait volé son portefeuille, qu'elle avait tout perdu sauf le billet de cent mille lires qu'elle venait de poser sur le comptoir mais que, heureusement, il lui restait de l'argent britannique dans la doublure de sa valise. Elle avait juste besoin d'un couteau ou d'une paire de ciseaux pour le récupérer. L'avait-on crue ou pas ? Elle montra ses poignets à l'hôtelier pour bien lui montrer qu'elle ne s'était jamais tailladé les veines auparavant. Il avait dû en voir et en entendre bien d'autres. Elle monta à l'étage avec le sac et le couteau et commença à découper la croûte de porc.

À la maison — Dimanche après-midi

Paul partit en milieu d'après-midi et nous laissa au métro en chemin. C'était mieux que de se faire de grands adieux. Il avait parlé à Lily de sa réunion et promis qu'il serait de retour lundi soir au plus tard. Il avait mis beaucoup d'énergie à la convaincre. Quant à savoir ce qu'elle en avait pensé... Elle lui lança un baiser depuis le siège arrière et lui souhaita bonne chance.

Nous descendîmes à Westminster et longeâmes les quais jusqu'à la Tate Gallery. Il faisait très chaud, moite, et Londres regorgeait de touristes, des gens comme Anna, cramponnés à leurs guides de voyage et à leurs portefeuilles, amoureux de culture. Le musée était déjà plein de passionnés d'art dominicaux, mais Lily avait tout prévu. En bonne habituée, elle se dirigea directement vers le *Kids Cart*[1] dressé telle une table roulante colorée dans l'Atrium. Une fois en possession d'un plateau en plastique rempli de morceaux de papiers collants, de ciseaux et de modes d'emploi, nous partîmes en quête d'un tableau pour servir de modèle à notre collage, comme dans une véritable chasse au trésor.

Elle déchiffra le plan de la galerie mieux que moi, et,

1. Coin des enfants où on leur propose des activités artistiques.

évitant les différentes périodes artistiques en « isme » de la fin XIXe et du XXe siècle, m'entraîna devant des peintures de chevaux signées George Stubbs, datant de l'Angleterre de 1780. Nous commençâmes à les reproduire sur une feuille blanche au moyen de larges gommettes colorées.

Je fis ce qu'elle me disait, Lily jouant les despotes — concentrée au maximum. Tout en découpant des parties d'anatomie du cheval comme elle me l'avait ordonné, je repensais à la façon dont mon père et moi avions passé nos week-ends après la mort de ma mère. Étant trop vieille pour ce genre de bricolage et trop jeune pour voir des films d'art et d'essai, j'avais connu deux années ennuyeuses. Bien sûr, il n'était pas question de voyages en train. Je crois que mon père a passé des mois et des mois sans le prendre après la disparition de maman. Par peur sans doute de l'écraser. Heureusement, je n'ai pas cédé à cette hantise. Peut-être finalement est-ce mieux de ne pas voir le corps...

Pour mettre les choses au clair, je suis persuadée que ma mère n'avait pas l'intention de nous quitter pour quelqu'un d'autre. Je pense qu'elle a juste fait une erreur. Elle s'est mise en retard et, dans sa hâte de revenir à la gare, n'a pas obéi aux panneaux et a traversé la voie. On pense toujours que ça n'arrive qu'aux autres. Les statistiques ne sont que des chiffres, jusqu'à ce qu'on en fasse partie.

Non. Je ne crois pas qu'il y ait eu quoi que ce soit, un autre homme ou une nouvelle vie, une aventure quelconque. D'après moi, c'était une femme ordinaire qui aimait sa famille : ce qui lui est arrivé n'était qu'un accident.

Cette version des faits m'aide à me sentir en sécurité.

Lily, tête levée, regardait le tableau, le nez froncé en signe d'intense concentration.

— Un problème ? demandai-je en lui ébouriffant les cheveux.

Elle détestait ça mais m'autorisait parfois à le faire quand même.

— Ses pattes arrière ne vont pas, elles sont trop maigres. C'est comme cet arbre, là-bas. Il est trop touffu.

Il fallait reconnaître qu'elle avait raison.

— Du persil frit, dis-je.

— Quoi ? gloussa-t-elle.

— C'est comme ça qu'un des peintres de l'époque appelait les arbres de Thomas Gainsborough.

— Non ? ricana-t-elle, visiblement ravie. (Je haussai les épaules d'un air espiègle.) T'es sûre. Qui t'a dit ça ?

— Je ne m'en souviens pas. Ça doit être quelque chose que j'ai appris à l'école, déclarai-je. Où veux-tu mettre ce morceau ondulé ?

— La crinière, tu veux dire ? (Elle me l'arracha des mains, offusquée.) Honnêtement, Stel, tu ne connais rien aux chevaux.

— Non, répliquai-je. Ni moi, ni George Stubbs.

Elle passa l'après-midi à chevaucher dans la joie et la bonne humeur, mais en rentrant à la maison, fatiguées et accablées par la chaleur, nous nous sentîmes agressées par le silence qui y régnait. Dans l'entrée, le répondeur clignotait. Je le remarquai immédiatement et j'avais hâte d'être seule pour écouter les messages. Peine perdue. Elle se dirigea droit dessus, tripota les touches d'un doigt expert. Je me surpris à la prendre dans mes bras, juste pour me protéger.

D'abord le bip, puis la voix chantante de Patricia qui appelait pour savoir comment on allait et si maman avait réussi à rentrer à la maison. Elle rappellerait dans la soirée. Bien sûr, Patricia avait choisi ses mots en conséquence, n'ignorant pas que Lily savait faire marcher le répondeur. Je lui jetai un coup d'œil. La gaieté qui brillait dans ses yeux grâce aux chevaux avait disparu. Je sentis en elle une fragilité croissante.

Je fis au mieux. Nous préparâmes le dîner ensemble, des spaghettis à la carbonara. Elle me donna la marche à suivre à voix haute, le nez dans le livre de cuisine tandis que je m'exécutais, lui demandant son aide pour remuer la sauce ou battre les œufs. Nous mangeâmes les pâtes dans la cuisine avec du parmesan et une salade de tomates. Il était sept heures moins le quart. La soirée s'étendait devant nous comme un territoire sauvage sans limites. J'entendais presque le hurlement des loups dans mon imagination.

Le téléphone sonna deux fois entre la vaisselle et l'heure du bain. Je dus me retenir pour ne pas courir le décrocher. C'était Mike qui appelait du théâtre pour prendre de nos nouvelles. Il prit Lily sur l'autre ligne, lui racontant en exclusivité comment avec certains éclairages, il pouvait imiter une tempête de neige sur scène et des étoiles dans le ciel. Peut-être que demain, après l'école, elle aimerait faire un saut pour y jeter un coup d'œil ?

— Merci, dit-elle avant d'ajouter : Mais je ne peux pas. Maman rentre à la maison.

À peine avions-nous raccroché que Patricia rappelait. Lily bavarda avec elle un moment pendant que je finissais de faire couler le bain. Quand elle fut dedans, je pris la communication, seule dans le bureau d'Anna.

— C'est une merveilleuse nouvelle. Quand a-t-elle appelé ?

Je poussai un soupir.

— Ce n'est pas si simple, Patricia. C'est une longue histoire.

— Oh, dit-elle. Oh, mon Dieu. D'après ce que m'a dit Lily, j'étais certaine que...

Elle s'interrompit et je réalisai qu'elle était sur le point de pleurer. Les réunions de famille. Elles font ressortir notre sentimentalité. Je m'éclaircis la voix et lui répondis que nous en reparlerions le lendemain une fois qu'elle serait rentrée chez elle. J'attendais avec impatience l'appel tardif de Paul.

Comme je raccrochais le téléphone, j'entendis un craquement dans la salle de bains. Mon cœur s'emballa. J'arrivai presque au moment où elle s'écrasait sur le sol. Seul son cri m'indiqua que j'étais arrivée trop tard. Elle avait décidé de sortir du bain, son corps grassouillet de dauphin couvert de mousse, les pieds glissants. En tombant, sa tête avait heurté l'un des placards. Ce n'était pas trop grave, la peau n'était pas arrachée et la bosse était toute petite, mais ce n'était pas le problème. Le problème était qu'elle était blessée et effrayée et que sa maman n'était pas là pour la consoler. Peut-être même cherchait-elle une raison de pleurer. À sa place je l'aurais fait.

La crise de larmes une fois commencée, difficile de l'arrêter. Je l'enveloppai dans un drap de bain et la serrai contre moi, la laissant sangloter. Je lui murmurai : « Tout va bien, chérie. Stupide bain, pauvre Lily. Rien de cassé. » Des phrases répétées, des mantras de réconfort idiots. Tout en la berçant, je l'emmenai dans la cuisine pour mettre de la glace sur sa bosse.

Elle s'assit sur mes genoux, pelotonnée contre moi. À ma grande surprise, j'étais aussi calme qu'elle était désespérée. Au bout d'un moment, elle sembla s'apaiser. Ses larmes se tarirent. Nous restâmes assises en silence, son corps chaud et moite contre le mien.

Enfin la curiosité prit le dessus et elle tâta sa tête pour sentir la bosse.

— Qu'en penses-tu ? dis-je. C'est un œuf ou une boule de billard ?

Elle émit un petit bruit entre ses dents.

— Maman dit toujours que le placard a eu plus mal que moi.

— Oh, je vois ! Tu te cognes dedans régulièrement, c'est ça ?

— Steeelllaa, dit-elle d'un ton plaintif avant de se détendre de nouveau contre moi.

Je réalisai soudain que nous étions toutes deux très fatiguées.

Je la mis en pyjama et démêlai ses cheveux soigneusement pour ne pas lui faire mal, puis nous nous assîmes ensemble devant la télévision pour regarder une rediffusion de *Chérie, j'ai rétréci les gosses*. Elle avait l'air rassérénée, c'est moi maintenant qui avais la frousse. Je trouvai la scène d'attaque avec l'insecte géant presque insupportable.

Quand ce fut fini, nous fîmes un chocolat chaud et allâmes dans le lit d'Anna. Il n'était pas encore 21 heures et dehors, l'été frimait encore. Je fermai les rideaux sur un ciel scandaleusement rose. Je pouvais à peine garder les yeux ouverts. Paul parlerait au répondeur. Si je ne décrochais pas, il saurait que je n'avais rien de neuf à lui apprendre. Je pourrais attendre jusqu'au lendemain matin pour connaître le décor de sa chambre d'hôtel. Je devais me lever de bonne heure pour suivre le rythme scolaire de Lily.

Nous parlâmes un moment dans la pénombre puis le silence s'installa. Elle se blottit au creux de mes bras. Elle se sentait bien ainsi. Moi aussi. « Tu as fait ce qu'il fallait, Stella, murmura une minuscule voix dans mon esprit. Je pense vraiment que tu as fait ce qu'il fallait. »

— Maman rentre demain, n'est-ce pas ? me demanda-t-elle dix minutes plus tard, alors que je la croyais déjà endormie.

— Probablement, chérie, répondis-je. On verra.

Au loin — Dimanche après-midi

Il l'emmena dehors au soleil, dans la prairie près du lac, loin des vapeurs des produits chimiques et de l'obscurité. C'est là qu'il lui avait proposé de se reposer le premier jour quand elle avait refusé son hospitalité.

En dépit de l'altitude et de l'heure tardive, il faisait toujours très chaud ; cette merveilleuse canicule peu anglaise qui ôte toute énergie mais aussi tout stress, laissant les gens heureux et apathiques. Il l'avait installée sous un arbre parasol mais en cette fin d'après-midi, le soleil avait tourné et elle n'était plus à l'ombre. Tandis que la chaleur s'infiltrait dans son corps, la lumière se frayait un passage entre ses paupières. Ce fut la première chose dont elle se rendit compte — cette pluie de minuscules aiguilles brillantes s'abattant sur elle, tentant de franchir la barrière des cils.

Elle ouvrit les yeux mais la réverbération était si forte qu'elle dut les refermer immédiatement. Elle se sentait lourde et nauséeuse, comme si elle ne pouvait plus se lever de sa chaise. C'était à cause du poids qu'elle avait sur elle. Quelque chose était couché en travers de ses genoux. Elle ouvrit les yeux à nouveau, se forçant à regarder. C'était une sorte de grande boîte à chaussures, idéale pour mettre des bottes. Les bottes de Paola.

Elle était en vie et se trouvait dans le jardin avec les bottes de Paola sur les genoux. Cette pensée la fit se redresser d'un bond. Mais la chaise longue était si près du sol et son équilibre si précaire qu'elle tomba en avant. La boîte glissa de ses genoux et dégringola sur le sol, son contenu s'éparpillant autour d'elle.

Elle se retrouva à quatre pattes au milieu d'une pluie de photos qui la représentaient sous toutes les coutures ; des clichés brillants en noir et blanc de toutes les formes et de toutes les tailles, pris dans des cafés, des miroirs, au lit, droguée et éveillée, heureuse et effrayée, blessée et entière. Tellement de photos. Toutes, probablement.

À côté gisaient deux grandes enveloppes. En déchirant la première, elle fit tomber une avalanche de négatifs, des bandes intimes et sombres, pleines d'instants figés, détails d'une obsession maintenant disparue. Sa vie dans la peau d'une autre femme. Dans la seconde, elle trouva son portefeuille bourré de billets. Elle vérifia : cinq cent mille lires, tout y était. Assez pour acheter ce qu'il fallait en billets d'avion ou de chemin de fer. Et là, au fond, son passeport.

Elle s'allongea dans l'herbe, le serrant contre sa poitrine, feuilletant les pages comme si elle redevenait elle-même : Anna Franklin, une touriste britannique rentrant chez elle après une halte estivale en Italie. Le soleil tombait sur elle, lourd et doux comme du miel liquide. Il collait à sa peau et à ses vêtements, lui donnant envie de s'abandonner, de se relaxer. Elle le pouvait maintenant. Elle pouvait rester et se reposer ou se lever et partir. Elle se sentait nauséeuse et épuisée, mais elle allait s'en sortir. Il ne l'avait pas tuée. Il lui avait rendu sa liberté. Elle ferma les yeux à nouveau et pendant un instant laissa le soleil danser à travers ses paupières.

Quand elle s'en sentit capable, elle se redressa, se remit sur ses pieds et rangea les photos dans la boîte. C'est alors seulement qu'elle remarqua le sac en plastique derrière elle. Dedans, il y avait un tas de vêtements propres, des pantalons, des tee-shirts, des hauts et des chaussures, la garde-robe élégante de Paola et, dans un sac en papier, le cheval de bois avec sa patte arrière à moitié sectionnée. Elle le contempla un instant puis l'enveloppa à nouveau soigneusement.

Elle se changea dans la forêt, roula la soie rouge froissée en un petit paquet serré et le glissa avec les photographies. Puis, prenant la boîte sous son bras, elle emprunta un sentier qui serpentait à travers les arbres. Elle marchait depuis moins d'une minute lorsqu'elle aperçut la maison au loin. Elle s'arrêta, figée par une vieille angoisse.

À cette distance, elle semblait inoffensive, émergeant de la forêt comme une publicité pour une location d'été ; une magnifique et vieille bâtisse toscane fière d'avoir su traverser le temps et l'histoire. Le soleil dardait ses rayons sur ses épaules, le bas de sa nuque, la taquinant de sa chaleur. Elle s'arrêta pour regarder la demeure, se demandant s'il l'observait également. Mais elle ne sentait plus de malveillance. Elle avança de quelques pas. Elle réalisa que tout était fermé. Les stores étaient complètement baissés comme si la maison se reposait, se protégeant de l'attention insistante du soleil pour pouvoir accueillir le prochain occupant.

Elle tourna autour en gardant ses distances. Devant, elle reconnut l'allée de gravier et se rappela le bruit de ses pas quand il l'avait sortie de la voiture, son envie de vomir sous le ciel nocturne. Maintenant l'allée était déserte. La voiture était partie. Avait-il suivi sa femme dans son dernier au revoir ou fermé la porte sur le passé avant de s'en aller ? Elle réalisa soudain avec effarement qu'elle n'avait plus peur de lui. Elle éprouvait à son égard les sentiments qu'on a pour un compagnon avec lequel on a vécu un voyage catastrophique ; une personne qu'on a détestée, voire haïe et méprisée, mais avec laquelle on est venu à bout des difficultés.

Elle s'enfonça dans la forêt, traçant son chemin à travers les arbres pour rejoindre la route. Elle marchait lentement, consciente des effets secondaires produits par la drogue. Une douce nausée presque familière dansait dans un coin de son cerveau, rendant difficile chacun de ses pas.

Elle mit longtemps pour parcourir les trois kilomètres menant à la route principale, guidée par les ronronnements lointains des voitures et la lumière du soleil.

Là, elle aurait probablement pu faire du stop sans problème. Mais en cette période d'été, les véhicules qui la dépassaient étaient surtout composés de familles et elle savait qu'elle ne pourrait pas s'asseoir à côté d'un autre enfant que le sien, alors elle continua de marcher sur le bord de la chaussée, à la lisière du bois. La route grimpait toujours tandis que le soleil, de plus en plus bas, se glissait entre les troncs des arbres, donnant l'illusion d'une cathédrale de lumière. Environ un kilomètre plus loin, à un carrefour, la forêt disparut et elle aperçut le panneau du monastère où saint François d'Assise avait eu ses stigmates, une chapelle austère perchée au sommet d'une spectaculaire saillie de rocher avec de longs corps de bâtiments blancs semblant surgir tout droit de la pierre. Saint François. Voilà un homme qui avait connu bien des procès et des tourments. Les gens qui allaient se recueillir sur son tombeau seraient de ceux à aider une femme dans le besoin sans trop poser de questions.

Après tout, elle parlait bien mieux italien maintenant.

Quoi qu'il arrive, elle trouverait bien quelqu'un pour la conduire à Florence ou même à Arezzo. Si elle n'arrivait pas à prendre l'avion du soir, elle aurait celui du lendemain matin. C'était terminé. Elle rentrait chez elle.

Au loin — Dimanche après-midi

La femme était plus belle que dans son souvenir. Mais à l'église, elle ne l'avait pas vue d'aussi près.

Elle était assise au cœur d'un paysage estival italianisant, cyprès et routes poussiéreuses, avec le corps de son fils étalé comme une lourde et gigantesque pièce de tissu sur ses genoux, sa jupe bleue froissée sous le poids de la chair morte.

Pourtant, malgré sa souffrance physique, son expression était sereine. Elle était belle, avec une rondeur presque enfantine et un teint de pêche, presque trop jeune pour avoir un fils de cet âge. Ses yeux étaient baissés comme il convenait à son chagrin et à sa modestie, cependant elle semblait plus humaine qu'éthérée. Elle ressemblait davantage à une fille ou à une sœur qu'à la Mère de Dieu. On avait l'impression que si on lui enlevait son horrible fardeau, elle allait se précipiter pour danser. C'était cette qualité — terrestre — qui la rendait intéressante. Il y avait des centaines d'autres madones, tout aussi aimantes, mais celle-là se distinguait par sa vie.

« Elle ! » Le pronom la frappa comme un coup de fouet. Impossible de ne pas le remarquer. « Elle. » Bien sûr. C'était ça, le « elle » sur le message ; le « elle » qui expliquait tout, le « elle » qu'il devait ramener comme prévu et que le client attendait. La pietà de Bottoni, arrachée à l'église campagnarde de Casentino et escamotée au fond d'un cadeau offert par un amoureux.

Mais comment et quand était-elle arrivée là ? Elle reprit tout ce qu'elle savait depuis le début, comme un enfant apprenant à parler épelle à voix haute les syllabes.

Hier matin, elle contemplait avec admiration une pietà sur un tabernacle dans le village de Casentino en compagnie d'un vieil homme enthousiaste aux yeux chassieux. Qu'avait-il dit au sujet de cette peinture ? Qu'on avait murmuré à un moment qu'il s'agissait d'une œuvre du XVIIIe siècle peinte par le célèbre Pompea Bottoni : on avait parlé d'un cadeau fait à un couvent voisin à l'occasion de la prise de voile d'une jeune femme qui, selon certains, aurait été intimement liée à l'artiste. Trop pour être respectable.

Quelle que soit la vérité, l'œuvre aurait eu une valeur inestimable si elle s'était révélée être un Bottoni. Pas simplement parce qu'un peintre de cour peignait rarement des sujets religieux mais parce que, en ayant pris comme modèle sa propre fille, qu'il aimait mais ne pouvait pas reconnaître, il prouvait son don pour le portrait. Pour un collectionneur, c'était une belle pièce. Tout au moins si l'église avait accepté de la vendre. Ce qui n'aurait certainement pas été le cas.

Finalement, le problème ne s'était jamais posé. Lorsque la toile avait été restaurée, on avait découvert qu'il ne s'agissait pas d'un Bottoni mais d'un tableau réalisé par un peintre anonyme du XIXe siècle, assez joli pour décorer un autel roman, mais pas plus. Une occasion ratée pour les amateurs d'art et de fric. Un sujet de déception mais aucun motif de plainte : il n'y avait eu ni escroquerie, ni fraude, ni vol...

... en apparence. En fait, le Bottoni original avait dû être copié pendant qu'il était entre les mains du restaurateur. C'était la seule possibilité : on l'avait soigneusement retouché et reproduit (le même homme avait pu s'en charger) et le tableau qui était entré dans l'atelier était différent de celui qui en était ressorti. Puisque son authenticité n'avait jamais été prouvée, cela avait été facile de faire croire ce qu'on voulait, sans que les experts s'en mêlent.

L'église de Casentino avait récupéré une fausse pietà et n'y avait vu que du feu. Pendant ce temps, l'œuvre originale était acheminée vers son nouveau propriétaire. Quel meilleur passeur qu'une innocente touriste, ne présentant aucun lien avec le monde de l'art, capable de franchir les frontières sans attirer l'attention des douaniers de Sa Gracieuse Majesté à Londres.

Ainsi Notre Mère et son fils crucifié allaient transiter d'un atelier florentin à une planque dans le *West London* où ils seraient récupérés pour être vendus. Pas étonnant qu'il ait été si impatient de visiter l'église. Quelle satisfaction professionnelle il avait dû ressentir en voyant le faux sur le tabernacle tandis que l'original était caché, dehors, dans le coffre de sa voiture.

Habile et simple. Et bon marché. Quel était le prix d'un Bottoni selon son amoureux de l'art ? Un peu plus de trois cent mille sur le marché libre. Et en dehors du marché, celui d'une œuvre exceptionnelle et unique ?

Les connaisseurs devaient être prêts à payer n'importe quelle somme pour l'obtenir. Même avec les frais, le profit allait être considérable. Une fois payé le prix d'un bon faussaire, d'un talentueux maroquinier et du temps consacré à embobiner la bonne femme idéale, combien restait-il ? Deux cent mille livres ? Probablement plus. Le dernier poste de dépense était presque inexistant. Même les magnats de la drogue paient à leurs transporteurs les maux d'estomac qu'ils leur ont causés. Cependant, les maladies de cœur n'ont droit à aucune compensation. À tout prendre, c'était une entreprise hautement profitable... enfin, seulement si vous rameniez l'objet intact.

S'il y avait un problème pendant le voyage, si le bagage était abîmé ou égaré, adieu le beau profit ! La réputation du fournisseur ne vaudrait pas plus cher qu'une vieille peinture non restaurée. Sans parler des dégâts que cela causerait à sa monstrueuse confiance en lui.

Elle glissa à nouveau la jeune madone potelée dans la doublure de cuir, la protégeant de l'immoralité du monde, puis, après un détour par la consigne de la gare, où elle fit ce qu'il y avait à faire, elle attrapa le train de nuit pour Florence.

Lorsque le train arriva à destination, elle grappilla quelques heures de sommeil sur un banc de la gare de Santa Maria Novella puis l'appela avant de partir pour l'aéroport. 5 h 35. La sonnerie retentit à de nombreuses reprises. Où se trouvait-il maintenant, cet homme au téléphone et à la vie mobiles ? Dans un autre aéroport ? En train de lire de nouvelles petites annonces ? Ou au terme d'une nuit de retrouvailles avec sa complice. Eh bien, il était temps de se réveiller....

— Salut Samuel ! lança-t-elle debout dans la cabine téléphonique, une pile de pièces à ses côtés.

— Qui est-ce ? demanda-t-il d'une voix plus perplexe qu'endormie.

— Quoi, tu m'as déjà oubliée ?

— Anna ?

À sa grande satisfaction, il ne put cacher sa stupéfaction.

— Anna, c'est toi ?

— Ouais, dit-elle gaiement. C'est moi, je suis la même. Comment vas-tu ?

— Ça va. Mon Dieu, comme c'est incroyable d'entendre ta voix. Comment as-tu...

— J'ai eu ta lettre. C'était... c'était très émouvant. Comment va-t-elle ?

— Elle... elle, euh... va s'en sortir. Écoute, euh... je ne peux pas vraiment te parler maintenant. Je suis, euh... je suis toujours à l'hôpital, en fait. Pourquoi ne me donnes-tu pas ton numéro, je te rappellerai plus tard.

— Ah, je suis désolée. Je ne peux pas. Je suis à Florence, prête à prendre le train pour l'aéroport. Je voulais te dire pour ta valise, mais si tu préfères, n'en parlons plus...

— La valise ? Écoute, ne quitte pas une seconde, veux-tu ?

Le silence se fit sur la ligne comme s'il avait bouché l'écouteur avec sa main. En attendant, elle remit quelques pièces dans l'appareil : ses cinq cents lires en monnaie fondaient comme neige au soleil. Les portables sont de grands consommateurs d'argent, comme leurs propriétaires. Où es-tu en réalité ? se demanda-t-elle. Difficile de le savoir avec un homme qui avait le talent d'avoir l'air tout près même quand il était loin.

— Salut, c'est moi. Me revoilà.

— Parfait. Alors, elle va bien ?

— Humm... elle est hors de danger mais on ne peut pas m'en dire plus pour l'instant. Alors que voulais-tu me dire au sujet de la valise ?

— Simplement que je ne peux pas l'emporter. À la maison, je veux dire.

— Pourquoi ? (Il était anxieux de connaître la réponse.)

— J'ai... j'ai eu un accident en montant dans le train à la gare d'Arezzo hier soir. Je suis tombée et je me suis fait mal au dos. Je pense que j'ai dû me fouler quelque chose. Enfin, je n'ai pas pu continuer à la porter. J'ai dû transférer mes affaires dans mon vieux sac de voyage. Il a une bandoulière, c'est plus facile.

Il y eut un silence. À partir de maintenant, il devait penser très vite et choisir une solution parmi les douzaines qui se présentaient à lui. Il allait certainement trouver.

— Qu'as-tu fait de la valise ?

— Je l'ai laissée à la consigne de la gare d'Arezzo. Tu comprends, elle était trop belle pour que je l'abandonne. J'ai pensé que tu viendrais probablement par là un de ces jours pour ton travail et que tu pourrais aller la chercher. Si tu me donnes ton adresse, je t'enverrai le reçu quand je rentrerai.

Le silence s'éternisa. Limiter les dégâts et gérer les pertes. Ne sont-ce pas les termes employés dans les sociétés qui ne pensent qu'au profit ? Tu as beau être doué, ça ne va pas suffire, pensa-t-elle gentiment.

— Anna, écoute, c'est génial d'entendre ta voix. Vraiment. Je... je me demande... comment as-tu réussi à retrouver ma trace ?

— Tu veux dire ton numéro de portable ? Oh, j'ai oublié de te le dire. Pendant que tu étais au restaurant l'autre soir, il a sonné. J'ai trouvé l'appareil dans la poche de ta veste. Le numéro était en mémoire et je l'ai noté. Tu me disais toujours que tu allais me le donner, rappelle-toi, mais tu n'as jamais trouvé le temps.

— Tu as pris un appel pour moi l'autre soir ?

— Non. J'ai juste entendu le téléphone sonner. Je n'ai pas décroché à temps. J'imagine qu'on t'a laissé un message. (Elle eut une hésitation.) Après avoir lu ta lettre, je me suis demandé si ce n'était pas ta femme.

Il ne répondit pas. Elle glissa ses quatre dernières pièces dans un silence complet. La ligne hoqueta.

— Tu es toujours là ? demanda-t-il avec anxiété.

— Oui, je suis là. Ce n'était pas elle, n'est-ce pas, Samuel ?

— Euh... non... non. C'était pour le travail. Écoute, au sujet de la valise... ?

— Oui ?

— Je vais probablement être obligé de revenir à Florence la semaine prochaine. J'irai la chercher. Si tu me donnes les détails au téléphone...

— D'accord. Si tu me dis quand tu comptes venir, je peux appeler la consigne. Apparemment, si tu n'as pas le ticket, il faut leur donner un nom et une heure d'enlèvement. (Elle marqua une pause.) Tu connais la bureaucratie italienne.

— Euh... jeudi matin ?

— Si vite ? s'étonna-t-elle.

Dans ces circonstances, n'importe qui aurait été surpris.

— Oui, je sais... euh... je dois être à Rome pour une réunion un peu plus tard mais je pourrai y faire un saut.

Le crédit était presque épuisé... un nouveau bip sonore retentit ; plus que deux pièces. Ça ne pouvait pas couper maintenant.

— Anna, tu es là ? hurla-t-il, paniqué, cette fois.

Elle le laissa transpirer quelques secondes puis lui dicta tous les détails au téléphone. Il répéta chacun des chiffres après elle. Il ne fallait faire aucune erreur. Il y eut un court silence.

— Bon, dit-elle, j'espère que les choses vont marcher pour toi, Samuel. J'ai l'impression que tu vas avoir du pain sur la planche pendant un moment.

— Oui, je crois. Écoute, je te renverrai la valise la semaine prochaine. J'ai ton adresse, n'est-ce pas ?

— Sûrement, répondit-elle avec gaieté. De toute façon, je suis dans l'annuaire.

Il marqua un silence, puis :

— Sous le nom de Revell ou de Franklin ?

Elle inspira une large bouffée d'air. Elle ne pouvait pas gagner sur tous les terrains. Elle éclata de rire.

— Comment sais-tu ça ?

— J'ai vu ton passeport dans la chambre. Pourquoi, c'est important ?

— Non. Non, pas du tout.

— Bon. De toute manière... écoute, je... euh... je t'appellerai quand les choses se seront calmées, d'accord ?

— Non, tu ne le feras pas, dit-elle doucement. C'est aussi bien en fait, parce que je ne te répondrais pas de toute façon.

Déçu en amour, déçu en affaires. Ça allait être une mauvaise semaine pour Samuel Taylor, quel que soit son nom. À l'autre bout de la ligne, il se mit à rire, mal à l'aise.

— Bon, si c'est ainsi que tu vois les choses... je ne sais pas très bien quoi dire.

— Que dirais-tu de : « Tu vas me manquer » ?

— Oui, eh bien, tu sais que ça pourrait même être...

Les bips se firent entendre à nouveau, et l'appareil émit un long gémissement comme un électrocardiogramme annonçant la mort du patient.

— ... la vérité ? dit-elle en raccrochant le téléphone. De toute façon, j'en doute. Salut Tony.

Mais il n'était plus là. Elle consulta le panneau d'affichage. Le 5 h 47 pour Livourne par la gare centrale de Pise partait dans cinq minutes. En chemin, elle ajouta le mot « jeudi » à sa lettre et la jeta dans la boîte aux lettres sur le quai principal. Le gardien de l'église l'aurait demain matin. Elle aurait aimé voir son visage quand il lirait ce courrier lui expliquant où, quand et dans quelles mains il pourrait trouver son précieux Bottoni.

Transit — Lundi matin

7 h 10. Aéroport de Pise. Le hall d'entrée commence au bout du quai mais, malheureusement, à cette heure-ci il n'y a pas de train direct. Les passagers en provenance de Florence sont obligés d'aller chercher un taxi à la gare centrale de Pise pour rejoindre les faubourgs de la ville. De toute façon, prendre l'avion pour Londres à 7 h 45, c'est un peu dingue... L'avantage c'est que l'appareil peut faire un maximum d'allers et retours dans la même journée, ce qui est rentable pour la compagnie aérienne, et revenir dans la soirée à Pise. L'escale y coûte moins cher qu'à Gatwick.

L'aéroport ne se montre pas vraiment à la hauteur. L'unique duty free shop est assez élégant mais fermé, le café, lui, est ouvert mais très ordinaire. De toute façon, la plupart des voyageurs n'ont pas le temps. Bien que le comptoir soit encore assiégé, l'embarquement a déjà commencé, un mélange de touristes étrangers et d'hommes d'affaires italiens portant des mallettes bourrées de calculettes et d'ambition. La femme au bout de la queue ne s'inscrit dans aucune de ces catégories. Elle a beau sortir des toilettes, elle a l'air échevelée. C'est peut-être dû à son visage ? Il est impossible de ne pas remarquer le gros bleu violacé défigurant son sourcil droit, ses yeux fatigués, sans parler du grand sac plastique qui semble constituer son seul bagage.

Bien que personne ne la dévisage vraiment, elle est consciente de la mauvaise impression qu'elle doit donner. Surtout au personnel de la compagnie aérienne.

C'est le cas. Derrière le comptoir, l'employé essaie de ne pas regarder son visage en faisant défiler la liste des passagers sur son ordinateur. Il n'arrête pas de secouer la tête.

— Je suis désolé, madame. Nous sommes absolument complets, dit-il dans un anglais admirable. En plus, comme vous le voyez, il y a une liste d'attente.

Elle prend une inspiration.

— Mais vous ne comprenez pas. Je dois rentrer chez moi. Mon enfant m'attend. Ça fait trois jours que j'essaie de quitter Florence. Au bureau de la British Airways en ville, on m'a dit de venir ici, que je pourrais prendre ce vol.

Il fronce les sourcils.

— Ils n'avaient aucun droit de vous dire ça, madame. Comme vous pouvez le constater, nous sommes débordés. C'est la pleine saison touristique et les avions sont remplis de gens en attente. Je suis désolé, mais tout ce que je peux faire, c'est vous mettre en stand-by.

Elle sait que ce n'est pas l'entière vérité. Elle a des amis qui voyagent avec des cartes Silver et des comptes de sociétés. Elle comprend que les avions ne sont complets que pour les mauvaises personnes. Suivant qui vous êtes et ce que vous voulez faire, vous arrivez à trouver une place.

Il attend qu'elle s'en aille, mais elle reste plantée devant lui. Soudain, elle se met à pleurer. Doucement au début, puis plus fort, plus frénétiquement ; sanglotant et hoquetant comme si son cœur allait se briser dans le hall de l'aéroport, le condamnant à en ramasser les morceaux. Il la regarde avec une appréhension grandissante. C'est un peu tôt pour les crises d'hystérie. D'après son expérience, les Anglais sont très doués pour les démonstrations de ce genre, malgré leur réputation de flegmatiques. Autour, les gens commencent à s'agiter, à s'inquiéter. À cette heure matinale, il n'y a aucun responsable dans les parages et l'avion doit partir dans quinze minutes. Il vérifie de nouveau la liste des passagers sur son ordinateur puis consulte la liste d'attente et la pendule.

— Très bien, dit-il.

Elle se calme avec une rapidité impressionnante.

— ... Le *World Traveller* est complètement booké. Là, je ne peux rien faire. Mais il semble qu'il reste une place en classe affaires. Il y a déjà quelqu'un en liste d'attente mais puisque c'est une urgence et une question d'enfant... Bien sûr, c'est plus cher, ajoute-t-il en levant les yeux, espérant visiblement que ça va la faire changer d'avis.

— Combien ?

Il appuie sur quelques touches et lui annonce une somme qui, dans la plupart des compagnies, lui permettrait de se payer un aller et retour pour New York. Elle ne cille pas, se contentant de sortir son portefeuille, et étale de l'argent liquide sur le comptoir, un mélange de billets anglais et italiens, et pour compléter les dix mille dernières lires en petite monnaie.

Alors qu'il achève de valider son billet, l'ultime signal clignote. Il lui tend sa carte d'embarquement. Arrivée au fond du hall, près des cabines téléphoniques, elle fourrage frénétiquement dans son sac plastique, en sort des vêtements et des paquets, cherchant les moindres petites pièces oubliées qu'elle empile à côté d'elle, les unes sur les autres. Elle glisse l'argent dans la fente de l'appareil puis compose le numéro. À l'autre bout de la ligne, le message est bref : « Anna et Lily ne sont pas là en ce moment. Si vous voulez envoyer un fax, s'il vous plaît, faites le... »

Elle s'apprête à parler...

À la maison — Lundi matin

J'avais mis le réveil à 7 h 30, par peur d'oublier de me lever et que Lily manque l'école. Forcément, j'étais réveillée bien avant, imaginant le reste de ma vie dans la peau d'une mère active. J'avais envoyé ma lettre de démission à la société et mis mon appartement en vente. Il fallait pourtant que je trouve un travail adéquat à Londres — faire du droit des sociétés à mi-temps, c'est complètement antinomique —, mais j'étais loin d'avoir épuisé toutes les possibilités. En pensant à ça, je ne songeais pas à Anna. C'était presque comme si elle était dans une chambre frigorifique, égarée dans le purgatoire de Dante, quelque part entre les vivants et les morts.

« Doit rentrer n'importe quand, était-il écrit sur l'étiquette. Dans l'intervalle, on peut penser aux plans d'urgence. »

J'en étais déjà aux prochaines vacances d'été chez mon père au pays de Galles lorsque le téléphone sonna. Je regardai ma montre. Il était 6 h 37. Trop tôt pour Paul.

Mais une heure de plus en Italie.

« ... en ce moment. Si vous voulez envoyer un fax... »

À part elle, qui d'autre cela pouvait-il être ?

« ... Laissez un message après le signal sonore. »

En me précipitant en bas de l'escalier pour éteindre le

répondeur, je pensais à Lily et à ma mère. On ne peut jamais, jamais prévoir ce qui va arriver. Merci mon Dieu.

« ... merci de votre appel. »

J'avais l'écouteur en main. J'appuyai sur la touche off. La ligne grésillait... J'entendis une respiration et quelque chose qui ressemblait à une voix, puis tout s'arrêta. Brutalement.

— Anna, murmurai-je dans l'écouteur. Anna !

En un éclair, je fus absolument certaine qu'il s'agissait d'elle. Le tourbillon de peur dans lequel nous avions été entraînés, les fantasmes obsédants allaient disparaître.

En haut des marches, attirée par la sonnerie, Lily, le fantôme du téléphone, attendait.

Je lui lançai un large sourire.

— Je crois vraiment que c'était ta maman, dis-je.

À travers son visage illuminé de joie, je me vis ouvrant en grand les fenêtres de mon appartement, reniflant les odeurs d'épices qui remontaient des planchers de bois ; tout en m'asseyant, seule et satisfaite, je m'allumerais un joint en regardant les ronds de fumée glisser entre mes doigts.

Trois jours au loin, c'est long, parfois.

Transit — Lundi matin

Plus de ligne, le crédit est épuisé. Elle repose le téléphone avec colère puis, attrapant son sac, commence à courir vers la porte d'embarquement. Le hall est presque désert maintenant. Les seules personnes qui restent sont des voyageurs en liste d'attente qu'on a oubliés dans un coin ou qui ont choisi de passer la journée sur place.

Elle est la dernière à présenter son passeport, la dernière à franchir le contrôle de sécurité. Elle sourit d'un air d'excuse. Elle a hâte d'être partie. Dans la salle de départ, il n'y a plus personne, excepté le personnel au sol, près de la porte, consultant ses listes. Ils ne partiront pas sans elle. Pas sans un passager de la classe affaires. Sûrement pas.

Alors qu'elle ramasse son sac, après son passage aux rayons X, le dessus se renverse, laissant échapper ses affaires sur le tapis roulant. Précipitamment, elle les remet à l'intérieur... Soudain, elle réalise qu'il lui manque quelque chose.

Elle plonge sa main dans le fond pour trouver le sac en papier, la lourde pièce de bois et les formes aiguës des pattes du cheval. Il n'y est pas. Le cadeau de Lily. Elle a dû le sortir en cherchant de la monnaie dans son sac, l'oublier dans la cabine téléphonique. Elle l'imagine abandonné sur le sol, attendant qu'elle revienne le chercher. Le cheval de bois. La seule chose qui mérite peut-être d'être gardée de ce voyage effrayant. Elle jette un coup d'œil derrière elle mais le hall est déjà une terre étrangère, séparée par la douane et le contrôle des passeports. Et l'avion est sur le point de décoller...

Elle n'hésite qu'une fraction de seconde, soulève son sac et se dirige lentement vers la porte.

La salle de départ s'étale devant Anna comme le futur. De l'autre côté de la barrière, le reste de sa vie l'attend et elle meurt d'envie d'y pénétrer. Désormais, elle sait qu'elle ne sera plus la même. Comment ? C'est encore trop tôt pour le dire. Elle imagine déjà son arrivée : le bruit de la clef dans la serrure, le corps de Lily se jetant contre le sien, leurs voix mêlées d'éclats de rire. Mère et fille réunies. À chaque nouveau pas, elle se sent plus lumineuse, libérée, rajeunie par cette promesse.

Anna rentre chez elle.

Pendant ce temps, derrière elle, un homme traverse le hall de l'aéroport en direction des cabines téléphoniques, et ramasse sur le sol un petit paquet brun avant de continuer sa route.

Photocomposition Nord Compo
Villeneuve-d'Ascq

Impression réalisée sur CAMERON
par BRODARD ET TAUPIN
La Flèche
en février 2000

Imprimé en France
Dépôt légal : février 2000
N° d'édition : 2022 – N° d'impression : 1124